D1301481

L'ŒIL DU TSAR ROUGE

Sam Eastland

L'ŒIL DU TSAR ROUGE

Traduit de l'anglais (Angleterre)
par David Fauquemberg

Éditions Anne Carrière

Titre original : *Eye of the Red Tsar*

Publié par Faber and Faber Ltd, Londres, en 2010

ISBN : 978-2-8433-7578-1

www.anne-carriere.fr

Ce livre est dédié à P. R.

PROLOGUE

À travers un voile sanglant, le tsar vit l'homme recharger son arme. Les douilles vides jaillirent du barillet, entraînant des parachutes brumeux de fumée. Sonnantes et trébuchantes, elles frappèrent le sol sur lequel il gisait. Le tsar respira douloureusement. Il sentait palpiter les bulles qui s'échappaient de ses poumons perforés.

Le tueur s'agenouilla près de lui. « Vous voyez ? » L'homme empoigna le tsar par la mâchoire et fit pivoter sa tête d'un côté puis de l'autre. « Vous voyez où tout cela vous a mené ? »

Le tsar ne distinguait plus rien, aveuglé par la pellicule qui obscurcissait son regard, mais il savait que sa famille tout entière gisait autour de lui. Sa femme. Ses enfants.

« Allez, murmura-t-il à l'intention de l'homme. Finissez-moi. »

Le tsar sentit une main le gifler doucement, les doigts gluants de son propre sang.

« Vous êtes déjà fini », rétorqua le tueur. Alors le barillet de son arme cliqueta.

Puis le tsar entendit de nouvelles explosions, fracas assourdissant dans l'espace confiné de la pièce. Il tenta de crier « Ma famille ! » mais il ne put que tousser et eut un haut-le-cœur. Il ne pouvait rien faire pour eux. Il n'eut même pas la force de lever le bras pour se protéger.

À présent, on traînait le tsar à travers la pièce.

Le tueur grogna en hissant le corps en haut d'un escalier, proférant des jurons chaque fois que les bottes du tsar butaient contre les marches.

Dehors, il faisait nuit.

Le tsar sentit la pluie sur son visage. Bientôt, il distingua le bruit des cadavres qu'on empilait à ses côtés. Leurs crânes sans vie heurtant le pavé.

Un moteur démarra. Un crissement de freins, puis le claquement sourd d'un hayon. Un par un, les corps furent déposés à l'arrière d'un camion. Enfin le tsar lui-même fut hissé sur le tas de cadavres. Le hayon se referma.

Quand le camion se mit en route, la douleur étreignit la poitrine du tsar. Chaque soubresaut du véhicule sur la route défoncée lui infligeait une nouvelle blessure, son agonie étincelant tel un éclair dans les ténèbres épaisses qui tourbillonnaient alentour.

Soudain, sa douleur s'estompa. L'obscurité semblait se déverser comme un liquide à travers ses yeux. Elle éteignait toutes ses peurs, ses espoirs, ses souvenirs, ne laissant derrière elle qu'un vide tressautant, dans lequel sombra la conscience du tsar...

SIBÉRIE, 1929

L'homme se redressa, le souffle court.

Il était assis, seul, au milieu de la forêt.

Une nouvelle fois, son cauchemar l'avait réveillé.

Il repoussa la vieille couverture de cheval et, plissant les yeux, scruta la brume matinale percée de rayons de soleil qui s'entrecroisaient dans les ramures des arbres. Il roula la couverture, dont il noua les deux extrémités avec des liens de cuir. Puis il hissa le rouleau par-dessus sa tête et le laissa retomber sur ses épaules et son dos. Il tira de sa poche un lambeau flétri de viande de renne séchée qu'il mâcha lentement, s'interrompant parfois pour écouter le frôlement des souris sous le tapis de feuilles mortes, le grondement des oiseaux sur les branches, et le bruissement du vent au sommet des pins.

L'homme était grand et large d'épaules, le nez droit, les dents blanches et saines. Ses yeux étaient brun-vert et ses iris brillaient d'un étrange reflet argenté, que les gens ne remarquaient que lorsqu'il les fixait du regard. Sa longue chevelure brune était parsemée de mèches grises avant l'heure, et une épaisse barbe recouvrait ses joues brûlées par le vent.

L'homme n'avait plus de nom. Nul ne le connaissait autrement que comme le prisonnier 4745-P du bagne de Borodok.

Bientôt, il reprit son chemin, traversant une pinède qui descendait en pente douce vers un cours d'eau. Il s'aidait d'un grand bâton dont l'extrémité noueuse était hérissée de clous de maréchal-ferrant, reconnaissables à leur tête plate.

Il n'avait pour tout bagage qu'un seau de peinture rouge, avec laquelle il marquait les arbres qui devaient être coupés par les détenus du camp, chargés de récolter du bois dans la forêt de Krasnagolyana. À défaut de pinceau, l'homme plongeait les doigts dans la peinture écarlate et barbouillait son empreinte sur les troncs. Ces marques étaient, pour la plupart des autres bagnards, la seule et unique trace de son existence.

L'espérance de vie moyenne d'un marqueur d'arbres dans la forêt de Krasnagolyana ne dépassait pas les six mois. Travaillant seuls, sans la moindre chance d'évasion ni le moindre contact humain, ces hommes succombaient tous aux rigueurs du climat, à la faim et à la solitude. Ceux qui se perdaient ou qui se brisaient la jambe en tombant étaient en général dévorés par les loups. Au bagne de Borodok, le marquage des arbres était la seule tâche réputée pire qu'une condamnation à mort.

Le prisonnier 4745-P, qui purgeait à présent la neuvième année d'une peine de trente ans pour crimes contre l'État, avait survécu plus longtemps que tout autre marqueur dans l'empire du Goulag. Peu après son arrivée à Borodok, le directeur du bagne l'avait envoyé dans la forêt, de crainte que les autres détenus ne finissent par découvrir sa véritable identité. Tout le monde en était persuadé : il mourrait dans l'année.

Trois fois par an, on lui déposait des provisions au bout d'une piste forestière. Du kérosène. Des conserves de viande. Des clous. Pour le reste, il devait se débrouiller seul. Les équipes de bûcherons chargées de couper les arbres ne l'apercevaient que rarement. Et ce qu'ils voyaient, alors, était une créature qui n'avait plus grand-chose d'humain. Avec la croûte de peinture rouge qui recouvrait son uniforme de bagnard et la longue crinière qui lui enveloppait le visage, il ressemblait à une bête sauvage dépecée, abandonnée au fond de la forêt, qui aurait par miracle réussi à survivre. Les rumeurs les plus folles couraient à son sujet – il mangeait de la chair humaine, il portait une cuirasse faite des os de tous ceux qui avaient disparu dans la forêt, il s'était confectionné une casquette avec leurs scalps.

On l'avait surnommé «l'homme aux mains sanglantes». Nul, hormis le commandant de Borodok, ne savait d'où venait ce prisonnier, ni ce qu'il avait bien pu être avant son arrivée au camp.

Ceux qui craignaient de croiser son chemin ignoraient qu'il s'agissait de Pekkala, dont ils avaient eux-mêmes invoqué le nom, jadis, comme leurs ancêtres celui des dieux.

L'homme traversa le gué, s'extirpa de l'eau glacée qui lui arrivait à la taille et s'enfonça dans un bosquet de bouleaux sur l'autre rive. Tapie au creux des arbres, à demi enfouie dans le sol, se dressait l'une de ces cabanes que l'on appelle des *zemlyankas*. Pekkala l'avait bâtie de ses propres mains. Il s'y réfugiait au plus fort des hivers sibériens, dont la pire caractéristique n'était pas le froid mais un silence si absolu qu'il en devenait un bruit à part entière, une sorte de sifflement tumultueux – le frôlement de la planète dans sa course folle à travers l'espace.

À proximité de la cabane, Pekkala s'arrêta pour humer l'air. Son instinct le mit en alerte. Il se figea, comme un héron suspendu au-dessus de l'eau, ses pieds nus enfoncés dans la mousse.

Son souffle se bloqua au fond de sa gorge.

Un homme était assis sur une souche à l'orée de la clairière. Il tournait le dos à Pekkala. Il portait un uniforme militaire d'un brun olivâtre, de grandes bottes noires qui lui montaient jusqu'au genou. Ce n'était pas un simple soldat. Le tissu de sa veste avait l'éclat lisse de la gabardine, et non l'aspect rêche des tenues de laine brute portées par les membres de la troupe de garnison locale, lesquels s'aventuraient parfois jusqu'au bout de la piste, mais jamais aussi loin dans la forêt.

Il n'avait pas l'air égaré et, à première vue, ne portait aucune arme. La seule chose qu'il avait apportée, c'était une mallette de bonne qualité, dont les accessoires de cuivre poli avaient l'air follement déplacés, ici, au fond des bois. Il semblait attendre.

Au cours des heures qui suivirent, tandis que le soleil grimpait au-dessus des arbres et que la senteur de la sève des pins en train de se réchauffer envahissait l'atmosphère, Pekkala observa l'étranger, notant l'angle selon lequel il inclinait la tête, la manière dont il croisait et décroisait les jambes, dont il se raclait la gorge pour en expulser la poussière chargée de pollen. À un moment, il se leva pour arpenter la clairière, repoussant frénétiquement les nuées de moustiques du revers de la main. Quand il se retourna, Pekkala découvrit les joues roses d'un jeune homme à peine sorti de l'adolescence. Sa carrure était frêle, il avait de fins mollets et des mains délicates. Pekkala ne put s'empêcher de les comparer à ses propres pognes calleuses, à la peau craquelée et croûtée de ses phalanges, et à ses jambes aux muscles noueux, semblables à des serpents lovés autour des os.

Pekkala repéra l'étoile rouge cousue sur les manchettes de sa veste *gymnastiorka* taillée à la perfection, qui tombait sur ses hanches comme la chemise d'un paysan. Ce détail apprit à Pekkala que l'homme avait atteint le grade de commissaire – c'était un officier politique de l'Armée rouge.

Le commissaire passa toute la journée à attendre dans cette clairière, assailli par les insectes, jusqu'à ce que la dernière lueur du jour ait disparu. Dans la pénombre, il tira de sa poche une longue pipe et la bourra avec le tabac d'une pochette suspendue à son cou. Il alluma la pipe avec un briquet de cuivre et en savoura une bouffée, éloignant les moustiques.

Doucement, Pekkala inspira. L'odeur musquée du tabac submergea ses sens. Il remarqua la manière dont le jeune homme ôtait régulièrement la pipe de sa bouche pour en étudier les détails, et calait la tige entre ses dents – avec un imperceptible cliquetis, comme une clé dans une serrure.

Il possède cette pipe depuis peu, en conclut Pekkala. Il a remplacé les cigarettes par une pipe en se disant qu'elle lui donnerait l'air plus vieux.

De temps à autre, le regard du commissaire s'attardait sur les étoiles rouges de ses manchettes, comme étonné de leur présence, et Pekkala en déduisit que le jeune homme venait tout juste d'être élevé à ce grade.

Mais plus il en découvrait sur lui, moins il parvenait à comprendre ce que le commissaire faisait ici, dans la forêt. Il éprouvait bien malgré lui une certaine admiration à l'égard de cet homme qui, au lieu d'attendre à l'abri de la cabane, avait choisi de rester assis sur le siège rugueux de la souche.

À la nuit tombée, Pekkala porta les mains devant sa bouche et souffla de l'air chaud dans le creux de ses paumes. Il s'assoupit, adossé contre un arbre, puis se réveilla en sursaut au milieu d'une brume aux parfums de feuilles mortes et de terre humide, qui rôdait alentour comme un prédateur.

En se tournant vers la cabane, il vit que le commissaire n'avait pas bougé. Il était assis, bras croisés, le menton posé sur sa poitrine. Son ronflement discret résonnait dans la clairière.

Au matin il sera parti, pensa Pekkala. Remontant son col effiloché, il ferma de nouveau les yeux.

Mais à l'aube, Pekkala constata avec stupéfaction que le commissaire était toujours là. Il était tombé de son siège et gisait sur le dos, une jambe posée sur la souche, telle une statue figée dans une pose victorieuse et qui serait tombée de son piédestal.

Finalement, l'homme s'ébroua et se redressa. Il jeta un regard circulaire, paraissant ne plus savoir où il se trouvait.

Maintenant, se dit Pekkala, il va reprendre ses esprits et me laisser tranquille.

Le commissaire se leva, posa les mains sur ses reins et fit une grimace. Ses lèvres laissèrent échapper un grognement. Puis, d'un seul coup, il se retourna et ses yeux se fixèrent sur l'endroit où Pekkala se cachait.

« Allez-vous finir par sortir de là, oui ou non ? » s'exclama-t-il.

Les mots s'abattirent sur le visage de Pekkala comme une poignée de sable. Alors, à contrecœur, il sortit de sa cachette et prit appui sur son bâton couronné de clous plats.

« Que voulez-vous ? »

Il parlait si rarement que sa propre voix l'étonna.

Le visage du commissaire était constellé de rougeurs, souvenirs du festin des moustiques.

« Vous allez m'accompagner, déclara-t-il.

– Pourquoi ? interrogea Pekkala.

– Parce que après avoir écouté ce que j'ai à vous dire, vous en aurez envie.

– Vous êtes bien optimiste, commissaire...

– Les gens qui m'ont envoyé vous chercher...

– Qui vous a envoyé ?

– Vous les rencontrerez bien assez tôt.

– Et ces gens, vous ont-ils dit qui j'étais ? »

Le jeune commissaire haussa les épaules.

« Tout ce que je sais, c'est que vous vous nommez Pekkala et que vos talents, quels qu'ils puissent être, sont désormais requis ailleurs. »

Il parcourut du regard la pénombre de la clairière.

« Je pensais que vous sauteriez sur la première occasion de quitter ces lieux abandonnés de Dieu...

– C'est vous et les vôtres qui avez abandonné Dieu. »

Le commissaire ne put réprimer un sourire.

« Ils m'avaient prévenu que vous étiez quelqu'un de difficile...

– Ils doivent bien me connaître, alors.

– Ils m'ont également dit que si je m'aventurais dans cette forêt avec une arme, vous me tueriez probablement avant même que j'aie pu vous apercevoir. »

Le commissaire leva ses mains ouvertes.

« Comme vous pouvez le constater, j'ai suivi leur conseil. »

Pekkala le rejoignit dans la clairière. Avec ses haillons rapiécés, il ressemblait à un géant préhistorique à côté de ce commissaire à la tenue si soignée. Il prit soudain conscience, pour la première fois depuis toutes ces années, de la puanteur de son corps.

«Comment vous appelez-vous? demanda Pekkala.

– Kirov.» Le jeune homme se mit au garde-à-vous. «Lieutenant Kirov.

– Depuis combien de temps êtes-vous commissaire?

– Un mois et deux jours.»

Puis il ajouta, baissant le ton:

«En comptant aujourd'hui.

– Et quel âge avez-vous?

– Presque vingt ans.

– Vous avez vraiment dû vous faire mal voir de quelqu'un, lieutenant Kirov, pour qu'on vous confie la mission de venir me chercher...»

Le commissaire gratta ses piqûres de moustiques.

«J'imagine que vous avez dû en importuner plus d'un vous-même, pour vous retrouver en Sibérie...

– Très bien, lieutenant Kirov, rétorqua Pekkala. Vous avez transmis votre message. À présent, vous pouvez repartir là d'où vous êtes venu et me laisser tranquille.

– On m'a demandé de vous remettre ceci...»

Kirov souleva la mallette posée derrière la souche.

«Qu'y a-t-il à l'intérieur?

– Je n'en ai pas la moindre idée.»

Pekkala attrapa la poignée recouverte de cuir. C'était plus lourd qu'il ne pensait. La mallette à la main, il ressemblait au croisement d'un épouvantail et d'un homme d'affaires attendant son train.

Le jeune commissaire tourna les talons.

«Vous avez jusqu'à demain, au coucher du soleil. Une voiture vous attendra au bout de la piste.»

Pekkala le regarda s'éloigner. Pendant un long moment, un craquement de branches brisées accompagna sa progression à travers bois. Puis le bruit s'estompa, et Pekkala se retrouva de nouveau seul.

Mallette en main, il entra dans la cabane et s'assit sur les sacs bourrés d'aiguilles de pin qui lui servaient de lit. Il posa la mallette à plat sur ses genoux, et son contenu bascula bruyamment. De ses deux pouces, Pekkala repoussa les loquets de cuivre.

Quand il souleva le couvercle, une odeur de renfermé lui sauta au visage.

À l'intérieur, il y avait un épais ceinturon de cuir enroulé autour d'un étui qui contenait un revolver. Pekkala déroula la ceinture pour dégager l'arme : un Webley, de fabrication anglaise, accessoire standard de l'armée. Sauf la crosse, qui n'était pas en bois mais en cuivre. Pekkala empoigna le revolver et le tendit à bout de bras, les yeux rivés sur le viseur. Les reflets bleutés du métal luisaient dans la pénombre.

Dans un coin de la mallette se trouvait une boîte de cartouches avec des inscriptions en anglais. Il déchira le papier d'emballage jauni et chargea le Webley, faisant basculer le canon sur son axe afin de découvrir les six trous du chargeur. Les balles étaient vieilles, tout autant que l'arme, et Pekkala prit soin d'épousseter les munitions avant de les introduire dans le barillet.

Il y avait également un livre déchiré. Sur son dos abîmé, un seul mot : *Kalevala.*

Posant ces objets à côté de lui, Pekkala remarqua une dernière chose au fond de la mallette. C'était un petit sac de coton, fermé par un lien de cuir. Il desserra le nœud et vida le contenu du sac.

En découvrant ce qu'il y avait dedans, Pekkala eut le souffle coupé.

Un lourd disque d'or était posé devant lui, d'un diamètre aussi grand que la longueur de son petit doigt, traversé d'une pièce d'émail blanc qui commençait au bord du disque, s'élargissait progressivement jusqu'à en occuper la moitié de la surface, puis rétrécissait de nouveau jusqu'à un second point, à l'autre extrémité du disque. Une énorme émeraude était incrustée dans l'émail. Ensemble, l'émail blanc, l'or et l'émeraude dessinaient les contours aisément reconnaissables d'un œil. Pekkala passa son doigt sur le disque et frôla la bosse polie du joyau, comme un vieillard lisant en braille.

Pekkala savait désormais qui l'avait envoyé chercher, et il savait aussi qu'il ne pourrait se dérober à cette convocation. Il avait cru ne jamais revoir ces objets, persuadé qu'ils appartenaient à un monde qui n'existait plus.

Il était né en Finlande, à l'époque où ce pays était encore une colonie russe. Il avait grandi dans un décor d'épaisses forêts et de lacs innombrables, près de la ville de Lappeenranta.

Son père était croque-mort, le seul de la région. Les gens lui apportaient leurs défunts à des milles à la ronde. Ils parcouraient à grand-peine les pistes forestières, transportant les cadavres sur des chariots branlants ou les tirant sur des traîneaux, l'hiver, à travers les lacs gelés, si bien qu'à l'arrivée les corps étaient aussi durs que la pierre.

Dans la penderie du père étaient accrochés trois manteaux identiques, noirs, et trois pantalons assortis. Même ses mouchoirs étaient noirs. Il veillait à ce qu'aucun éclat métallique ne brille sur sa personne. Les boutons de cuivre des manteaux avaient cédé la place à des boutons d'ébène. Il ne souriait presque jamais et, quand il souriait, il mettait la main devant sa bouche, comme s'il avait honte de ses dents. Il cultivait son caractère sombre avec une application de tous les instants, conscient que sa profession l'exigeait.

Sa mère était une Lapone de Rovaniemi. Elle frappait par son agitation, qui jamais ne la quittait. Elle semblait hantée par quelque étrange vibration de cette terre qu'elle avait laissée derrière elle, dans l'Arctique, après y avoir passé toute sa jeunesse.

Il avait un frère aîné, Anton. Réalisant le souhait de leur père, à l'âge de dix-huit ans Anton partit pour Petrograd, où *il s'engagea dans le régiment finlandais du tsar. Aux yeux du père de Pekkala, servir dans ce corps d'élite, qui formait l'escorte personnelle du tsar, représentait l'honneur suprême.*

Quand Anton monta dans le train, son père versa des larmes de fierté, se tamponnant les yeux avec son mouchoir noir. Sa mère, elle, avait l'air abasourdi, comme incapable de comprendre qu'on lui enlevait son enfant.

Anton se pencha par la fenêtre du wagon, les cheveux bien peignés. On lisait sur son visage la confusion de qui voudrait rester tout en sachant qu'il faut partir.

Pekkala, qui n'avait que seize ans et se tenait debout aux côtés des parents, ressentit alors physiquement l'absence de son frère, comme si le train était parti depuis longtemps.

Quand le convoi eut disparu, le père de Pekkala prit dans ses bras sa femme et son fils. « C'est un grand jour, déclara-t-il, les yeux rougis de larmes. Un grand jour pour notre famille. » À compter de ce jour, chaque fois qu'il sortait en ville, son père n'oublia jamais de mentionner le fait que son fils Anton allait bientôt appartenir au régiment.

En tant que fils cadet, Pekkala avait toujours su qu'il resterait à la maison et deviendrait l'apprenti de son père. À terme, on attendait de lui qu'il reprenne le commerce familial. La réserve discrète du père déteignit bientôt sur Pekkala, lorsqu'il travaillait avec lui. Le drainage des fluides des cadavres et leur remplacement par des conservateurs, l'habillement et la coiffure, l'insertion d'aiguilles dans la peau du visage pour lui donner une apparence paisible et détendue – tous ces gestes étaient devenus aussi naturels pour lui que pour son père.

C'était à cette expression du visage que le père consacrait l'essentiel de ses soins. Les défunts devaient avoir l'air calme, comme s'ils accueillaient avec bonheur cette nouvelle étape de leur existence. Un corps mal préparé risquait d'évoquer l'anxiété, la peur. Pire encore : le mort risquait d'apparaître comme une autre personne.

Pekkala lisait sur les mains et le visage des défunts la manière dont ils avaient vécu, et cela le fascinait. Telles des tenues vestimentaires, leur corps trahissait le secret de leurs soins ou de leur négligence. En tenant la main d'un instituteur, il sentait la bosse sur l'index, là où le stylo-plume avait pris appui, creusant un sillon dans l'os. Les mains d'un pêcheur étaient couvertes d'épaisses barres de corne et de vieilles cicatrices de coups de couteau qui plissaient la peau comme une feuille de papier froissée. Les ridules autour des yeux et de la bouche permettaient de savoir si la vie d'une personne avait été placée sous le signe de l'optimisme ou du pessimisme. Les morts n'inspiraient aucune horreur à Pekkala, rien qu'un profond et insoluble mystère.

La tâche du croque-mort n'avait rien de plaisant, ce n'était pas le genre de travail qu'on pouvait aimer. Pourtant, Pekkala appréciait le caractère crucial d'une telle activité, que tout le monde n'était pas apte à accomplir et qui était néanmoins nécessaire, non pas pour les morts mais pour la mémoire des vivants.

Sa mère était d'un autre avis. Pour rien au monde elle ne serait descendue au sous-sol, là où on préparait les dépouilles. Elle s'arrêtait toujours au milieu de l'escalier pour transmettre un message ou les convier à table. Pekkala s'était habitué à voir ses jambes sur ces marches, le doux arrondi des genoux, tout le haut de son corps demeurant invisible. Il avait mémorisé le son de sa voix, étouffée par le bout de tissu imbibé d'huile de lavande qu'elle pressait sur sa bouche chaque fois qu'elle descendait à la cave. Elle semblait craindre la présence de formol dans l'air, comme s'il risquait de s'immiscer dans ses poumons et de lui arracher son âme.

Sa mère croyait en ce genre de choses. Son enfance dans les immensités nues de la toundra lui avait appris à guetter du sens jusque dans la fumée s'élevant d'une flambée. Pekkala n'avait jamais oublié la description qu'elle lui avait faite du camouflage d'un lagopède niché au creux des roches tapissées de lichens, des pierres noircies par un feu dont les braises s'étaient consumées mille ans plus tôt, ou d'un imperceptible renfoncement de terrain, visible uniquement lorsque les ombres du crépuscule le traversaient, et qui marquait l'emplacement d'une sépulture.

De sa mère, Pekkala avait appris à repérer les plus infimes détails – jusqu'à ceux qu'il ne pouvait voir mais qui s'imprimaient en lui par-delà les frontières de ses sens – et à s'en souvenir. De son père, la patience, et la faculté de se sentir à l'aise parmi les morts.

Tel était le monde dans lequel Pekkala pensait qu'il allait vivre, délimité par des rues aux noms familiers, des lacs d'un brun de thé reflétant le ciel bleu pâle, et l'horizon en dents de scie des sapins dominant la forêt, à perte de vue.

Mais le destin en avait décidé autrement.

Le lendemain de la visite du commissaire, à l'aube, Pekkala incendia sa cabane.

Il resta planté au milieu de la clairière, contemplant l'épaisse fumée noire qui montait en volutes vers le ciel. Le craquement et les sifflements du brasier lui remplissaient les oreilles. La chaleur se penchait vers lui. Des étincelles venaient se poser sur ses habits, qu'il balayait d'une chiquenaude. Les pots de peinture entreposés contre le flanc de la cabane relâchaient des langues de feu d'un jaune sale, tandis que les produits chimiques qu'ils contenaient se consumaient. Il regarda le toit s'effondrer sur le lit, la chaise et la table qu'il avait construits avec soin et qui avaient été ses uniques compagnons pendant si longtemps que le monde alentour ressemblait davantage à un rêve qu'à la réalité.

La seule chose qu'il avait sauvée des flammes était la sacoche qu'il avait confectionnée dans la peau d'un élan, tannée avec le cerveau broyé de l'animal et dotée d'un bouton de corne. Dedans, il avait glissé le revolver dans son étui, le livre et l'œil d'émeraude.

Quand il ne resta plus qu'un tas de poutrelles fumantes, Pekkala tourna le dos à la cabane et marcha vers la piste. L'instant d'après il avait disparu, errant tel un fantôme au milieu des bois.

Au bout de plusieurs heures, il émergea de cette forêt dénuée de chemins et déboucha sur une piste forestière. Des arbres abattus étaient rangés en piles de dix, prêts à être transportés vers la scierie du goulag. Des pelures d'écorce tapissaient le sol et la puanteur aigre du bois fraîchement coupé flottait dans l'air.

Comme le commissaire l'avait promis, Pekkala aperçut la voiture. Elle était d'un type qu'il n'avait encore jamais vu. Avec ses ailes arrondies, son pare-brise minuscule et sa calandre incurvée en forme de sourcil, le véhicule avait quelque chose de hautain dans l'expression. Un écusson bleu et blanc sur la calandre portait la marque de fabrique : «Emka».

Les portières étaient ouvertes. Le lieutenant Kirov dormait sur la banquette arrière, les jambes dépassant au-dehors.

Pekkala empoigna le pied de Kirov et le secoua. Kirov laissa échapper un cri et se précipita hors de la voiture. Aussitôt, il recula pour s'éloigner de l'homme barbu qui se dressait devant lui.

«Vous m'avez flanqué une de ces trouilles !

– Vous me ramenez au camp ? demanda Pekkala.

– Non, pas au camp. Votre vie de prisonnier est terminée.»

Kirov fit signe à Pekkala de monter à l'arrière.

«Du moins, pour le moment.»

Kirov fit demi-tour en une succession de virages saccadés et prit la direction du village d'Oreshek, d'où il était venu. Au bout d'une heure de dérapages et de cahots sur une route en tôle ondulée, ils sortirent de la forêt et débouchèrent sur des campagnes dégagées dont l'immensité sans obstacles plongea Pekkala dans une angoisse sans nom.

Pendant l'essentiel du trajet, Kirov demeura silencieux, sans jamais perdre de vue Pekkala dans son rétroviseur, comme un chauffeur de taxi craignant que son client n'ait pas de quoi payer la course.

Ils traversèrent les ruines d'un village. Les toitures de chaume des *izbas* s'étaient affaissées comme le dos d'un cheval. La vieille couche de chaux des façades laissait entrevoir les murs de terre nue. Les volets pendaient sur leurs axes et les empreintes d'animaux en maraude sillonnaient le sol.

Tout autour, les champs étaient à l'abandon. Çà et là, des tournesols se dressaient au-dessus des mauvaises herbes.

« Qu'est-il arrivé à ce village ? demanda Pekkala.

– C'est l'œuvre des contre-révolutionnaires et des profiteurs de la soi-disant Administration de soutien américaine, qui se sont infiltrés depuis l'Occident pour poursuivre leur sabotage économique de la Nouvelle Politique économique. »

Les paroles jaillissaient de la bouche de Kirov comme s'il avait tout ignoré de la ponctuation.

« Mais que s'est-il passé, au juste ? insista Pekkala.

– Ils vivent tous à Oreshek, désormais. »

Quand, enfin, ils atteignirent Oreshek, Pekkala observa les baraquements bâtis à la hâte qui bordaient la route. Même si les structures semblaient neuves, le papier goudronné des toits partait déjà en lambeaux. La plupart de ces édifices étaient inoccupés, et pourtant, les seuls et uniques travaux en cours semblaient être la construction de baraquements supplémentaires. Les ouvriers, hommes et femmes, s'interrompaient pour regarder passer la voiture. Des masques de poussière recouvraient les mains, les visages. Certains poussaient des brouettes, d'autres portaient des briques sur ce qui ressemblait à des pelles démesurées.

Des champs de blé et d'avoine entouraient le village, mais on les avait probablement semés trop tard dans la saison. Les tiges, qui auraient dû arriver au genou des hommes, ne dépassaient guère la cheville.

Kirov se gara devant un petit commissariat de police. C'était l'unique bâtiment de pierre du village, avec d'étroites fenêtres protégées par des barreaux, qui ressemblaient aux yeux mauvais d'un porc, et une lourde porte de bois renforcée de métal.

Kirov éteignit le moteur.

« Nous sommes arrivés. »

Quand Pekkala descendit de voiture, des passants lui jetèrent un bref regard avant de se détourner aussitôt, comme si le simple fait de le connaître risquait de les incriminer.

Sibérie, 1929

Il grimpa les trois marches en bois qui menaient à la porte d'entrée, puis se rangea sur le côté pour éviter un homme en uniforme noir, portant les insignes de la Sécurité intérieure, qui se précipitait hors du commissariat. Il traînait un vieil homme par la peau du cou. Les pieds du vieillard étaient enveloppés de *laptis*, sandales traditionnelles en écorce de bouleau. Le policier le poussa du haut des marches et le vieux alla s'écraser par terre, les bras en croix, soulevant un nuage de poussière jaune safran. Sa main laissa échapper une poignée de grains de maïs. Tandis que le vieux se penchait pour les ramasser, Pekkala se rendit compte qu'il s'agissait en fait de ses dents brisées.

L'homme se releva péniblement et se retourna vers l'officier, muet de colère et de peur.

Kirov posa la main sur le dos de Pekkala et le poussa gentiment.

« Encore un ? » s'exclama le policier. Il empoigna le bras de Pekkala, enfonçant les doigts dans son biceps. « Où ils l'ont pêché, celui-là ? »

Six mois après le départ du frère de Pekkala pour le régiment finlandais, un télégramme était arrivé de Petrograd. Il était adressé au père de Pekkala et signé par le commandant de la garnison finlandaise. Le télégramme ne comportait que six mots : PEKKALA ANTON SUSPENDU CADRE DES CADETS.

Le père de Pekkala parcourut la mince feuille de papier. Son visage ne trahissait aucune émotion. Puis il tendit le télégramme à sa femme.

« Qu'est-ce que ça peut bien vouloir dire ? l'interrogea-t-elle. "Suspendu" ? Je ne connais pas cette expression. »

Le télégramme tremblait entre ses doigts.

« Ça veut dire qu'il a été renvoyé du régiment, répondit son père. Et qu'il va bientôt rentrer à la maison. »

Le lendemain, Pekkala attela l'un des chevaux de la famille à la petite carriole prévue pour deux personnes, il se rendit jusqu'à la gare pour attendre l'arrivée du train. Il fit de même le jour suivant, et celui d'après. Pekkala passa une semaine entière à faire des allers-retours entre la maison et la gare, à observer les passagers descendant des wagons, à scruter la foule du regard puis, quand le train était reparti, à se retrouver seul sur le quai.

Au cours de ces longs jours d'attente, Pekkala remarqua chez son père une profonde altération. L'homme était comme une horloge dont les mécanismes se seraient brusquement rompus. De l'extérieur, pas grand-chose n'avait changé mais, à l'intérieur, il était brisé. Peu importait la raison pour *laquelle Anton revenait. Le simple fait de ce retour boulever-sait tous les plans qu'il avait scrupuleusement élaborés pour l'avenir de sa famille.*

Après deux semaines sans nouvelles d'Anton, Pekkala cessa de se rendre à la gare pour attendre son frère. Au bout d'un mois, il était devenu évident qu'Anton ne reviendrait plus.

Le père de Pekkala envoya un télégramme au régiment finlandais pour se renseigner sur son fils. On lui répondit, cette fois par courrier, que tel jour Anton avait été escorté jusqu'aux portes de la caserne où un billet de train à destina-tion de sa ville natale lui avait été remis, et que nul ne l'avait revu depuis.

Un second télégramme, interrogeant la hiérarchie sur les raisons du renvoi d'Anton, resta sans réponse.

Le père de Pekkala s'était à ce point refermé sur lui-même qu'il semblait n'être plus qu'une coquille d'homme vide. De son côté, la mère répétait d'une voix calme qu'Anton reviendrait quand il serait prêt à le faire, mais ses efforts constants pour se raccrocher à cette conviction l'usaient peu à peu, comme un morceau de verre échoué sur le sable et rogné par les vagues.

Un jour, alors qu'Anton avait disparu depuis bientôt trois mois, Pekkala et son père mettaient la touche finale à la préparation d'un corps qui devait être présenté le jour même. Le père était courbé sur la dépouille, peignant soigneusement, du bout de ses doigts, les cils du défunt. Pekkala entendit son père inspirer brusquement. Il vit son dos se raidir, comme pris d'une crise de spasmes.

« Tu vas partir, déclara-t-il.

– Partir où ? demanda Pekkala.

– À Petrograd, pour rejoindre le régiment finlandais. J'ai déjà rempli tes papiers d'engagement. Dans dix jours, tu te présenteras à la caserne. Tu le remplaceras. »

Il n'était même plus capable de prononcer le nom d'Anton.

« Mais mon apprentissage, alors ? L'entreprise ?

– *C'est décidé, mon fils. Il n'y a plus à discuter.* »

Une semaine plus tard, Pekkala saluait ses parents par la fenêtre d'un train en partance pour l'est. Puis leurs visages ne furent plus que de minuscules taches roses, et les rangées de sapins se refermèrent sur la gare.

Pekkala fixa l'officier de police droit dans les yeux.

L'espace d'un instant, l'homme hésita, interloqué qu'un prisonnier ose ainsi soutenir son regard. Les muscles de ses mâchoires se contractèrent.

« Je vais t'apprendre le respect, marmonna-t-il.

– Il est sous la protection du Bureau des opérations spéciales, intervint Kirov.

– Protection ? s'amusa le policier. Pour ce clochard ? Il s'appelle comment ?

– Pekkala, répondit Kirov.

– Pekkala ? »

Le policier le lâcha brusquement, comme si sa main s'était posée sur un métal brûlant.

« Comment ça, Pekkala ? *Le* Pekkala ? »

Le vieillard était encore à genoux dans la poussière, et il observait la dispute qui se déroulait sur les marches du commissariat.

« Va-t'en ! » hurla le policier.

Le vieux ne bougea pas. « Pekkala », murmura-t-il, et tandis qu'il parlait, des filets de sang s'écoulèrent aux commissures de ses lèvres.

« Je t'ai dit de partir, bon Dieu ! » brailla le policier, rouge de colère.

Alors le vieillard se leva, et s'éloigna sur la route. Tous les deux ou trois pas, il se retournait pour dévisager Pekkala.

Kirov et Pekkala laissèrent là le policier et remontèrent un couloir lugubre qui n'était éclairé que par le peu de lumière parvenant à filtrer à travers les fenêtres à barreaux, privées de vitres.

Tout en marchant, Kirov se tourna vers Pekkala.

« Bon sang, mais qui êtes-vous ? »

Pekkala ne répondit rien. Il suivit le commissaire jusqu'à une porte, tout au fond du couloir. Elle était entrouverte.

Le jeune homme fit un pas de côté pour laisser entrer Pekkala.

Un homme était assis à son bureau, dans un coin de la pièce. À part la chaise sur laquelle il était assis, c'était le seul et unique meuble. Sur sa veste militaire figuraient les insignes de commandant de l'Armée rouge. Ses cheveux noirs étaient peignés avec soin et ramenés en arrière, dotés d'une impitoyable raie au milieu qui scindait son crâne en deux tel un coup de poignard. Les mains de l'homme reposaient délicatement sur le bureau, comme s'il avait posé pour un photographe.

« Anton ! s'étrangla Pekkala.

– Bienvenue parmi les hommes », répliqua l'autre.

Bouche bée, Pekkala dévisageait l'homme, qui soutenait patiemment son regard. Enfin, convaincu que ses yeux ne lui jouaient pas des tours, Pekkala pivota sur ses talons et quitta la pièce.

« Où allez-vous ? s'exclama Kirov, courant pour le rattraper.

– N'importe où, sauf ici, rétorqua Pekkala. Vous auriez au moins pu avoir la décence de me prévenir. »

Le commissaire éleva la voix, exaspéré :

« Vous prévenir de quoi ? »

Le policier se tenait toujours devant l'entrée, surveillant nerveusement la rue.

Kirov posa la main sur l'épaule de Pekkala.

« Vous n'avez même pas parlé au commandant Starek...

– C'est comme ça qu'il s'appelle, maintenant ? répondit Pekkala.

– Maintenant ? »

Les traits du commissaire trahissaient l'incompréhension.

Pekkala se tourna vers lui.

« Starek n'est pas son vrai nom. Il l'a inventé. Comme Lénine ! Non pas que ça change quoi que ce soit, mais simplement parce que ça sonne mieux qu'Oulianov ou Djougachvili.

– Vous savez, lâcha le commissaire, que je pourrais vous faire fusiller pour ce que vous venez de dire...

– Trouvez-moi plutôt une raison, quelle qu'elle soit, de ne pas me faire fusiller, répliqua Pekkala. Là, je serais impressionné. Ou, mieux encore, laissez donc mon frère s'en charger.

– Votre frère ? »

Kirov resta coi.

« Le commandant Starek est votre frère ? »

Anton apparut dans l'entrée.

« Vous ne m'aviez pas prévenu, lui reprocha Kirov. J'aurais certainement dû en être informé.

– Eh bien, je vous en informe. »

Anton se tourna vers Pekkala.

« Ce n'est pas vraiment lui, hein ? l'interrogea le policier. Vous me faites marcher, pas vrai ? »

Il tenta de sourire, en vain.

« Cet homme ne peut pas être l'Œil d'Émeraude. Il est mort depuis des années. J'ai même entendu dire qu'il n'avait jamais existé, que ce n'était qu'une légende... »

Anton glissa quelques mots à l'oreille du policier.

Ce dernier eut une quinte de toux.

« Mais qu'est-ce que j'ai fait ? »

Il se tourna vers Pekkala :

« Dites-moi, qu'est-ce que j'ai fait ?

– Il faudrait le demander à l'homme que vous venez de jeter à la rue... », répliqua Pekkala.

Le policier se dressa en travers de l'entrée.

« C'est mon commissariat, souffla-t-il. Ici, c'est moi qui commande. »

Il regarda Anton, implorant son aide en silence.

Mais Anton demeura de marbre.

«Je vous conseille de dégager pendant qu'il en est encore temps», déclara-t-il d'une voix égale.

L'officier s'effaça, comme s'il n'était déjà plus que l'ombre d'un humain.

Alors, les yeux fixés sur Pekkala, Anton fit un signe de tête en direction du bureau, au fond du couloir.

«Frère, dit-il, il faut qu'on parle.»

Leur dernière rencontre remontait à dix ans, sur le quai désolé et glacial d'une gare destinée à l'embarquement des prisonniers en partance pour la Sibérie.

Le crâne rasé, vêtu du mince pyjama de coton beige qu'on lui avait donné en prison, Pekkala se blottissait contre les autres bagnards qui attendaient le convoi ETAP-61. Personne ne parlait. D'autres prisonniers arrivèrent et vinrent se tasser sur le quai, se superposant à la masse des hommes gelés comme les couches d'un oignon.

Le soleil était déjà couché. Des stalactites longues comme des jambes pendaient du toit de la gare. Le vent balayait les voies, soulevant des tornades de neige. À chaque extrémité du quai, des gardes, fusils en bandoulière, se penchaient sur des barils de pétrole dans lesquels des feux avaient été allumés. Des étincelles giclaient dans les airs, illuminant leurs visages.

Le train finit par arriver au milieu de la nuit. Deux gardes encadraient les portes des wagons. Au moment où Pekkala montait à bord du sien, le hasard avait voulu qu'il jette un dernier regard vers le bâtiment de la gare. Là-bas, à la lumière d'un brasero, un soldat tendait ses mains rougies au-dessus des flammes.

Leurs regards se croisèrent.

Pekkala eut tout juste le temps de reconnaître Anton, avant qu'un garde ne le pousse dans l'obscurité du wagon incrusté de neige.

Pekkala tenait le coupe-chou suspendu à côté de sa joue hirsute, ne sachant par où commencer.

Au début, il avait pris l'habitude de se raser une fois par mois, mais le vieux rasoir qu'il gardait précieusement avait fini par se briser en deux, un jour qu'il l'aiguisait en le frottant contre le cuir de sa ceinture. Il y avait des années de cela.

Depuis lors, il s'était parfois taillé les cheveux au couteau, les tranchant par touffes entières, assis nu dans l'eau glacée de la rivière, en contrebas de la cabane. Mais à présent, planté dans la salle de bains crasseuse du commissariat, une paire de ciseaux dans une main et le coupe-chou dans l'autre, la tâche lui semblait irréalisable.

Pendant près d'une heure, il cisailla et gratta, serrant les dents de douleur et se frottant le visage avec le savon de lessive sableux qu'on lui avait remis avec le rasoir. Il retenait sa respiration dans cette puanteur infâme où se mêlaient jets d'urine mal ajustés, vieilles cigarettes coincées dans les joints du carrelage bleu délavé, et relents d'hôpital du papier-toilette fourni par le gouvernement.

Petit à petit, un visage que Pekkala reconnaissait à peine se dessina dans le miroir. Quand il eut enfin terminé de couper toute la barbe, des filets de sang ruisselaient sur son menton, sa lèvre supérieure et juste sous les oreilles. Il arracha quelques toiles d'araignées suspendues dans un recoin et les pressa contre les coupures pour endiguer le flot.

En ressortant de la salle de bains, il constata que son vieil accoutrement maculé de peinture avait disparu. Il était remplacé par d'autres habits, et Pekkala fut stupéfait de constater qu'il s'agissait de ceux qu'il portait le jour de son arrestation. Même ces choses-là, on les avait gardées. Il enfila la chemise grise sans col, le lourd pantalon de moleskine noire et le gilet de laine assorti, avec ses quatre poches. Sous la chaise, il trouva ses grosses bottines et, soigneusement roulées à l'intérieur, ses bandes de pieds – des *portiankis*.

Glissant sur son épaule la ceinture du holster, il referma la boucle sur son torse et ajusta l'ensemble pour que la crosse du revolver épouse le creux sous ses côtes flottantes, du côté gauche, afin de pouvoir empoigner le Webley et faire feu d'un geste parfaitement fluide – méthode qui lui avait sauvé la vie à maintes reprises.

Il ne lui restait plus qu'à enfiler l'étroit manteau taillé dans la même laine que son gilet, dont le pan droit débordait à gauche de sa poitrine, à la manière d'une veste croisée, à ceci près que ses boutons étaient recouverts de tissu et disparaissaient dès qu'on fermait le manteau. Ce dernier descendait jusque sous les genoux et son col était court, à la différence des pardessus tentaculaires, réglementaires de l'armée russe. Enfin, Pekkala fixa l'œil d'émeraude sous le revers de sa veste.

Il se contempla de nouveau dans la glace. Précautionneusement, il passa le bout rugueux de ses doigts sur la peau burinée au-dessous de ses yeux, comme s'il ne reconnaissait pas cet homme qui lui renvoyait son regard.

Alors, il se dirigea vers le bureau. La porte était fermée. Il frappa.

« Entrez ! » répondit une voix sèche.

Talons posés sur le bureau, Anton fumait une cigarette.

Le cendrier débordait presque. Plusieurs mégots se consumaient encore. Un nuage de fumée bleue flottait dans la pièce.

Comme il n'y avait pas d'autre chaise que celle occupée par son frère, Pekkala resta debout.

« C'est mieux, commenta Anton, reposant les pieds sur le sol. Mais ce n'est pas encore ça. »

Il croisa les mains et les posa sur le bureau.

« Tu sais qui nous a envoyés vers toi...

– Le camarade Staline », répondit Pekkala.

Anton acquiesça.

« Est-il vrai, reprit Pekkala, que les gens l'appellent le "tsar rouge" ?

– Pas en sa présence, répliqua Anton. S'ils tiennent à la vie...

– Puisqu'il est la cause de ma venue ici, laissez-moi lui parler. »

Anton éclata de rire.

« On ne demande pas à parler au camarade Staline ! Tu attendras que lui demande à te voir et, dans ce cas seulement, tu pourras t'entretenir avec lui. D'ici là, nous avons du boulot.

– Tu sais ce qu'ils m'ont fait subir, à la prison de Butyrka.

– Oui.

– Staline en est responsable. Personnellement responsable.

– Depuis, il a réalisé de grandes choses pour ce pays...

– Toi aussi, le coupa Pekkala, tu es responsable. »

Les mains croisées d'Anton se crispèrent en un nœud de chair et d'os.

« On peut envisager les choses sous différents points de vue...

– Le point de vue du torturé et celui de son tortionnaire, tu veux dire... »

Anton s'éclaircit la voix, s'efforçant de garder son calme.

« Ce que je veux dire, c'est que nous avons emprunté des chemins différents, toi et moi. Le mien m'a mené de ce côté-ci du bureau... »

Il frappa le plateau de bois pour souligner ses mots.

« Et le tien t'a amené à te retrouver debout de l'autre côté. J'ai été nommé officier du Bureau des opérations spéciales.

– Qu'est-ce que vous me voulez, au juste ? »

Anton se leva pour aller fermer la porte.

« Le pays est à court d'inspecteurs ? poursuivit Pekkala.

– Tu es celui qu'il nous faut pour cette affaire.

– S'agit-il d'un meurtre ? interrogea Pekkala. De personnes portées disparues ?

– Peut-être... »

Toujours planté face à la porte, Anton baissa la voix :

« Ou peut-être pas.

– Je suis censé résoudre tes énigmes avant de m'attaquer à l'affaire ? »

Anton fit volte-face.

« Je te parle des Romanov. Le tsar. Sa femme. Ses enfants. Toute la famille. »

La simple mention de ces noms réveilla de vieux cauchemars sous le crâne de Pekkala.

« Mais ils ont été exécutés ! Cette affaire a été classée il y a des années de cela. Le gouvernement révolutionnaire a même revendiqué leur meurtre ! »

Anton retourna s'asseoir au bureau.

« Il est vrai que nous avons prétendu avoir mené à bien les exécutions. Mais, comme tu le sais sans doute, aucun cadavre n'a jamais été montré en guise de preuve... »

Un courant d'air entra par la fenêtre ouverte, apportant avec lui l'odeur de moisi de la pluie qui approche.

« Tu veux dire que vous ignorez où se trouvent les corps ? »

Anton acquiesça du chef.

« Exactement.

– Alors c'est une affaire de disparition ? Es-tu en train de me dire que le tsar pourrait être encore vivant ? »

La culpabilité d'avoir abandonné les Romanov à leur triste sort s'était logée dans sa poitrine, comme une balle. Malgré tout ce qu'on lui avait raconté sur les exécutions, les doutes de Pekkala ne s'étaient jamais vraiment dissipés. Mais de l'entendre, à présent, de la bouche d'un soldat de l'Armée rouge, il n'aurait jamais cru cela possible.

Anton promenait un regard nerveux autour de la pièce, comme s'il s'attendait à voir un témoin se matérialiser soudain dans l'air voilé de fumée. Il se leva et marcha jusqu'à la fenêtre, jeta un coup d'œil dans l'allée qui bordait le bâtiment. Puis il referma les volets. Une obscurité tirant sur le pourpre descendit sur la pièce comme un coucher de soleil.

« Le tsar et sa famille ont été emmenés dans la ville d'Ekaterinbourg – rebaptisée depuis Sverdlovsk.

– Ce n'est qu'à quelques jours d'ici en voiture.

– C'est vrai. Sverdlovsk a justement été choisi pour son isolement. Personne n'avait la moindre chance de venir les sauver. Du moins, c'est ce que nous pensions. À son arrivée, la famille a été installée dans la maison d'un marchand local nommé Ipatiev.

– Que comptiez-vous faire d'eux ?

– Rien n'était encore décidé. Dès que les Romanov ont été arrêtés à Petrograd, ils sont devenus un boulet. Tant que le tsar était vivant, il concentrait sur sa personne les espoirs de tous ceux qui luttaient contre la révolution. D'un autre côté, en nous débarrassant de lui, nous risquions de nous attirer l'hostilité de l'opinion mondiale. Il fut donc décidé que les Romanov devaient rester en vie jusqu'à ce que le nouveau gouvernement soit solidement établi. Alors le tsar serait jugé. On ferait venir les juges de Moscou. Tout cela se déroulerait de la manière la plus transparente possible. Les journaux couvriraient le procès. Dans toutes les campagnes, des commissaires de districts seraient chargés d'expliquer les fondements légaux du jugement.

– Et le tsar serait jugé coupable. »

Anton gifla l'air de sa main, repoussant cette idée.

« Bien sûr, mais un tel procès donnerait de la légitimité à la procédure.

– Que comptiez-vous faire du tsar, ensuite ?

– Le fusiller, probablement. Ou bien le pendre. Les détails n'avaient pas encore été décidés.

– Et son épouse ? Ses quatre filles ? Son fils ? Vous les auriez pendus, eux aussi ?

– Non ! Si nous avions voulu tuer les Romanov, nous ne nous serions pas donné la peine de les emmener jusqu'à Sverdlovsk... Faire de ces enfants des martyrs était bien la dernière chose que nous voulions. L'idée, c'était au contraire de montrer que la révolution n'était pas menée par des barbares.

– Dans ce cas, que comptiez-vous faire du reste de la famille ?

– Ils devaient être remis aux Anglais, en échange de leur soutien officiel au nouveau gouvernement. »

Aux yeux de Lénine, ce plan avait dû paraître d'une simplicité absolue. Mais ce sont toujours les plans les plus simples qui tournent mal, pensa Pekkala.

« Et que s'est-il passé, en fait ? »

Anton expira longuement.

« Nous n'en sommes pas très sûrs. Toute une division de soldats connue sous le nom de Légion tchécoslovaque s'était rebellée en mai 1918, quand le nouveau gouvernement leur avait ordonné de déposer les armes. Bon nombre d'entre eux avaient déserté l'armée austro-hongroise et rejoint les Russes au début de la guerre. Ces soldats combattaient sur le front depuis plusieurs années. Il était hors de question pour eux d'abandonner leurs armes et de rejoindre l'Armée rouge. Au lieu de quoi, ils ont créé leur propre armée et se sont ralliés aux blancs.

– Les blancs... », soupira Pekkala.

Au cours des années qui avaient suivi la révolution russe, d'anciens officiers de l'Armée blanche s'étaient déversés par milliers dans les camps du Goulag, où on leur réservait toujours les pires traitements. Rares étaient ceux qui avaient survécu à leur premier hiver.

« Tant que la guerre n'était pas finie, poursuivit Anton, ces hommes ne pouvaient pas rentrer dans leur pays. Alors ils ont décidé de remonter vers l'est la voie du Transsibérien, d'un bout à l'autre de la Russie. Une fois qu'ils auraient atteint Vladivostok, leur plan consistait à s'embarquer sur des navires pour faire tout le tour de la terre et gagner la France, où ils reprendraient les armes, aux côtés des Alliés. Ils étaient lourdement armés. Leur discipline militaire demeurait intacte. Nous n'avions aucun moyen de les arrêter. Chaque fois que leur progression vers l'est les amenait dans une ville, les régiments de l'Armée rouge prenaient la fuite ou étaient réduits en miettes.

– La ligne du Transsibérien passe juste au sud de Sverdlovsk », remarqua Pekkala.

Il commençait à comprendre où le plan avait déraillé.

« Exact, confirma Anton. Tôt ou tard, les blancs allaient prendre la ville. Et ils libéreraient les Romanov.

– Lénine a donc donné l'ordre de les exécuter ?

– Il aurait pu, mais il ne l'a pas fait. »

Anton avait l'air accablé par les événements qu'il était en train de décrire. Le simple fait de connaître de tels secrets mettait en danger la vie du témoin. Les énoncer ainsi à voix haute, c'était proprement suicidaire.

« Les fausses alertes étaient tellement fréquentes – on prenait des escadrons de l'Armée rouge pour des blancs, des troupeaux de vaches pour des régiments de cavalerie, le bruit du tonnerre pour celui des canons... Une fois l'ordre d'exécution donné, Lénine craignait que les hommes chargés de surveiller les Romanov ne cèdent à la panique. Ils risquaient de tuer le tsar et sa famille, que les Tchèques tentent ou non de venir les sauver... »

Anton posa ses mains sur son visage, écrasant du bout des doigts ses paupières fermées.

« Au bout du compte, ça n'a rien changé.

– Que s'est-il passé ? interrogea Pekkala.

– Un appel est parvenu à la maison où les Romanov étaient prisonniers. Un homme se présentant comme un officier de l'Armée rouge a annoncé que les blancs approchaient des faubourgs de la ville. Il a ordonné aux gardes d'établir un barrage et de laisser deux hommes en armes pour veiller sur la maison. Ils n'avaient aucune raison de mettre en doute les ordres. Tout le monde savait que les blancs se trouvaient dans les parages. Alors ils ont installé un barrage à l'entrée de la ville, comme on leur en avait donné l'ordre. Mais les blancs ne sont jamais venus. L'appel était une imposture. Quand les soldats de l'Armée rouge sont retournés chez Ipatiev, les Romanov avaient disparu. On a retrouvé les deux gardes restés sur place au fond de la cave, criblés de balles.

– Comment sais-tu tout cela? l'interrompit Pekkala. Comment peux-tu être sûr qu'il ne s'agit pas d'une autre invention destinée à duper le monde?

– Parce que j'y étais!» s'exclama Anton d'une voix exaspérée, comme s'il s'était agi là d'un secret qu'il avait espéré garder. «J'avais rejoint la police interne deux ans plus tôt.»

La Tcheka, pensa Pekkala. Créée dès le début de la révolution sous le commandement d'un assassin polonais du nom de Félix Dzerjinski, la Tcheka n'avait pas tardé à se faire une réputation d'escadron de la mort, coupable de meurtres, d'actes de torture et de disparitions. Depuis, comme Lénine et Staline, la Tcheka avait changé de nom, d'abord rebaptisée Guépéou puis OGPU, mais ses activités sanguinaires étaient demeurées inchangées. Bon nombre des membres fondateurs de la Tcheka avaient eux-mêmes disparu au fond des chambres souterraines où les tortionnaires exécutaient leurs basses œuvres.

«Deux mois avant que les Romanov ne disparaissent, reprit Anton, j'avais reçu l'ordre d'accompagner jusqu'à Sverdlovsk un officier du nom de Iourovski. Une fois sur place, plusieurs membres de notre groupe ont pris la relève d'une milice locale qui assurait la garde du tsar et de sa famille. La nuit de leur disparition, je n'étais pas de garde. Je me trouvais à la taverne du village quand on m'a parlé du coup de téléphone. Je me suis rendu directement à l'endroit où le barrage avait été établi. Le temps que nous retournions à la maison Ipatiev, les Romanov étaient déjà partis et les deux gardes avaient été tués.

– Avez-vous mené une enquête ?

– Nous n'en avons pas eu le temps. Les blancs approchaient. Il fallait quitter la ville. Quand l'Armée blanche est arrivée, deux jours plus tard, ils ont mené leurs propres investigations. Ils n'ont jamais retrouvé les Romanov, morts ou vifs. Après leur départ, nous avons repris le contrôle de Sverdlovsk. Mais les traces avaient disparu. Toute la famille du tsar s'était évaporée, purement et simplement.

– Alors, au lieu de reconnaître que les Romanov s'étaient échappés, Lénine a préféré annoncer qu'ils avaient été tués... »

Anton acquiesça d'un air las.

« Mais ensuite, les rumeurs ont commencé à se répandre : des témoins du monde entier prétendaient avoir aperçu certains des Romanov, en particulier les enfants. Chaque fois qu'une histoire de ce genre apparaissait, aussi invraisemblable qu'elle puisse paraître, nous envoyions l'un de nos agents sur place pour enquêter. Te rends-tu compte que nous sommes allés jusqu'à dépêcher un homme à Tahiti parce qu'un capitaine de navire prétendait avoir vu là-bas quelqu'un qui ressemblait beaucoup à la princesse Maria ? Mais toutes ces rumeurs se sont révélées infondées... Alors nous avons patienté. D'un jour à l'autre, nous nous attendions à recevoir la nouvelle que les Romanov avaient refait surface en Chine, à Paris ou à Londres. Cela semblait n'être qu'une question de temps. Pourtant, les années ont passé, et les témoignages se sont faits de plus en plus rares. Pas de nouvelles rumeurs. Nous commencions à penser que nous n'entendrions plus jamais parler des Romanov. Et puis, il y a deux semaines, j'ai été convoqué par les gens du Bureau des opérations spéciales. Ils m'ont informé qu'un homme s'était présenté récemment, prétendant que les cadavres des Romanov avaient été jetés au fond d'un puits de mine désaffecté, à proximité de Sverdlovsk. Il affirmait aussi que Pekkala avait assisté à l'opération.

– Cet homme, où se trouve-t-il ? » demanda Pekkala.

Il pleuvait fort, à présent, la tempête grondait sans discontinuer sur le toit, comme un train suspendu au-dessus de leurs têtes.

« Dans un endroit qui s'appelle Vodovenko. C'est une institution qui accueille les fous criminels.

– Les fous criminels ? grogna Pekkala. Ce puits de mine, existe-t-il seulement ?

– Oui. Il a été localisé.

– Et les corps ? On les a retrouvés ? »

Un frisson parcourut Pekkala lorsqu'il imagina les squelettes entremêlés au fond du puits. Bien des fois, il avait rêvé de la tuerie, mais ces cauchemars s'interrompaient toujours au moment de leur mort. Jusqu'alors, Pekkala n'avait jamais été assailli par l'image de leurs corps privés de sépulture.

« Le puits de mine a été mis sous scellés dès que le Bureau a appris la nouvelle. D'après nos informations, la scène du crime est restée intacte.

– Je ne comprends toujours pas pourquoi ils ont besoin de moi, répliqua Pekkala.

– Tu es la seule personne vivante qui ait connu personnellement les Romanov, et tu as reçu une formation d'enquêteur. Tu es capable d'identifier formellement ces corps. Sans aucune marge d'erreur. »

Pekkala hésita avant de répondre.

« Ce qui explique pourquoi Staline m'a envoyé chercher, mais pas ce que toi, tu fais là... »

Anton dégagea ses mains l'une de l'autre, avant de les joindre à nouveau, lentement.

« Les gens du Bureau ont jugé préférable qu'une tête familière se charge de te transmettre leur offre.

– Leur offre ? rétorqua Pekkala. Quelle offre ?

– Si tu mènes à bien cette enquête, ta peine de goulag se verra commuée. On te rendra ta liberté. Tu pourras aller où bon te semble. »

L'instinct de Pekkala lui dicta de n'en rien croire. On lui avait servi trop de mensonges par le passé pour qu'il prenne cette offre au sérieux.

«Et toi, tu gagnes quoi dans cette affaire?

– Cette promotion est ma récompense, répondit Anton. Depuis que les Romanov ont disparu, j'ai eu beau travailler dur, me montrer d'une loyauté sans faille, on m'a toujours oublié. Jusqu'à la semaine dernière, je n'étais qu'un simple caporal dans un bureau privé de fenêtres, à Moscou. Mon travail consistait à décacheter les enveloppes à la vapeur et à recopier tout ce qui pouvait ressembler à une critique contre le gouvernement. Et j'ai longtemps cru que jamais je ne monterais plus haut. Jusqu'à ce que le Bureau me convoque...»

Anton se rassit au fond de sa chaise.

«Si l'enquête est concluante, nous aurons tous les deux une seconde chance...

– Et si nous échouons? demanda Pekkala.

– On te renverra à Borodok, répondit Anton. Et je retournerai ouvrir mes enveloppes.

– Et ton commissaire? interrogea Pekkala. Qu'est-ce qu'il fait là?

– Kirov? Ce n'est qu'un enfant. Il suivait une formation de cuisinier mais ils ont fermé son école et l'ont transféré à l'académie politique. C'est sa première mission. Officiellement, Kirov est notre officier de liaison politique, mais pour le moment, il ne sait même pas sur quoi porte l'enquête.

– Quand as-tu prévu de le mettre au courant?

– Dès que tu auras accepté de nous aider.

– Officier de liaison politique..., railla Pekkala. Apparemment, ton Bureau ne nous fait pas tellement confiance...

– Il faudra t'y habituer, répliqua Anton. On ne fait plus confiance à personne...»

Pekkala secoua la tête, incrédule.

«Félicitations.

– De quoi?

– Pour l'état dans lequel vous avez mis ce pays... »

Anton se leva brusquement, projetant sa chaise en arrière.

« Le tsar n'a eu que ce qu'il méritait, et toi aussi ! »

Ils se tenaient face à face, le bureau entre eux, telle une barricade.

« Père serait fier de toi... », déclara Pekkala, incapable de dissimuler son dégoût.

La mention de son père produisit chez Anton une sorte de déclic. Il se tendit au-dessus du bureau et lança un coup de poing qui vint heurter Pekkala au niveau de la tempe.

Un éclair resplendit derrière l'œil de Pekkala. Il tituba en arrière, puis reprit son équilibre.

Anton contourna le bureau et frappa de nouveau, touchant son frère en pleine poitrine.

Pekkala chancela. Puis, dans un rugissement, il saisit Anton par les épaules et lui colla les bras au corps.

Les deux hommes basculèrent en arrière et allèrent s'écraser contre la porte du bureau, qui céda sous leur poids dans des éclats de bois pourri. Ils s'écroulèrent dans l'étroit couloir. Anton heurta le sol le premier.

Pekkala s'affala sur lui.

L'espace d'un instant, ils restèrent sonnés.

Puis Anton saisit Pekkala à la gorge.

Les deux hommes se regardaient, les yeux remplis de haine.

« Tu disais que les choses avaient changé, grondait Pekkala. Mais tu te trompes. Rien n'a changé entre toi et moi. »

Emporté par la rage, Anton empoigna le pistolet accroché à sa ceinture et enfonça le bout du canon dans la tempe de son frère.

Le jour même de son arrivée à Petrograd, Pekkala s'était enrôlé comme cadet au sein des gardes finlandais.

Il ne tarda pas à apprendre pourquoi Anton avait été exclu du régiment.

Anton était accusé d'avoir volé de l'argent dans le casier d'un autre cadet. Il commença par nier les faits. Aucune preuve ne venait étayer l'accusation, hormis cette coïncidence : il avait soudain eu de l'argent à dépenser, au moment même où celui de l'autre cadet avait disparu. Mais ce soir-là, comme le cadet racontait ses malheurs à la recrue assise sur la couchette voisine, il remarqua quelque chose sur le casier qui jouxtait son lit. Assis au bord du matelas, il se penchait pour ne pas avoir à élever la voix. Tandis qu'il parlait, la chaleur de son souffle caressa la surface polie du casier, révélant l'empreinte fantomatique d'une main. L'empreinte n'était pas la sienne, ni celle d'aucun des six autres cadets qui partageaient son dortoir. On appela le sergent, qui donna l'ordre de comparer l'empreinte d'Anton avec celle du casier.

Elles correspondaient exactement, et Anton confessa son vol, tout en insistant sur le fait qu'il s'agissait d'une somme infime.

Le montant importait peu. Selon le règlement de la garde finlandaise, dont les portes des baraquements n'étaient jamais verrouillées et où l'on ne disposait jamais d'aucune clé, tout vol entraînait une suspension. Quand Anton rentra de son audience devant le commandant du régiment, ses bagages *étaient déjà faits. Deux officiers supérieurs le raccompagnèrent jusqu'aux grilles de la caserne. Là, sans un au revoir, ils lui tournèrent le dos et regagnèrent l'enceinte. Les grilles se refermèrent et on les verrouilla.*

Le lendemain de son arrivée, Pekkala fut convoqué dans le bureau du commandant. Il n'avait pas encore appris comment se comporter devant un officier, ni comment saluer, et cela l'inquiétait, tandis qu'il traversait le champ de parade. Des pelotons entiers de nouvelles recrues, apprenant à marcher au pas, le doublaient en frottant les pieds, flanqués de sergents à la voix forte et suraiguë comme le bruit d'une perceuse, qui les insultaient, eux et leurs ancêtres jusqu'à la nuit des temps.

Dans la salle d'attente, un garde immense en tenue immaculée prit en charge Pekkala. Ses habits étaient d'une teinte plus claire que ceux des recrues. Il portait par-dessus sa veste militaire une ceinture, dont le gros ceinturon de cuivre était orné de l'aigle à deux têtes, symbole du tsar. Une casquette à visière courte lui masquait la moitié du visage.

Quand le garde leva la tête et le fixa droit dans les yeux, Pekkala eut l'impression d'être placé sous le feu d'un projecteur.

Dans une tonalité de voix qui n'était guère plus qu'un murmure, le garde donna l'ordre à Pekkala de se tenir bien droit, les talons joints, quand il se présenterait devant le commandant.

« Montrez-moi, pour voir », ordonna-t-il.

Pekkala fit de son mieux.

« Ne cambrez pas le dos », précisa le garde.

Pekkala ne parvenait pas à faire autrement. Ses muscles étaient si crispés qu'il avait du mal à bouger.

Le garde pinça la pièce de tissu gris qui recouvrait les épaules de Pekkala, défroissant la veste de laine brute.

« Quand le commandant parle, vous ne devez pas répondre "Oui, mon commandant", mais simplement "Mon commandant". En revanche, si la réponse à sa question est négative, vous répondrez "Non, mon commandant". Compris ?

– Mon commandant. »
Le garde secoua la tête.
« Ne m'appelez pas commandant. Je ne suis pas un officier. »
Les règles de ce monde étrange s'agitaient sous son crâne comme un essaim d'abeilles chassé de sa ruche. Il lui paraissait impossible de les maîtriser toutes un jour. À cet instant précis, si quelqu'un lui avait offert une chance de rentrer chez lui, il aurait accepté. D'un autre côté, Pekkala craignait que ce ne fût là la raison pour laquelle le commandant l'avait fait convoquer.
Le garde semblait avoir deviné ses pensées.
« Vous n'avez rien à craindre », déclara-t-il.
Puis il fit volte-face et frappa à la porte du commandant. Sans attendre de réponse, il ouvrit et, d'un geste du menton, fit comprendre à Pekkala qu'il devait entrer.
Le commandant s'appelait Parainen. Il était grand et svelte, avec des mâchoires et des pommettes si anguleuses que son crâne semblait constitué d'éclats de verre brisé.
« Vous êtes le frère d'Anton Pekkala ?
– Mon commandant.
– Avez-vous eu de ses nouvelles ?
– Pas récemment, mon commandant. »
Le commandant se gratta le cou.
« Il était censé revenir parmi nous il y a déjà un mois.
– Revenir parmi vous ? s'exclama Pekkala. Je croyais pourtant qu'il avait été renvoyé...
– Pas renvoyé. Suspendu. Ce n'est pas la même chose.
– Mais alors, qu'est-ce que cela signifie ? interrogea Pekkala, avant d'ajouter : Mon commandant.
– Il ne s'agit que d'une exclusion temporaire, expliqua Parainen. Si cela venait à se reproduire, l'exclusion serait définitive, mais lorsqu'un cadet commet sa première infraction, nous faisons généralement preuve d'indulgence.
– Dans ce cas, pourquoi n'est-il pas revenu ? » s'étonna Pekkala.

Sibérie, 1929

Le commandant haussa les épaules.

« Peut-être a-t-il estimé que cette vie n'était pas faite pour lui...

– C'est impossible, mon commandant. Il en rêve depuis toujours...

– Les gens changent, parfois. Quoi qu'il en soit, vous êtes venu le remplacer. »

Le commandant se leva et marcha jusqu'à la fenêtre qui donnait sur la ville, par-delà les murs de la caserne. Le gris acier de cet après-midi d'hiver colorait son visage.

« Je veux que vous sachiez qu'on ne vous tiendra pas rigueur de ce que votre frère a fait. On vous donnera les mêmes chances qu'à n'importe quel autre cadet. Si vous échouez, comme cela est fréquent, vous ne pourrez vous en prendre qu'à vous-même. Et si vous réussissez, vous ne le devrez qu'à vos propres mérites. Cela vous paraît-il équitable ?

– Oui, mon commandant, répondit Pekkala. Totalement. »

Au cours des semaines qui suivirent, Pekkala apprit à marcher au pas, à tirer et à vivre dans un endroit d'où toute intimité était bannie, hormis celle des pensées qu'il gardait précieusement au fond de son esprit. Entre les murs de la caserne du régiment des Finlandais, entouré de jeunes hommes originaires d'Helsinki, de Kauhava ou de Turku, il en arrivait presque à oublier qu'il avait quitté son pays natal. Pour bon nombre de ses compagnons, devenir membre de la Garde finlandaise était le rêve de toute une vie. Dans bien des cas, il s'agissait même d'une tradition familiale remontant à plusieurs générations.

Parfois, Pekkala avait l'impression de s'être réveillé dans la peau d'un autre. La personne qu'il avait été disparaissait peu à peu au pays des ombres, comme les défunts qu'il avait accompagnés jadis dans leur dernier voyage.

Mais, un beau jour, tout changea.

Tandis que le canon du revolver d'Anton s'enfonçait dans sa tempe, Pekkala ferma lentement les yeux. Les traits de son visage ne trahissaient pas la terreur, mais une sorte d'anticipation apaisée, comme s'il avait attendu ce moment depuis longtemps.

«Vas-y», murmura-t-il.

Des bruits de pas résonnèrent dans le couloir. C'était Kirov, le jeune commissaire. «Le policier s'est enfui», s'écria-t-il. Il se figea en voyant le revolver d'Anton braqué sur le crâne de Pekkala.

Poussant un juron incompréhensible, Anton relâcha son étreinte.

Pekkala s'effondra, suffoqué.

Kirov les contemplait avec stupéfaction. «Quand vous aurez fini de vous bagarrer, mon commandant, déclara-t-il à l'intention d'Anton, l'un de vous deux aurait-il l'amabilité de m'expliquer pourquoi votre frère rend tout le monde si nerveux?»

C'est un cheval qui lança la carrière de Pekkala.

À mi-chemin de leur formation au sein du régiment, les cadets furent conduits aux écuries pour apprendre à monter.

Pekkala savait parfaitement diriger le cheval attelé à la carriole de son père, mais il n'était jamais monté sur une selle. Cela ne l'inquiétait nullement. Après tout, pensait-il, je ne savais ni marcher au pas ni me servir d'une arme à feu en arrivant ici, et je n'ai pas eu plus de mal que les autres à apprendre ces choses.

Au début, l'apprentissage se déroula sans encombre. Les recrues devaient seller leur cheval, monter puis démonter, et mener la monture autour d'un circuit jalonné de tonneaux de bois. Les chevaux étaient tellement accoutumés à cette routine que tout ce que Pekkala avait à faire, c'était ne pas tomber.

L'exercice suivant consistait à faire sauter son cheval par-dessus une barrière installée dans un immense manège. Le sergent chargé de superviser les opérations était un débutant. Il avait déroulé plusieurs rangées de fil barbelé au-dessus de l'obstacle, en les clouant aux poteaux de coin. Il ne suffisait pas, déclara-t-il aux cadets assemblés, de s'accrocher à son cheval pendant qu'il accomplissait des tâches qu'il aurait tout aussi bien pu réaliser sans cavalier.

« Un lien doit s'instaurer entre le cheval et son cavalier », poursuivit-il, *satisfait de la clarté de sa voix dans l'espace clos du manège. « Tant que vous ne m'aurez pas donné la*

preuve qu'un tel lien existe, je ne vous permettrai pas de faire partie du régiment. »

Dès que les chevaux aperçurent l'éclat des barbelés, ils devinrent nerveux, se dérobèrent, firent des écarts, claquèrent des dents sur le mors. Certains refusèrent de sauter et se cabrèrent devant l'obstacle, désarçonnant leurs cavaliers. Le cheval de Pekkala tourna brusquement, heurta du flanc la barrière et propulsa le jeune soldat de l'autre côté. Pekkala retomba sur l'épaule et roula sur le sol durci par le piétinement des animaux. Le temps qu'il se relève, couvert de vieux débris de paille, le sergent prenait déjà des notes sur son carnet.

Rares furent les bêtes qui franchirent l'obstacle au premier essai, et la plupart d'entre elles se blessèrent sur le barbelé, qui leur cisaillait le ventre ou les antérieurs.

Le sergent ordonna aux cadets de réessayer.

Une heure et plusieurs tentatives plus tard, seule la moitié du groupe avait réussi à sauter la barrière. Le sol était maculé de gouttes de sang, comme si l'on avait renversé un carton de boutons de verre rouge.

Les cadets se tenaient au garde-à-vous sur leurs montures tremblantes, rênes en main.

Le sergent était désormais conscient de son erreur, mais il lui était impossible de reculer sans perdre la face. Il avait la voix brisée d'avoir tant hurlé. À présent, ses cris tonitruants évoquaient moins l'autorité que l'hystérie pure et simple.

Chaque fois qu'un cheval venait percuter la barrière – choc sourd des flancs de l'animal s'écrasant contre les planches, martellement des sabots et grognement apeuré du cadet dans sa chute –, les autres et leurs cavaliers frissonnaient à l'unisson, comme si un courant électrique les avait traversés. Un jeune homme sanglotait sans bruit en attendant son heure. Il allait s'élancer pour la sixième fois. Comme Pekkala, il n'avait pas encore réussi à effacer l'obstacle.

Quand ce fut de nouveau le tour de Pekkala, il se remit en selle d'un mouvement pendulaire. Il jeta un coup d'œil par-dessus les oreilles du cheval, évaluant la distance entre la barrière et elles. Il distinguait des entailles sur les planches du bas, là où les sabots s'étaient enfoncés dans le bois.

Le sergent fit un pas de côté pour dégager l'obstacle, carnet en main.

Pekkala était sur le point d'enfoncer ses talons dans les flancs de l'animal, pour repartir à l'assaut. Il savait pertinemment qu'il tomberait encore, et il s'y résignait. Il était prêt, puis, soudain, il refusa de lancer son cheval contre cette barrière et sa guirlande de barbelés sanguinolents. Avec autant de fluidité qu'il s'était hissé en selle, il mit pied à terre.

« Remontez à cheval, gronda le sergent.

– Non, répondit Pekkala. Je ne remonterai pas. »

Du coin de l'œil, il aperçut ce qui lui parut être du soulagement dans le regard de ses compagnons. Soulagement, parce que tout cela allait enfin s'arrêter. Soulagement, aussi, parce qu'on ne les tiendrait pas pour responsables.

Cette fois, le sergent ne hurla pas et ne jura pas, comme il l'avait fait toute la journée. Aussi calmement qu'il le put, il referma son carnet et le glissa dans la poche supérieure de sa veste. Il croisa ses mains dans le dos et s'approcha de Pekkala, jusqu'à ce que leurs visages se touchent presque.

« Je vous laisse une dernière chance, grommela-t-il, sa voix surmenée guère plus forte qu'un murmure.

– Non », répéta Pekkala.

Alors le sergent s'approcha encore et posa ses lèvres contre l'oreille de Pekkala.

« Écoutez, dit-il, tout ce que je vous demande, c'est d'essayer de sauter. Si vous échouez, je ne vous en tiendrai pas rigueur. Et je mettrai fin à l'exercice après votre tentative. Mais vous allez remonter sur ce cheval, et vous ferez ce qu'on vous dit, sinon je veillerai à ce qu'on vous exclue des cadets. Je vous raccompagnerai moi-même jusqu'au portail, et je m'assurerai qu'on le verrouille bien derrière vous, comme on l'a fait pour votre frère. C'est pour ça que je n'aurai aucun mal à le faire, Pekkala. Les gens s'attendent à un échec de votre part. »

À cet instant précis, Pekkala sentit un frisson le parcourir, comme la commotion d'un coup de fusil, mais sans détonation. Il n'avait jamais rien éprouvé de pareil, et il n'était pas le seul dans ce cas.

Pekkala et le sergent se tournèrent en même temps et aperçurent un homme dressé dans l'ombre, près de l'entrée du manège, côté écuries. Il portait une veste vert sombre et un pantalon bleu avec une bande rouge. Il s'agissait d'un simple uniforme, et pourtant les couleurs semblaient vibrer dans l'air stagnant. L'homme ne portait pas de chapeau. Ils n'eurent donc aucun mal à le reconnaître : le tsar en personne.

Un petit feu crépitait dans la cheminée du bureau, au commissariat.

«Inspecteur?»

Kirov faisait les cent pas dans la pièce, levant les bras au ciel puis les laissant retomber.

«Vous voulez dire que votre frère travaillait pour la police secrète du tsar?»

Assis derrière le bureau, Pekkala feuilletait le contenu d'un dossier brun terne, dont la couverture était barrée d'une bande rouge sur laquelle on lisait, en capitales noires: TOP SECRET. Le mot «secret» lui-même avait perdu toute signification. Désormais, tout était secret. Pekkala tournait les pages avec soin, le visage à quelques centimètres de la table, à ce point perdu dans ses pensées qu'il ne semblait pas entendre la harangue du commissaire.

«Non.»

Anton était assis au coin du feu, mains tendues vers les flammes.

«Il ne travaillait pas pour l'Okhrana...

– Mais alors, pour qui travaillait-il?

– Je vous l'ai déjà dit. Pour le tsar.»

Ils parlaient de Pekkala comme s'il n'avait pas été là.

«Dans quel service? insista Kirov.

– Il formait son propre service, expliqua Anton. Le tsar avait mis en place un enquêteur unique, doté des pleins pouvoirs, qui n'avait de comptes à rendre à personne, pas même à l'Okhrana.

On l'appelait l'Œil du tsar, et nul ne pouvait l'influencer, l'acheter ni le menacer. Peu importait qui vous étiez, quelles étaient vos relations, votre fortune. Personne, pas même le tsar, n'était au-dessus de l'Œil d'Émeraude.»

Pekkala détacha les yeux du dossier.

«Assez», grommela-t-il.

Mais son frère poursuivit :

«La mémoire de mon frère est infaillible ! Il se souvient des visages de tous ceux qu'il a rencontrés. Il a envoyé derrière les barreaux ce démon de Grodek. Il a tué Maria Balka, la meurtrière !»

Il tendit les deux bras en direction de Pekkala.

«L'Œil du tsar, c'était lui !

– Je n'en ai jamais entendu parler, dit Kirov.

– J'imagine bien, répliqua Anton, qu'on n'enseignait pas aux apprentis cuisiniers la technique des enquêtes criminelles...

– Chef ! corrigea Kirov. Je suivais une formation de chef, pas de cuisinier.

– Il y a une différence ?

– Il y en a une quand on est chef, et c'est ce que je serais devenu s'ils n'avaient pas fermé l'école.

– Eh bien, camarade Presque-Chef, la raison pour laquelle vous n'avez jamais entendu parler de lui, c'est que son identité a été effacée après la révolution. Il était hors de question que des gens s'interrogent sur ce qu'il était advenu de l'Œil du tsar. Mais peu importe. À partir de maintenant, appelez-le simplement l'Œil du tsar rouge.

– J'ai dit *assez* !» gronda Pekkala.

Anton sourit et expira lentement, satisfait du résultat de sa provocation.

«Mon frère possédait le genre de pouvoir qui n'apparaît qu'une fois par millénaire. Mais il y a renoncé. N'est-ce pas, frère ?

– Va au diable», répliqua Pekkala.

Le sergent bondit au garde-à-vous.

Les cadets, comme un seul homme, saluèrent le souverain d'un claquement de talons, dont la détonation se répercuta sous les voûtes du manège.

Les chevaux eux-mêmes devinrent étrangement calmes, tandis que le tsar traversait le manège en direction des hommes.

C'était la première fois que Pekkala le voyait. Les recrues en formation n'avaient généralement cet honneur que le jour où elles recevaient leur diplôme, lorsqu'elles défilaient dans leur uniforme gris flambant neuf devant les Romanov. Jusqu'à ce jour, le tsar demeurait invisible.

Pourtant, c'était bien lui, sans ses éternels gardes du corps, sans aucun officier du régiment pour l'escorter – un homme de taille moyenne, frêle d'épaules et marchant d'un pas raide, en posant un pied devant l'autre. Son front était large et lisse, et sa barbe impeccable, sculptée avec soin au niveau du menton, donnait à sa mâchoire un aspect anguleux. Le regard plissé du tsar était indéchiffrable. Son expression n'était ni hostile ni amicale. Elle semblait osciller entre le contentement et l'envie d'être ailleurs.

Un masque plutôt qu'un visage, pensa Pekkala.

Pekkala savait qu'il n'était pas censé fixer le tsar. Pourtant, il ne pouvait pas s'en empêcher. C'était comme regarder une image en train de s'incarner, une image en deux dimensions qui aurait soudain acquis la troisième dimension d'un être de chair et d'os.

Le tsar s'arrêta devant le sergent et le gratifia d'un salut informel.

Le sergent lui rendit son salut.

Le tsar se tourna vers Pekkala.

« *Votre cheval semble saigner.* »

Il n'avait pas élevé la voix, et pourtant elle paraissait remplir tout l'espace du manège.

« *Oui, Excellence.*

– *J'ai l'impression que toutes ces bêtes ou presque saignent.* »

Il se tourna vers le sergent.

« *Pourquoi mes chevaux saignent-ils ?*

– *Cela fait partie de l'entraînement, Excellence,* répondit le sergent, le souffle court.

– *Ces chevaux sont déjà entraînés* », rétorqua le tsar.

Le sergent s'adressait à ses pieds, sans oser relever la tête.

« *L'entraînement des recrues, Excellence.*

– *Les recrues, elles, ne saignent pas.* »

Le tsar passa la main dans sa barbe. Sa chevalière imposante étincelait comme une phalange dorée.

« *Non, Excellence.*

– *Et quel est le problème avec cette recrue-là ?* interrogea le tsar en posant les yeux sur Pekkala.

– *Il refuse de sauter.* »

Le tsar se tourna vers Pekkala.

« *Est-ce vrai ? Vous refusez de franchir cette barrière ?*

– *Non, Excellence. Je franchirai cette barrière, mais pas sur ce cheval.* »

L'espace d'un instant, le tsar écarquilla les yeux, puis il les plissa de nouveau.

« *Je ne suis pas sûr que le sergent avait cela en tête...*

– *Excellence, je ne continuerai pas à blesser ce cheval pour prouver que je suis capable de le faire.* »

Le tsar inspira longuement, comme un plongeur avant l'immersion.

«*Alors, je crains que vous ne soyez confronté à un dilemme.*»

Sans ajouter un mot, le tsar s'éloigna de Pekkala et ins-pecta les chevaux alignés et les cadets au garde-à-vous. On n'entendait que le bruit de ses pas.

Pendant que le tsar avait le dos tourné, le sergent releva la tête et fixa Pekkala droit dans les yeux. Un regard de haine pure.

Le tsar dépassa la barrière, s'arrêtant pour examiner les barbelés ensanglantés.

Arrivé au bout du manège, il pivota sur les talons et fit face aux soldats.

«*Cet exercice est terminé*», *annonça-t-il. Puis il poursuivit son chemin et disparut dans l'ombre.*

Dès que le tsar fut reparti, le sergent prit Pekkala à partie :

«*Vous savez ce qui est terminé, aussi ? Votre vie dans ce régiment. Maintenant, retournez aux écuries, pansez votre cheval, essuyez la selle, pliez la couverture et disparaissez.*»

Tandis que Pekkala menait son cheval vers les écuries, les ordres vociférés par le sergent à l'intention des autres cadets résonnèrent sous les voûtes.

Le cheval entra docilement dans son box, où Pekkala désangla la selle et défit la bride. Il étrilla la bête en regardant vibrer ses muscles sous le pelage d'un brun soyeux. Il ressor-tait pour aller chercher un seau d'eau et un bandage pour protéger les antérieurs entaillés du cheval quand il aperçut la silhouette d'un homme près de la porte qui donnait sur les baraquements de la caserne.

C'était le tsar. Il était revenu, ou n'était pas encore parti.

Pekkala ne distinguait de l'homme qu'un contour comme tracé à l'encre. On aurait dit que le tsar avait retrouvé la forme bidimensionnelle sous laquelle Pekkala l'avait toujours imaginé.

«*Ce geste risque de vous coûter cher, déclara-t-il. Le ser-gent va vous faire renvoyer.*

– Oui, Excellence.

– À votre place, moi aussi j'aurais refusé. Malheureusement, il ne m'appartient pas de discuter les méthodes de votre formation. Si vous pouviez recommencer, feriez-vous sauter cette barrière à votre cheval ?

– Non, Excellence.

– Mais vous l'escaladeriez vous-même.

– Oui. »

Le tsar se racla la gorge.

« J'ai hâte de conter cette histoire. Quel est donc votre nom, cadet ?

– Pekkala.

– Ah, oui. Vous êtes venu remplacer votre frère au sein du régiment. J'ai lu votre dossier. Il précisait que vous aviez une excellente mémoire.

– Cela me vient naturellement, Excellence. Je n'ai aucun mérite.

– Quoi qu'il en soit, c'était noté dans le dossier. Eh bien, Pekkala, je regrette que notre rencontre ait été si brève. »

Il fit volte-face, prêt à partir. Le soleil scintillait sur les boutons de sa veste. Mais, au lieu de s'éloigner, le tsar décrivit un cercle complet, se tournant de nouveau vers la pénombre de l'écurie.

« Pekkala ?

– Oui, Excellence ?

– Combien de boutons y a-t-il sur ma veste ?

– La réponse est : douze.

– Douze. Bien essayé, mais... »

Le tsar ne termina pas sa phrase. La silhouette se transforma, tandis qu'il baissait la tête, déçu.

« Eh bien, au revoir, cadet Pekkala.

– Je n'essayais pas, Excellence. Il y a douze boutons sur votre veste, en comptant ceux de vos manchettes. »

Le tsar releva brusquement la tête.

« Grands dieux, vous avez raison ! Et qu'y a-t-il sur ces boutons, Pekkala ? Quelles armoiries ?

« – Aucune, Excellence. Les boutons sont lisses.

– Ah ! »

Le tsar entra dans l'écurie.

« C'est exact ! »

À présent, seule la longueur d'un bras séparait les deux hommes.

Pekkala reconnut quelque chose de familier dans l'expression du tsar – une sorte de résignation endurcie, si profondément enracinée qu'elle constituait désormais chez cet homme une qualité aussi essentielle que la couleur de ses yeux. Alors Pekkala comprit que, comme lui, le tsar évoluait sur un chemin qu'il n'avait pas choisi, mais qu'il avait appris à accepter. En regardant le visage du tsar, il avait l'impression de contempler le reflet de son moi futur.

Le tsar lui-même semblait avoir saisi ce lien. Pendant quelques instants, il eut l'air déconcerté, mais reprit bientôt contenance.

« Et ma chevalière ? demanda-t-il. Avez-vous remarqué... ?

– Une sorte d'oiseau au long cou. Un cygne, peut-être.

– Une grue, murmura le tsar. Cette bague appartenait à mon grand-père, Christian IX de Danemark. La grue était son emblème personnel.

– Pourquoi me posez-vous ces questions, Excellence ?

– Parce que, répondit le tsar, je crois qu'après tout votre destinée est ici, avec nous. »

Anton se replongea dans la contemplation des flammes.

« Mon frère a abandonné tout ce qu'il possédait. Pourtant, il n'a pas tout donné...

– Pourriez-vous être plus clair ? intervint Kirov.

– La rumeur prétend qu'il est le dernier survivant à connaître l'endroit où les réserves d'or secrètes du tsar ont été déposées...

– Ce n'est pas une rumeur, rétorqua Pekkala. C'est un mythe.

– Quelles réserves d'or ? interrogea Kirov, de plus en plus perdu. J'ai appris à l'école que tout le patrimoine du tsar avait été saisi...

– Seulement ce qu'on a pu trouver, corrigea Anton.

– De quelle quantité d'or sommes-nous en train de parler ? demanda Kirov.

– Nul ne semble en mesure de le dire, répondit Anton. Certains affirment qu'il y a plus de dix mille lingots... »

Kirov se tourna vers Pekkala.

« Et vous savez où se cache cet or ? »

Exaspéré, celui-ci se redressa sur sa chaise.

« Libre à vous de me croire ou pas, mais je vous dis la vérité : j'ignore où il se trouve.

– Bon, répliqua Kirov, gonflant sa voix d'autorité. Je ne suis pas là pour superviser une expédition de chercheurs d'or. Je suis ici, inspecteur Pekkala, pour m'assurer que vous suivez le protocole...

– Le protocole ?

– Oui, et si vous refusez de vous y plier, on m'a autorisé à faire usage de la force mortelle...

– La force mortelle ? répéta Pekkala. Vous avez déjà tiré sur quelqu'un ?

– Non, reconnut Kirov. Mais je me suis entraîné au champ de tir.

– Les cibles, de quoi étaient-elles faites ?

– Je ne sais pas, répondit-il d'un ton cassant. De papier, j'imagine.

– Ce n'est pas aussi facile quand la cible est de chair et d'os... »

Pekkala fit glisser le dossier à travers le bureau, vers le jeune commissaire.

« Lisez donc ce rapport, et si, après, vous avez toujours envie de me tirer dessus... » Il plongea la main dans son manteau, sortit le revolver Webley et le posa sur le bureau, juste devant Kirov. «... vous pourrez m'emprunter ceci. »

Sur ordre du tsar, Pekkala travailla d'abord pour la police de Petrograd, avant d'être intégré à la police d'État, ou gendarmerie, et enfin à l'Okhrana, dont les bureaux donnaient sur la rue Fontanka.

Là, il servit sous les ordres du major Vassiliev, un homme jovial, au visage joufflu, qui avait perdu à la fois son avant-bras droit et sa jambe gauche jusqu'au genou, dans un attentat à la bombe dix ans auparavant. Vassiliev faisait de petits bonds plus qu'il ne marchait, frôlant la chute à chaque pas, puis se redressant juste avant de tomber par terre. Sa jambe artificielle lui causait d'insupportables douleurs au niveau du moignon, si bien qu'il l'ôtait souvent lorsqu'il était assis à son bureau. Pekkala s'habitua peu à peu à voir cette prothèse, en chaussette et chaussure, posée contre le mur avec la canne et le parapluie de Vassiliev. Sa main droite factice était faite de bois, avec des attaches de cuivre qu'il ajustait de sa main gauche avant de l'utiliser – elle lui servait surtout à tenir des cigarettes Markov, vendues dans des boîtes rouge et or dont Vassiliev avait toujours un tiroir plein.

Sur le mur derrière son bureau il y avait également, dans son présentoir de carton, un coupe-chou de barbier déplié en forme de V.

«C'est le rasoir d'Ockham», lui expliqua un jour Vassiliev.

Pekkala, honteux de son ignorance, lui avoua qu'il n'avait jamais entendu ce nom, pensant qu'il s'agissait d'un célèbre *criminel que les efforts de Vassiliev avaient envoyé derrière les barreaux.*

Vassiliev avait éclaté de rire en entendant ces mots.

« Il ne s'agit pas vraiment du rasoir d'Ockham. Ce rasoir est juste un concept. »

Devant la confusion de Pekkala, il précisa sa pensée.

« Au Moyen Âge, le moine franciscain Guillaume d'Ockham a formulé l'un des principes de base du travail d'enquêteur, selon lequel l'explication la plus simple permettant de rendre compte des faits est en général la bonne.

– Mais pourquoi appelle-t-on cela le rasoir d'Ockham ? demanda Pekkala.

– Je ne sais pas, reconnut Vassiliev. Sans doute parce qu'il tranche directement dans la vérité, et c'est quelque chose que tout enquêteur doit apprendre à faire s'il veut survivre. »

Vassiliev aimait bien tester Pekkala en l'envoyant en ville avec des instructions précises sur l'itinéraire à emprunter. Dans le même temps, il postait le long du parcours des hommes qui relevaient le contenu des affiches publicitaires apposées aux murs, les gros titres des journaux que des colporteurs coiffés de chapeaux à bord tombant vendaient à la criée au coin des rues. Aucun détail n'était laissé de côté. Quand Pekkala revenait, Vassiliev le questionnait sur tout ce qu'il avait vu. L'idée, lui avait-il expliqué, était qu'il y avait trop de détails pour qu'on puisse les noter tous, surtout lorsqu'on ne savait pas ce qu'on devait chercher. Le but de l'exercice était que le cerveau de Pekkala s'entraîne à cataloguer absolument tout, puis laisse son subconscient trier les informations. Au final, précisait Vassiliev, il serait ainsi capable de s'en remettre à son seul instinct pour savoir quand quelque chose clochait.

D'autres fois, Pekkala recevait pour mission d'échapper à la capture en traversant la ville, déguisé, poursuivi par plusieurs agents. Il maîtrisait l'art de se faire passer pour un chauffeur de taxi, un prêtre, un serveur.

Il apprit à connaître les effets des poisons, à neutraliser les bombes, à tuer un homme à l'arme blanche.

Non seulement Vassiliev lui enseigna le maniement de diverses armes à feu, qu'il devait être capable de démonter, remonter et charger les yeux bandés, mais il l'entraîna également à reconnaître leur calibre en fonction de leur bruit, et même à distinguer la détonation particulière de différents modèles du même calibre. Pekkala s'asseyait sur une chaise derrière un muret de brique tandis que Vassiliev, debout sur un siège de l'autre côté de la cloison, tirait avec diverses armes et demandait à Pekkala de les identifier. Au cours de ces sessions, Vassiliev avait presque toujours une cigarette calée entre ses doigts de bois. Pekkala avait pris l'habitude de voir le fin trait de fumée grise s'élever par-dessus le mur et faire soudain des vagues quand les dents de Vassiliev se refermaient sur la cigarette, juste avant d'appuyer sur la détente.

Au début de sa troisième année de formation, Vassiliev convoqua Pekkala. La jambe artificielle était posée sur le bureau. Le major avait entrepris de tailler au ciseau le bloc de bois massif qui formait le haut de la prothèse.

« Pourquoi faites-vous cela ? s'étonna Pekkala.

– Eh bien, on peut toujours avoir besoin d'une cachette pour les objets de valeur. En outre, cette maudite jambe est trop lourde pour moi. »

Vassiliev posa son ciseau à bois et balaya soigneusement les copeaux du revers de la main.

« Savez-vous pourquoi le tsar vous a choisi pour ce travail ?

– Je ne le lui ai jamais demandé, répondit Pekkala.

– Il m'a dit qu'il vous avait choisi parce qu'il n'a jamais vu de mémoire aussi proche de la perfection que la vôtre. Et aussi parce que vous êtes finlandais. Pour nous autres, Russes, les Finlandais n'ont jamais semblé tout à fait humains...

– Pas humains ?

– Sorciers. Chamanes. Magiciens, expliqua Vassiliev. Savez-vous que bon nombre de Russes croient encore que les

Finlandais sont capables de jeter des mauvais sorts ? C'est pour cela que le tsar s'entoure d'un régiment de gardes finlandais. Et c'est pour cela qu'il vous a choisi. Mais vous et moi savons que vous n'êtes pas un magicien...

– Je n'ai jamais prétendu l'être, protesta Pekkala.

– Pourtant, rétorqua Vassiliev, c'est probablement comme cela que vous serez perçu, y compris par le tsar lui-même. N'oubliez jamais la différence entre ce que vous êtes et ce que les gens croient que vous êtes. Le tsar a besoin de vous, bien plus encore qu'il ne le pense. Des heures sombres nous attendent, Pekkala. À l'époque où cette bombe m'a réduit en miettes, les escrocs volaient de l'argent aux banques. Aujourd'hui, ils s'approprient les banques elles-mêmes. Bientôt, ils dirigeront le pays. Si nous les laissons faire, Pekkala, nous nous réveillerons un beau jour, vous et moi, et nous serons devenus des criminels. Alors, vous aurez besoin de tout ce que je vous ai appris pour rester en vie. »

Le lendemain matin, à l'heure où les oriflammes rouges de l'aube se déployaient à travers le ciel, Pekkala, Kirov et Anton grimpèrent à bord de l'Emka officielle.

Les maisons alentour étaient encore fermées, leurs habitants invisibles. Les persiennes donnaient aux bâtiments un air endormi, mais elles avaient en outre quelque chose de menaçant, et chaque homme avait la sensation qu'on l'épiait.

Kirov prit le volant. Après avoir passé la moitié de la nuit à lire le dossier, il semblait en état de choc. Pekkala avait décidé qu'ils devaient se rendre directement à la mine où les corps avaient été abandonnés. À en croire Anton, qui avait fait une croix sur la carte, l'endroit se trouvait en périphérie de Sverdlovsk, à deux jours de route environ.

Ils n'étaient partis que depuis quelques minutes lorsqu'une silhouette humaine jaillit en titubant d'une maison abandonnée aux abords de la ville. C'était le policier. Ses habits étaient souillés de s'être terré toute la nuit.

L'Emka dérapa avant de s'immobiliser.

Le policier restait planté au milieu de la route, enfoncé dans une mare jusqu'aux chevilles. Il était ivre et oscillait comme un marin par gros temps sur le pont d'un navire.

« Qu'il soit l'Œil d'Émeraude ou pas, je m'en tape ! hurlait-il. Je viens avec vous. »

Il s'approcha de la voiture en chancelant, dégaina son revolver de service et tapota la vitre du bout de son canon.

« Tout le monde descend », déclara Anton à voix basse.

Les trois hommes sortirent sur la route boueuse.

« Il faut qu'on se tire, et vite ! vociférait le policier. Le bruit court en ville que Pekkala est venu enquêter sur moi ! »

Il pointa son arme en direction des toits du village.

« Mais ils ne vont pas attendre le résultat !

– Nous avons des choses plus importantes à faire que d'enquêter sur vous, déclara Anton sans quitter l'arme du regard.

– Peu importe, à présent ! rétorqua le policier. Si je retourne en ville, ces gens vont me lyncher !

– Il fallait y penser plus tôt, répliqua Anton. Avant de briser à coups de pied les dents des vieillards. Votre boulot, c'est de rester fidèle au poste. Maintenant, poussez-vous de la route et retournez travailler.

– Je ne peux pas. »

Le doigt du policier s'était posé sur la détente. Tout ce qu'il avait à faire, c'était refermer sa main et le coup partirait. Dans l'état où il se trouvait, il risquait tout aussi bien de le faire par accident.

« Je ne vous laisserai pas m'abandonner ici !

– Je ne vous aiderai pas à déserter, répondit Anton.

– Il ne s'agit pas d'une désertion ! »

Sa voix résonna faiblement dans l'air calme du matin.

« Je pourrais revenir avec des renforts.

– Je ne peux pas vous aider, rétorqua Anton. Nous sommes en mission.

– Tout est votre faute. Vous avez amené ce fantôme dans ma ville, grommela le policier en désignant Pekkala d'un hochement de tête. Et vous avez déterré des choses qui auraient dû rester enfouies.

– Retournez à votre poste, ordonna Anton. Vous ne partirez pas avec nous. »

Le policier frissonna, comme si le sol s'était mis à trembler sous ses pieds. Puis, soudain, son arme jaillit vers l'avant.

Anton se retrouva nez à nez avec l'œil bleuté du canon. L'étui de son revolver était attaché à sa ceinture, mais il comprit qu'il n'aurait pas le temps de l'atteindre. Il resta figé, les bras le long du corps.

«Allez, gronda le policier. Donnez-moi une raison de tirer.»

Kirov défit le rabat de son étui et sortit son revolver, mais la crosse lui échappa. L'arme glissa entre ses doigts. Ses mains empoignèrent le vide, tandis que le Tokarev s'écrasait dans la boue. Une expression de stupeur terrifiée lui déforma le visage.

Le policier n'avait rien remarqué. Il pointait toujours son canon sur Anton.

«Allez, répéta-t-il. Je vais vous abattre de toute façon, alors...»

Une détonation assourdissante brisa le silence.

Sous le choc, Kirov poussa un cri.

Abasourdi, Anton vit le policier qui tombait à genoux. Une entaille blanche lui avait déchiré le cou, immédiatement suivie d'un torrent de sang qui jaillissait du trou au creux de sa gorge. D'un geste lent et appliqué, l'homme porta la main à sa blessure. Le sang se frayait un chemin entre ses doigts. Ses yeux clignaient frénétiquement, comme s'il tentait d'y voir plus clair. Puis il s'effondra dans une mare, sur la route.

Anton se tourna vers son frère.

Pekkala baissa le canon encore fumant du Webley. Il remit l'arme dans son étui, sous son manteau.

Kirov ramassa la sienne dans la boue. Il essuya une partie des saletés, puis tenta de ranger le revolver dans son étui, mais ses mains tremblaient tellement qu'il préféra abandonner. Ses yeux se posaient sur Anton, puis sur Pekkala. «Je suis désolé», bredouilla-t-il. Alors il marcha jusqu'au bas-côté et vomit dans les buissons.

Le moteur de l'Emka tournait encore. Le pot d'échappement relâchait des bouffées de gaz.

«Allons-y, ordonna Anton en leur faisant signe de regagner la voiture.

– Nous devrions faire un rapport, protesta Pekkala.

– Il ne s'est rien passé », rétorqua Anton.

Fuyant le regard de Pekkala, il le dépassa et monta en voiture.

« Qu'allons-nous faire du corps ? demanda Kirov en s'essuyant la bouche du revers de la main.

– On le laisse là ! » s'emporta Anton.

Kirov retourna s'asseoir au volant.

Pekkala contemplait le cadavre sur la chaussée. La mare avait pris une teinte écarlate, comme du vin renversé. Puis il remonta en voiture.

Ils repartirent. Pendant un long moment, personne ne parla.

Les routes de la région n'étaient pas bitumées, et ils ne croisaient que de rares véhicules. Souvent, ils doublaient des charrettes tirées par des chevaux et les noyaient de poussière, ou bien ils ralentissaient pour négocier le paysage des endroits où les mares, en se rejoignant, avaient formé de petits étangs.

Dans ces campagnes immenses, désertes, ils finirent par se perdre. Les collines et les vallées se ressemblaient toutes. La plupart des panneaux semblaient avoir été arrachés, ne laissant derrière eux que les moignons fendus des poteaux sur lesquels on les avait d'abord cloués. Kirov possédait une carte, mais elle paraissait inexacte.

« Je ne sais même pas dans quelle direction nous roulons, soupira-t-il.

– Garez-vous », répondit Pekkala.

Kirov le regarda dans son rétroviseur.

« Si vous vous arrêtez, je vous dirai où nous allons.

– Vous avez une boussole ?

– Pas encore. »

À contrecœur, Kirov leva le pied. La voiture s'arrêta au milieu de la route. Il coupa le moteur.

Le silence retomba sur eux comme un nuage de poussière.

Pekkala ouvrit la portière et descendit.

« Que fait-il ? demanda Kirov.

– Laissez-le tranquille », rétorqua Anton.

Pekkala tira un pied-de-biche du chaos de jerricans, de cordes et de conserves de l'armée éparpillés au fond du coffre.

Il s'éloigna de la route et planta la barre d'acier dans la terre. Son ombre se déploya sur le sol. Alors, passant ses doigts dans l'herbe, Pekkala ramassa deux cailloux poussiéreux. Il en déposa un à l'extrémité de l'ombre, et glissa l'autre dans sa poche. Se retournant vers les deux hommes qui patientaient dans la voiture, il annonça : « Dix minutes. » Puis il s'assit en tailleur à côté du pied-de-biche, cala le coude sur son genou et le menton sur la paume de sa main.

Les deux autres observaient Pekkala par la fenêtre, sa silhouette sombre semblable à un obélisque antique dans la désolation de cet espace vide.

« Que fait-il ? interrogea Kirov.

– Il fabrique une boussole.

– Il sait faire ça ?

– Ne me demandez pas ce qu'il sait faire.

– J'ai pitié de lui, déclara Kirov.

– Il n'a que faire de votre pitié.

– Il est le dernier homme de son espèce...

– Il est le seul de son espèce.

– Que sont devenus tous les gens qu'il a connus avant la révolution ?

– Ils ont tous disparu, répondit Anton. Tous, sauf un. »

« *Quelle beauté...* », *soupira le tsar.*

Pekkala se tenait debout à ses côtés sur la véranda de la grande salle de bal, ébloui par le soleil de l'après-midi, en ce début d'été.

Ilya venait de visiter le palais de Catherine avec ses élèves. Les douze enfants franchissaient à présent par paires, en se tenant la main, le Pont chinois.

Ilya était une femme de haute taille aux yeux bleu faïence, dont la chevelure d'un blond cendré se déployait par-dessus le col de velours brun de son manteau.

Le tsar hocha la tête, approbateur. « *Sunny l'aime bien.* » *Sunny était le surnom de son épouse, la tsarine Alexandra, qui, en retour, l'avait curieusement surnommé l'*« *Enfant bleu* », *d'après le personnage d'un roman de Florence Barclay qu'ils avaient tous deux apprécié.*

Passé le Pont chinois, Ilya guida cette procession modeste mais ordonnée vers les jardins du Gribok. Ils se dirigeaient vers le Théâtre chinois, dont les fenêtres étaient surmontées de pignons décoratifs évoquant les moustaches des empereurs mongols.

« *Elle organise souvent de telles visites ? interrogea le tsar.*

— *Une par classe, Excellence. Pour les élèves, c'est le moment le plus fort de l'année.*

— *Vous a-t-elle encore surpris endormi sur une chaise, les pieds sur l'une de mes tables de collection ?*

— *Cela, c'était la dernière fois...*

– *Lui avez-vous demandé sa main ? »*
Désarçonné par la question, Pekkala s'éclaircit la voix.
« *Non, Excellence.*
– *Pourquoi ? »*
Il sentit le sang lui monter à la tête.
« *L'entraînement occupe tout mon temps, Excellence.*
– *C'est sans doute une raison, répliqua le tsar. Mais ce n'est pas une excuse. En outre, votre formation s'achèvera bientôt. Pensez-vous l'épouser ?*
– *Eh bien, oui. Un jour.*
– *Alors, vous feriez mieux de passer à l'acte avant qu'un autre ne vous coupe l'herbe sous le pied. »*
Le tsar donnait l'impression de se tordre les doigts, comme tourmenté par quelque souvenir soudain remonté à la surface.
« *Tenez. »*
Il glissa quelque chose dans la main de Pekkala.
« *Qu'est-ce donc ? s'étonna ce dernier.*
– *Une bague. »*
Alors Pekkala se rendit compte que le tsar avait en fait lutté pour retirer la chevalière de son doigt.
« *Je le vois bien, reprit Pekkala. Mais pourquoi me la donnez-vous ?*
– *C'est un cadeau, Pekkala, mais aussi une mise en garde. Il ne faut pas hésiter plus longtemps. Quand vous vous marierez, vous aurez besoin d'une alliance. Je crois que celle-ci fera l'affaire. Ilya aura besoin d'une alliance, elle aussi, mais je vous laisse vous en charger.*
– *Je vous remercie.*
– *Gardez-la en lieu sûr. Regardez ! Là-bas... »*
Il désignait les jardins.
Ilya les avait aperçus. Elle leur fit un signe du bras.
Les deux hommes lui rendirent son salut, sourire aux lèvres.
« *Si vous la laissez s'échapper, marmonna le tsar, mâchoires serrées, vous ne vous le pardonnerez jamais. Et moi non plus, d'ailleurs. »*

Anton jeta un coup d'œil au visage blanc de sa montre surdimensionnée et se pencha par la fenêtre pour hurler : « Dix minutes ! »

Pekkala se releva. L'ombre de son pied-de-biche avait dérivé de gauche à droite. Il prit le second caillou dans sa poche et le posa à l'endroit qu'avait atteint l'extrémité de l'ombre. Puis, enfonçant son talon dans la poussière, il traça une ligne entre les deux cailloux. Se positionnant au sommet de la nouvelle ombre, Pekkala tendit le bras le long de la ligne qu'il avait creusée dans le sable. « L'est se trouve par là. »

Aucun des deux autres ne questionna sa conclusion, obtenue du néant grâce à des aptitudes qui dépassaient leur entendement. Cette affirmation avait quelque chose d'étrange et d'absolu à la fois.

Après avoir roulé toute la journée, ne s'arrêtant que pour vider dans le réservoir l'un des nombreux jerricans qu'ils transportaient dans le coffre, ils firent halte ce soir-là sous une grange à l'abandon.

Ils garèrent l'Emka à l'intérieur afin de la dissimuler aux regards indiscrets, au cas où cet endroit n'aurait pas été si abandonné que cela. Puis ils allumèrent un feu sur le sol poussiéreux, alimentant le brasier avec des planches de bois arrachées dans l'écurie.

Anton ouvrit une conserve de viande de l'armée, dont l'étiquette portait la mention : *Tushonka*. Tirant une cuiller de sa botte, il en goûta une bouchée puis planta la cuiller dans la conserve et tendit celle-ci à Kirov, qui dégagea un gros morceau et l'enfourna dans sa bouche. Aussitôt, il détourna la tête et le recracha.

« C'est atroce ! s'exclama-t-il.

– Il faudra vous habituer, rétorqua Anton. J'en ai trois caisses pleines. »

Kirov secoua violemment la tête, tel un chien mouillé s'ébrouant.

« Si vous aviez eu la bonne idée d'emporter des ingrédients dignes de ce nom, je vous aurais volontiers cuisiné quelque chose... »

Anton tira de sa poche une flasque de verre enveloppée de cuir, avec un petit gobelet parfaitement ajusté au fond du récipient. Il défit le bouchon d'acier et but une gorgée.

« La raison pour laquelle ils ont fermé votre école de cuisiniers...

– C'était une école de chefs ! »

Anton roula de gros yeux.

« La raison pour laquelle ils l'ont fermée, Kirov, c'est qu'il n'y a plus assez d'ingrédients dignes de ce nom dans ce pays pour cuisiner quoi que ce soit. Croyez-moi, vous avez de la chance de travailler pour le gouvernement, maintenant. Au moins, vous ne mourrez pas de faim...

– Je crains fort que si, répliqua Kirov, si on m'oblige à manger ça. »

Il tendit la conserve à Pekkala.

« Le tsar, quels étaient ses plats préférés ? »

Perchés là-haut sur la charpente, des pigeons contemplaient les hommes, et les flammes du feu de camp se reflétaient dans leurs grands yeux curieux.

« Des plats simples, pour l'essentiel, répondit Pekkala. Du rôti de porc, du chou bouilli, des blinis. Des *shashliks*. »

Pekkala repensa à ces brochettes de viande, de poivrons rouges, d'oignons et de champignons servies avec un accompagnement de riz et arrosées d'un vin très fort venu de Géorgie.

« Vous auriez, j'en ai peur, trouvé ses goûts assez banals en matière culinaire...

– Au contraire, répliqua Kirov. Ces plats sont les plus difficiles à réussir. Lorsque des chefs se retrouvent pour manger, ils choisissent toujours les recettes traditionnelles. La marque du grand chef, c'est sa capacité de préparer un plat familial ayant exactement le goût qu'il est censé avoir...

– Et les simples cuisiniers, alors ? » le provoqua Anton.

Avant que Kirov ait eu le temps de répondre, Anton jeta la flasque sur ses cuisses.

« Il y a quoi, là-dedans ? » demanda Kirov, examinant la flasque comme s'il s'était agi d'une grenade menaçant de lui exploser au visage.

« De la *samahonka* ! s'écria Anton.

– Faite maison, ajouta Kirov en lui rendant la flasque. Vous avez de la chance de ne pas être encore aveugle...

– Je l'ai distillée dans ma baignoire », précisa Anton.

Il reprit une gorgée et rangea la flasque dans sa poche.

« Vous n'en proposez pas à votre frère ? »

Anton s'allongea, tête posée sur le dossier secret.

« Un inspecteur n'a pas le droit de boire pendant le service. N'est-ce pas, cher frère ? »

Il tira sur lui son immense pardessus et se recroquevilla.

« Vous feriez bien de vous reposer, ajouta-t-il. La route est encore longue.

– Je pensais que nous nous arrêtions juste pour le repas, s'étonna Kirov. Vous voulez dire que nous allons passer toute la nuit ici ? À même le sol ?

– Et pourquoi pas ? grommela Anton, plongé dans un demi-sommeil.

– J'ai l'habitude de dormir dans un lit, s'indigna Kirov. D'avoir une chambre à moi. »

Il tira une pipe de sa poche. Il la bourra de tabac, d'un geste impatient, saccadé.

«Vous êtes trop jeune pour fumer la pipe», se moqua Anton.

Kirov tendit l'objet devant lui, admiratif.

«Elle a un fourneau en bruyère d'Angleterre.

– Les pipes, c'est pour les vieux», bâilla Anton.

Kirov lui jeta un regard courroucé.

«Le camarade Staline fume la pipe!»

Mais Anton n'entendit pas ce commentaire. Il dormait déjà, le souffle aussi régulier qu'un pendule oscillant lentement dans l'air de la grange.

Pekkala ferma les yeux, distinguant le cliquetis des dents de Kirov sur la tige de la pipe et l'odeur du tabac Balkan, qui lui rappelait celle des chaussures de cuir neuves, fraîchement sorties de leur carton. Puis la voix de Kirov le réveilla en sursaut.

«Je me posais une question...

– Laquelle? grogna Pekkala.

– S'il s'agit bien des Romanov, au fond de ce puits de mine, ces corps gisent là depuis des années...

– Et alors?

– Il n'en restera plus rien. Comment peut-on enquêter sur un meurtre s'il ne reste plus aucune trace des faits?

– Il reste toujours des traces», répliqua Pekkala, et, en prononçant ces mots, ressurgi des ténèbres de sa mémoire, lui apparut le visage du Dr Bandelaïev.

« *Il est le meilleur de tous, avait expliqué Vassiliev à Pekkala, dans un métier qu'aucun homme sain d'esprit ne voudrait exercer.* »

Le Dr Bandelaïev était totalement chauve. Son crâne ressemblait à une ampoule électrique d'un rose luisant. Comme pour compenser cette calvitie, il portait une épaisse moustache de morse.

Par un après-midi chaud et lourd de la fin juillet, Vassiliev avait conduit Pekkala au laboratoire de Bandelaïev. L'odeur des lieux avait quelque chose de familier – des effluves étouffants et sucrés qui frappèrent immédiatement ses sens. Ils lui rappelaient la cave de son père, où l'on préparait les défunts.

Vassiliev déplia un mouchoir sur sa bouche et ses narines.

« Bon Dieu, Bandelaïev, comment pouvez-vous supporter une odeur pareille ?

– Respirez-la ! » *ordonna Bandelaïev.*

Sa blouse de laboratoire, qui lui descendait jusqu'au genou, portait son nom brodé en rouge, ainsi que le mot : Ostéologie.

« Respirez l'odeur de la mort. »

Vassiliev se tourna vers Pekkala.

« Il est à vous », déclara-t-il d'une voix étouffée par le mouchoir. Puis il se sauva à grandes enjambées.

Pekkala parcourut du regard le laboratoire. L'une des parois vitrées donnait sur la cour principale de l'université de Petrograd, mais la vue était bouchée par des étagères entières de bocaux contenant des restes humains, conservés dans un liquide dont la couleur brunâtre évoquait celle du thé. Pekkala reconnut des mains et des pieds aux extrémités déchiquetées, avec des morceaux d'os émergeant de la chair flétrie. D'autres bocaux contenaient des rouleaux d'intestins entrelacés comme des tornades miniatures. De l'autre côté de ce couloir étroit, des os étaient entreposés sur des étagères métalliques, tels des puzzles abandonnés.

« De fait, ce sont des puzzles ! s'enflamma Bandelaïev quand Pekkala lui en fit le commentaire. Tout ce que vous voyez ici, tout ce que je fais, c'est un exercice de puzzle. »

Au cours des jours suivants, Bandelaïev lui dispensa un enseignement dont Pekkala eut du mal à suivre le rythme effréné.

« La puanteur d'un humain en décomposition est la même que celle d'un chevreuil mort sur le bas-côté d'une route, professait Bandelaïev, et c'est la raison pour laquelle je ne crois pas en Dieu. »

Le docteur parlait vite, ses mots s'agglutinant les uns aux autres, le souffle suspendu, jusqu'au moment où il était contraint de s'interrompre pour remplir ses poumons d'une grande bouffée d'air frais.

Mais de l'air frais, le laboratoire de Bandelaïev n'en contenait pas vraiment. Les fenêtres demeuraient fermées, scellées par un large ruban adhésif.

« Les insectes ! s'écria Bandelaïev en guise d'explication. Il ne s'agit pas simplement d'un entrepôt de viande pourrie, comme le prétendent certains de mes collègues. Ici, tous les aspects de la décomposition sont étroitement maîtrisés. Une seule mouche risquerait de ruiner des semaines entières de travail. »

Bandelaïev n'aimait pas s'asseoir. Ce geste lui semblait un acte de paresse. Si bien que, pour donner la leçon à Pekkala, il se tenait debout derrière une table haute, jonchée d'os qu'il soulevait de leur plateau pour les lui montrer, afin qu'il les identifie. Ou alors, il plongeait la main dans un bocal, en retirait un amas de chair pâle et exigeait de Pekkala qu'il en donne le nom, tandis que le liquide conservateur, brunâtre, ruisselait le long de ses doigts, éclaboussant sa manche.

Un jour, Bandelaïev avait ainsi exhibé un crâne percé en plein front d'un petit trou rond, nettement dessiné, conséquence d'une balle tirée à bout portant sur la victime.

« Savez-vous que, pendant les mois d'été, les mouches à viande prennent possession d'un cadavre en quelques minutes seulement ? Elles se concentrent sur la bouche, les narines, les oreilles et sur la blessure. »

Bandelaïev avait enfoncé son petit doigt dans le trou au milieu du front.

« En l'espace de quelques heures, près d'un demi-million d'œufs sont ainsi pondus dans le corps. Et en une demi-journée, les asticots qui naissent de ces œufs sont capables de réduire de moitié la taille d'un homme adulte. Au bout d'une semaine... »

Il pencha la tête de côté, mouvement destiné à souligner ses propos, mais qui ressemblait davantage à un tic nerveux.

« ... il ne restera que les os. »

Pekkala, qui avait eu l'occasion de contempler bien des cadavres sur la table de marbre de son père, n'était pas aisément impressionnable. Il ne frémissait même pas lorsque Bandelaïev lui mettait un poumon dans les mains ou lui tendait une boîte remplie de phalanges humaines. Le plus dur, pour lui, habitué qu'il était à la révérence silencieuse que son père manifestait à l'égard des défunts confiés à ses soins, était le manque absolu de considération de Bandelaïev envers ces personnes dont il démontait puis remontait le cadavre, qu'il laissait pourrir ou choisissait de préserver dans le formol.

Père n'aurait guère aimé Bandelaïev, trancha Pekkala. L'enthousiasme asphyxié du docteur lui aurait certainement semblé d'une indignité inacceptable.

Lorsque Pekkala expliqua que son père avait été entrepreneur de pompes funèbres, Bandelaïev ne parut pas davantage impressionné.

« *Charmant, répliqua-t-il d'un ton désinvolte. Et totalement futile.*

– Mais pourquoi ?

– Le travail d'un croque-mort consiste à créer une illusion. C'est un spectacle de magie. Faire en sorte que le mort ait l'air d'avoir atteint la paix, qu'il donne l'impression de dormir. »

Il fixa Pekkala du regard, comme pour demander : « À quoi bon ? »

« *L'ostéologie, reprit-il, est l'exploration de la mort.* »

Bandelaïev enroula ses lèvres autour de ces mots, comme pour signifier que personne ne pourrait résister à l'envie de démonter un cadavre à l'aide de ses mains nues et d'un scalpel.

« *Vivant, poursuivit Bandelaïev, vous n'avez pas grand intérêt pour moi, Pekkala. Mais revenez-moi mort, et je promets de vous connaître alors sous toutes les coutures.* »

Pekkala s'exerça à différencier les crânes de femmes – bouche étroite, menton en pointe, front profilé, angles aigus à l'endroit où les orbites rejoignent le front – de ceux des hommes, immédiatement reconnaissables à leur bosse osseuse à la base du crâne.

« *Identité ! s'exclamait Bandelaïev. Sexe, âge, taille.* »

Il obligeait Pekkala à psalmodier ses réponses, comme une formule magique.

« *La protubérance occipitale externe !* » *annonçait Bandelaïev, comme s'il avait présenté un dignitaire aux membres de la famille royale.*

Pekkala apprit à distinguer les dents d'un Africain, inclinées vers l'avant, de celles d'un Caucasien, qui poussaient perpendiculairement à la mâchoire.

Il étudia les lignes en zigzag des sutures crâniennes, zébrant comme un éclair le dôme du crâne, tandis que Bandelaïev, penché par-dessus son épaule, murmurait : « Que racontent-elles ? Qu'est-ce qu'elles vous apprennent ? »

À la fin de chaque cours, Bandelaïev lui donnait à lire des ouvrages écrits par des auteurs tels que le Romain Vitruve, qui lui enseigna que la longueur des bras déployés d'un homme correspondait à sa taille, et la longueur de sa main à un dixième de celle-ci.

Un autre jour, Bandelaïev le renvoya chez lui avec la traduction d'un livre du médecin chinois Song Ci rédigé au XIII*ᵉ siècle,* Recueil pour laver les injustices, *dans lequel la dévoration d'un corps par des asticots était décrite dans une langue dont Pekkala avait toujours pensé qu'elle était réservée à l'extase religieuse.*

Bientôt, l'odeur de la mort ne le dérangea plus, bien qu'elle imprégnât encore ses vêtements longtemps après qu'il eut quitté le laboratoire de Bandelaïev.

Au cours des semaines qu'ils passèrent ensemble, Bandelaïev ne cessa de répéter la question : « Qu'est-ce que ça veut dire ? »

L'une de ses leçons portait sur les effets du feu sur un cadavre.

« Les mains se referment, détaillait-il, les bras se plient, les genoux également. La position d'un corps enflammé ressemble à celle du boxeur sur le ring. Maintenant, supposons que vous trouviez un corps qui a été brûlé, mais dont les bras sont tendus. Qu'est-ce que ça veut dire ?

– Ça veut sans doute dire, répondit Pekkala, qu'il avait les mains attachées dans le dos. »

Bandelaïev sourit.

« Vous parlez désormais la langue des morts. »

Pekkala fut surpris de constater que Bandelaïev disait vrai. Soudain, des voix semblaient s'élever de chaque bocal, de chaque plateau, qui lui racontaient l'histoire de leur mort.

Le feu s'était éteint sur le sol de la grange. Des braises rouge coquelicot luisaient encore parmi les cendres.

Dehors, des éclairs illuminaient le ciel.

« Qui est Grodek ? » demanda Kirov.

Pekkala inspira brusquement.

« Grodek ? Que savez-vous de lui ?

— J'ai entendu votre frère raconter que vous aviez envoyé derrière les barreaux un homme du nom de Grodek. »

Se détournant de Kirov, les yeux de Pekkala clignèrent, argentés, dans le noir.

« Grodek était l'homme le plus dangereux qu'il m'ait été donné de rencontrer.

— Qu'est-ce qui le rendait si dangereux ?

— La question n'est pas "quoi ?" mais "qui ?". Et la réponse à cette question, c'est "la police secrète du tsar".

— L'Okhrana ? Mais alors, cela voudrait dire qu'il travaillait pour vous, pas contre vous...

— C'était le plan, répliqua Pekkala, mais les choses ne se sont pas déroulées comme prévu. C'est le général Zoubatov, chef de l'Okhrana à Moscou, qui avait eu cette idée. Zoubatov voulait créer une organisation terroriste dont le seul et unique but aurait été d'assassiner le tsar...

— Mais Zoubatov était fidèle au tsar ! s'exclama Kirov. Pourquoi diable aurait-il cherché à l'assassiner ? »

Tandis que l'écho de sa voix se répercutait dans la grange, Anton ronchonna, murmura des paroles inintelligibles, et se rendormit aussitôt.

« Il devait s'agir d'une organisation factice. Le plan de Zoubatov consistait à attirer le plus grand nombre possible d'assassins potentiels. Puis, le moment venu, il les ferait tous arrêter. Voyez-vous, dans le fonctionnement ordinaire de la police, il faut nécessairement attendre qu'un crime ait été commis pour incarcérer les coupables. Mais dans des organisations telles que l'Okhrana, le travail consiste parfois à anticiper les crimes, avant qu'ils n'aient une chance d'être commis.

– Mais alors, tout en étant persuadés qu'ils appartenaient à une cellule terroriste, ces gens travaillaient en fait pour Zoubatov ?

– C'est exact. »

Le jeune commissaire sondait les abîmes d'une telle manipulation, le regard vide.

« Grodek faisait-il partie de cette cellule ?

– Il était plus que cela, répondit Pekkala. Grodek dirigeait la cellule. Il était plus jeune que vous. Son père était un cousin éloigné du tsar dont les affaires avaient toutes capoté les unes après les autres. Mais au lieu d'assumer sa propre responsabilité dans ces échecs, l'homme avait choisi d'en accuser le tsar. Il estimait que sa famille s'était vu refuser les privilèges qu'elle méritait. Lorsque le père de Grodek s'est suicidé, après avoir accumulé tant de dettes qu'il se savait incapable de jamais les honorer, Grodek en a tenu le tsar pour responsable.

– Ce qui est compréhensible, remarqua Kirov, s'il ne connaissait de la réalité que la version de son père...

– Exactement. Devenu adulte, Grodek n'a fait aucun mystère de sa haine pour les Romanov. Il était le candidat tout désigné pour diriger une tentative d'assassinat.

– Mais comment persuader un homme tel que lui de travailler pour l'Okhrana ? Cela me paraît impossible...

– C'est la raison pour laquelle Zoubatov l'a choisi, lui.
Tout d'abord, il a fait arrêter Grodek dans un lieu public.
La nouvelle de cette arrestation s'est répandue comme une
traînée de poudre. Un jeune homme coincé en pleine rue et
jeté sans ménagement dans une voiture. Quiconque ayant
assisté à une telle scène – et Zoubatov s'était arrangé pour que
les témoins soient nombreux – éprouverait de la sympathie à
l'égard de Grodek. Mais c'est seulement une fois que Grodek
a été incarcéré que le vrai travail de Zoubatov a commencé...

– Qu'a-t-il fait à ce garçon ? demanda Kirov.

– Il lui a bandé les yeux, l'a fait monter dans une voiture et
l'a conduit vers une destination secrète. Quand Zoubatov a ôté
le bandeau des yeux de Grodek, le tsar en personne se tenait
devant eux.

– Quel était l'intérêt de faire ça ?

– Zoubatov avait fait en sorte que Grodek se retrouve face à
face avec un homme qui n'était plus guère, à ses yeux, qu'un
symbole. Car le simple fait de découvrir là, devant lui, un homme
de chair et d'os, au lieu de l'image désincarnée que lui en avait
donné son père, a enclenché le processus. Le tsar lui a donné
sa propre version des événements. Ensemble, ils ont passé en
revue les livres de comptes du père, écrits de la propre main
de ce dernier, et qui mettaient en évidence la manière dont la
fortune de sa famille avait été dilapidée. Évidemment, Grodek
n'avait jamais eu l'occasion de les consulter. Et le simple fait
de se rappeler qu'ils appartenaient à la même famille marqua
durablement les deux hommes.

– Grodek était-il vraiment convaincu ?

– Oui, répondit Pekkala. Et c'est alors que Zoubatov lui
a dévoilé son plan. Il jouerait le rôle de ce qu'on appelle un
agent provocateur et deviendrait le chef de cette prétendue
cellule terroriste. Un rôle extrêmement périlleux. Si n'importe
lequel de ces assassins venait à apprendre que Grodek travaillait en fait pour l'Okhrana, il périrait dans la seconde. Mais
les jeunes hommes ont une certaine fascination pour le danger,

et quand Grodek a accepté de diriger cette organisation terroriste, Zoubatov s'est félicité d'avoir fait le bon choix... En
réalité, il n'a pas tardé à comprendre qu'il avait commis la pire
erreur de sa vie...

– Comment ça ? demanda Kirov.

– Pendant toute une année, reprit Pekkala, Grodek a suivi
une formation auprès de la Section spéciale de l'Okhrana.
Pour être convaincant dans son futur rôle, il devait savoir se
comporter comme un vrai terroriste. Ils lui ont appris à fabriquer
des bombes, à manier les armes à feu, à se battre au couteau,
comme ils me l'avaient appris. Bientôt, la cellule terroriste a
été activée, et des gens se sont présentés pour s'enrôler. Grodek
était fait pour ça. Il possédait une énergie particulière, qui attirait
les gens. Au cours des mois suivants, les effectifs de sa cellule
n'ont cessé de croître, et Grodek a surpassé tous les objectifs que
Zoubatov lui avait fixés. Il ne manquait pas le moindre rendez-
vous avec ses contacts, et les informations qu'il délivrait étaient
si précises que Zoubatov présentait désormais Grodek comme
la personne qui le remplacerait un jour à la tête de l'Okhrana.
Pourtant, Zoubatov avait fait une grossière erreur de calcul.
Ayant démontré à Grodek que son père était seul responsable de
la ruine de sa famille, Zoubatov estimait que la haine de Grodek
pour le tsar était désormais éteinte. Or, ce qu'il n'avait pas
prévu, c'est qu'après avoir été confronté aux preuves, Grodek en
voulait à présent autant au tsar qu'à son père...

« De son côté, Grodek avait lui aussi commis une erreur :
il était tombé amoureux d'une de ses recrues. Elle s'appelait
Maria Balka. Elle était de quinze ans son aînée et, par bien
des aspects, elle était beaucoup plus dangereuse que lui. Elle
avait déjà perpétré de nombreux assassinats pour le compte de
divers groupes anarchistes. Grodek avait caché leur relation à
Zoubatov, et quand ce dernier lui a annoncé que Maria Balka
serait certainement condamnée à mort lorsqu'on l'arrêterait
avec les autres membres de l'organisation, la suite des événements devenait presque inéluctable...

– Que s'est-il passé ? demanda Kirov.

– Zoubatov décréta que le piège ne pourrait être actionné que lorsqu'une tentative de meurtre aurait eu lieu sur la personne du tsar, fournissant ainsi une justification aux arrestations qui suivraient. Bien sûr, il fut décidé que Grodek se chargerait lui-même de l'opération. On ferait en sorte de donner l'impression que le tsar avait bel et bien été tué. D'autres membres de la cellule terroriste seraient postés à proximité, afin de pouvoir assister au prétendu assassinat. Les meurtriers se donneraient alors rendez-vous à leur planque, où ils seraient arrêtés par les agents de l'Okhrana.

« L'attaque devait avoir lieu le soir, pendant que le tsar se promenait dans les jardins du palais d'Été. Zoubatov avait veillé à ce que le tsar emprunte toujours le même parcours lors de ces promenades, afin que les terroristes croient en la réussite d'une telle opération. Le tsar serait abattu entre les grilles qui entouraient le palais et l'étang de Lamski – un endroit assez étroit, qui n'offrait au tsar aucun abri possible. En tirant à travers les grilles, Grodek ne se trouverait qu'à quelques pas du tsar.

– Mais le fait que le tsar sorte ainsi seul ne risquait-il pas d'éveiller les soupçons ?

– Absolument pas, répliqua Pekkala. Chaque jour, il consacrait un moment à l'exercice physique. Parfois, il montait à cheval, d'autres fois il nageait mais, le plus souvent, il marchait dans les jardins du palais, quel que soit le temps qu'il faisait. Et il insistait pour qu'on le laisse seul.

– Mais les autres assassins ? Ne seraient-ils pas armés, eux aussi ?

– Ils avaient reçu l'instruction de ne faire feu que si Grodek manquait sa cible. Tous verraient le tsar s'écrouler, criblé de balles – bien sûr, des munitions à blanc seraient utilisées.

« À ce stade des opérations, personne n'avait le moindre doute sur la fidélité de Grodek envers l'Okhrana. Après tout, n'avait-il pas fourni les noms de tous les membres de l'organisation qu'il avait aidé à créer ? Il avait trahi tous ces hommes, comme il s'était engagé à le faire dès le début...

« Mais ce que tout le monde ignorait, au sein de l'Okhrana, c'est que Grodek avait remplacé les balles à blanc par de vraies munitions.

« Le soir de l'assassinat, tout s'est déroulé exactement comme prévu. On a laissé les terroristes s'approcher du palais. Ils se sont cachés aux endroits désignés. Le tsar est sorti faire sa promenade. Pendant ce temps, des dizaines d'agents de l'Okhrana se préparaient à prendre d'assaut la planque des terroristes. Le tsar s'est engagé sur l'allée étroite qui séparait les portes du palais de l'étang de Lamski. Le soleil s'était couché. Une brise fraîche soufflait sur le plan d'eau. Grodek a surgi de l'ombre. Le tsar s'est arrêté. Il avait entendu le bruissement des branches. Grodek s'est approché des grilles, a tendu le bras entre les barreaux, revolver à la main. Le tsar n'a pas esquissé le moindre geste. Il restait planté là, comme incapable de comprendre ce qui lui arrivait.

– Il a manqué son coup ? balbutia Kirov. Grodek a manqué une cible à trois mètres ? »

Pekkala secoua la tête.

« Grodek n'a pas manqué son coup. Il a vidé son chargeur, et les six balles ont fait mouche. »

Kirov bondit sur ses pieds.

« Vous voulez me faire croire qu'il a touché le tsar six fois et ne l'a pas tué ?

– L'homme que Grodek a tué n'était pas le tsar.

– Mais alors, qui... »

Kirov plissa les yeux, frappé par l'évidence.

« Vous voulez dire qu'il s'agissait d'un double ? Grodek a descendu un double ?

– Zoubatov a commis bien des erreurs, mais il n'aurait jamais pris le risque de mettre en danger la vie du tsar. C'était le seul aspect du plan que Zoubatov n'avait pas jugé bon de communiquer à Grodek. Quand celui-ci a appuyé sur la détente, il ignorait qu'il allait tuer un double.

– N'empêche, un homme est mort, s'indigna Kirov.

– Il en faut toujours un. »

Pekkala et le tsar se tenaient debout dans la pénombre du balcon qui surplombait les jardins du palais. Ils distinguaient le Pont chinois et la colline du Parnasse. Dans les jardins du Gribok, à leurs pieds, la brise nocturne faisait frissonner les feuillages.

À ce moment précis, ils savaient que le double du tsar longeait les grilles du palais, entre le Grand Lac et la route de Parkovaya.

Aucun des deux hommes n'avait prononcé le moindre mot depuis de longues minutes.

Une tension régnait dans l'air – ils attendaient les coups de feu. Puis le tsar prit la parole :

« Pouvez-vous imaginer ce que c'est de ne pouvoir m'aventurer au-delà des grilles de ce palais sans craindre d'être assassiné ? Je suis le dirigeant d'un pays dont je ne peux même plus parcourir seul les rues. »

Il balaya de la main les jardins du palais, d'un geste qui rappela à Pekkala celui d'un prêtre balançant son encensoir.

« Cela en vaut-il vraiment la peine ? À quoi bon ?

– Ce sera bientôt terminé, Excellence, répondit Pekkala. Dès demain, les terroristes auront tous été arrêtés.

– Il ne s'agit pas simplement d'un groupe de terroristes, répliqua le tsar. C'est la guerre qui nous a menés là. Je repense au jour où elle a été déclarée. J'étais sur la véranda du palais d'Hiver, dominant cette foule immense venue témoigner son soutien. J'avais l'impression, alors, que nous étions *indestructibles. L'idée de capituler ne m'avait traversé l'esprit à aucun moment. Jamais je n'aurais pu imaginer les défaites que nous subirions. Tannenburg. Les lacs Masurian. Les noms de ces lieux résonnent encore sous mon crâne. J'aurais dû écouter Raspoutine.*

– Qu'a-t-il à voir avec tout cela ? »

Pekkala avait rencontré le mystique sibérien, dont les prétendus pouvoirs magiques étaient censés guérir l'hémophilie dont souffrait l'unique fils du tsar, Alexeï. Aux yeux de Pekkala, Raspoutine était un homme conscient de ses propres limites. C'était le tsar, et plus encore la tsarine, qui avaient exigé de Raspoutine une sagesse qu'il ne possédait pas. Il avait été appelé pour juger des affaires d'État dont il n'avait qu'une connaissance limitée. La plupart du temps, il n'avait pu faire mieux qu'offrir de vagues paroles réconfortantes. Mais les Romanov s'étaient raccrochés à ces paroles, qu'ils avaient dépouillées de leur caractère vague pour les changer en prophéties. Il n'y avait donc rien d'étonnant à ce que Raspoutine ait fini par s'attirer la haine de ceux qui cherchaient les faveurs du tsar.

Pekkala était présent, dans le froid mordant d'un matin de décembre 1916, quand la police de Petrograd avait repêché le corps de Raspoutine dans la Neva. Raspoutine avait été invité à une fête privée donnée par le prince Ioussoupov. Là, on lui avait servi des gâteaux qui, grâce à la complicité d'un docteur du nom de Lazovert, avaient été empoisonnés avec une dose de cyanure qui aurait suffi à tuer un éléphant. Comme le poison semblait demeurer sans effet, le complice de Ioussoupov, le ministre Pourichkevitch, avait tiré plusieurs fois sur Raspoutine et l'avait poignardé en pleine gorge. Puis les deux hommes l'avaient enveloppé dans un lourd tapis et jeté dans le fleuve où, malgré tout ce qu'on lui avait fait subir auparavant, il était mort noyé.

« Des souffrances sans fin, déclara le tsar. Voilà, selon Raspoutine, ce que la guerre nous apporterait. N'avait-il pas raison, dites-moi ?

Sibérie, 1929

– Toutes les guerres apportent des souffrances, Excellence. »
Le tsar se tourna vers lui, frémissant.

« C'est Dieu qui s'exprimait par la voix de cet homme, Pekkala ! Et j'aimerais savoir : qui s'exprime par la vôtre ?

– Vous-même, Excellence. »

Pendant quelques instants, le tsar eut l'air stupéfait.

« Pardonnez-moi, Pekkala, reprit-il. Je n'avais pas le droit de vous parler ainsi.

– Il n'y a rien à pardonner », répliqua Pekkala.

Ce fut le seul mensonge qu'il proféra jamais au tsar.

La voix de Kirov ramena brusquement Pekkala au présent.

« Et Grodek, alors ? Qu'est-il advenu de lui ?

– Quand les agents de l'Okhrana ont encerclé la planque, une fusillade a éclaté. Les hommes de l'Okhrana se sont retrouvés sous le feu d'armes qu'ils avaient eux-mêmes fournies à Grodek. À l'issue de la bataille, des trente-six membres de la cellule terroriste, l'Okhrana n'a retrouvé que quatre survivants au milieu des cadavres. Grodek n'en faisait pas partie, pas plus que Maria Balka. Ces deux-là avaient tout bonnement disparu. C'est alors que le tsar a envoyé des hommes me chercher, avec ordre d'arrêter Balka et Grodek avant qu'ils n'aient l'occasion de tuer à nouveau. »

Pekkala laissa échapper un long soupir.

« Et j'ai échoué.

– Mais vous l'avez retrouvé !

– Pas avant qu'il n'ait l'occasion de tuer à nouveau. J'ai fini par retrouver leur trace dans une modeste pension de la rue Maximilien, dans le quartier de Kasan, à Saint-Pétersbourg. Le propriétaire des lieux avait été intrigué par la différence d'âge entre la femme et l'homme. Il en avait conclu qu'ils entretenaient une liaison, le genre de chose sur lequel les gérants de ce type de maisons sont parfois obligés de fermer les yeux. Mais ils n'arrêtaient pas de rapporter des cartons dans leur chambre, et quand le propriétaire leur avait demandé ce qu'ils contenaient, Balka avait répondu qu'il s'agissait seulement de livres. Or les gens qui entretiennent une liaison ne passent pas leur temps enfermés dans leur chambre à lire des livres. L'homme avait donc prévenu la police. Presque aussitôt, nous avons cerné la maison. Je me suis posté dans l'arrière-cour. Des agents de l'Okhrana sont entrés par la porte principale, dans l'idée que Balka et Grodek allaient tenter de s'enfuir par-derrière, où je les appréhenderais.

« Malheureusement, Grodek avait été formé aux tactiques policières, et il a remarqué les agents au moment où ils se préparaient à donner l'assaut. En enfonçant la porte de la chambre, ils ont déclenché une bombe qui a fait exploser toute la façade de l'édifice. Grodek l'avait fabriquée de ses mains, tuant ceux-là mêmes qui lui avaient appris l'art de construire de tels engins. Nous avons perdu quatre agents et seize civils. Pour ma part, l'onde de choc a failli m'assommer. Le temps que je me relève, Balka et Grodek s'enfuyaient déjà.

« Je les ai pris en chasse le long de la rue Moïka, sur les berges de la Neva. Nous étions en plein hiver, on pataugeait jusqu'aux chevilles dans la neige fondue, et d'épaisses congères s'étaient formées de part et d'autre de la chaussée. Je n'arrivais pas à me placer dans une position de tir convenable. Finalement, Balka a glissé. Elle avait dû se briser la cheville. Je les ai rattrapés sur le pont Potseluev. La police arrivait dans l'autre sens. Ils n'avaient aucun abri pour se mettre à couvert. Je les tenais en ligne de mire. Ils n'avaient plus aucun moyen de nous échapper... »

Pekkala s'interrompit. Il ferma les yeux et se pinça l'arête du nez.

« Et ce que j'ai vu alors, je n'ai jamais réussi à l'oublier. Ils se sont arrêtés au sommet du pont. J'entendais les cris de la police, sur l'autre rive. Balka, à l'évidence, était blessée. Grodek la portait et la traînait en alternance depuis plusieurs pâtés de maisons, il était épuisé. Il était clair qu'ils n'iraient pas plus loin. Je les ai interpellés. Je leur ai dit qu'il était temps de se rendre. Grodek m'a regardé longuement. Balka se tenait debout contre lui, le bras passé autour de ses épaules. Alors

Grodek l'a soulevée et posée sur le parapet de pierre du pont. L'eau du fleuve, en dessous, était encombrée de glace. Je lui ai répété que c'était sans issue.

– Qu'est-ce qu'il a fait ? interrogea Kirov.

– Il l'a embrassée, puis il a sorti un revolver et lui a tiré une balle en pleine tête. »

Kirov recula brusquement.

« Il lui a tiré dessus ? Je croyais qu'il l'aimait...

– Je n'avais pas compris jusqu'où il était prêt à aller. Maria Balka est tombée dans le fleuve, elle a dérivé sous la glace.

– Et Grodek ? Il s'est rendu ?

– Seulement après avoir tenté, en vain, de se suicider. Il a retourné son arme contre lui et pressé sur la détente, mais le barillet s'était bloqué.

– Pourquoi n'a-t-il pas sauté ? Il aurait peut-être réussi à s'enfuir...

– Grodek avait le vertige. L'eau ne se trouvait qu'à une distance équivalente à trois ou quatre fois la taille d'un homme, mais il était paralysé par la peur. Quand il a essayé de forcer le passage de mon côté, je l'ai assommé avec la crosse de mon revolver. Le coup lui a entaillé le front. Pendant toute la durée de son procès, il a refusé de porter un pansement. La cicatrice, avec son alignement de sutures sombres, ressemblait à un mille-pattes violacé rampant du front vers les cheveux. Chaque jour, en quittant le tribunal pour regagner sa cellule de détention temporaire, Grodek hurlait aux journalistes rassemblés devant l'édifice que la police l'avait torturé.

– Et Balka ? Qu'est-il advenu de son corps ?

– Nous ne l'avons jamais retrouvé. En hiver, le fleuve coule vite sous la couche de glace ; le courant l'a peut-être emportée jusqu'à la mer Baltique. J'ai fait fouiller le fleuve plus d'une dizaine de fois par une équipe de plongeurs. »

Pekkala secoua la tête.

« Elle a disparu sans laisser de traces.

– Et Grodek ? Après tout ce qu'il avait commis, pourquoi l'a-t-on mis en prison ? Pourquoi n'a-t-il pas été condamné à mort ?

– Il l'a été, dans un premier temps, mais le tsar a annulé la décision des juges. Il estimait que Grodek avait été manipulé, d'abord par son père, puis par Zoubatov. Grodek n'était encore qu'un jeune homme. Dans un autre monde, pensait le tsar, c'est peut-être son propre fils qui se serait retrouvé face au peloton d'exécution. Mais il était clair pour le tsar que jamais Grodek ne devrait être remis en liberté. Alors on l'a enfermé pour le restant de ses jours, sans aucune possibilité de libération anticipée, dans le bastion Troubetskoï de la forteresse Pierre-et-Paul.

– Je croyais pourtant que tous les prisonniers avaient été relâchés au moment de la révolution ?

– Les prisonniers politiques, oui, mais même les bolcheviks n'étaient pas assez stupides pour libérer un homme tel que Grodek.

– Qu'est-ce qui rendait Grodek si différent des autres meurtriers qu'ils ont libérés ? »

Pekkala réfléchit longuement avant de répondre :

« N'importe qui, ou presque, peut être amené à tuer quand les circonstances l'y contraignent. Mais il y a une grande différence entre ceux qui réagissent aux circonstances et ceux qui créent les circonstances dans lesquelles il n'y a d'autre issue que le meurtre... Ce sont ces derniers qu'il faut craindre, Kirov, parce qu'ils ont plaisir à tuer. Et dans toute ma carrière d'enquêteur, jamais je n'ai rencontré de tueur qui prenne autant plaisir à tuer que Grodek. »

Le feu siffla et craqua.

« Vous avez peur ? l'interrogea Kirov.

– Peur de quoi ? murmura Pekkala, ses yeux se fermant malgré lui.

– De ce que nous pourrions trouver au fond de cette mine...

– Pour vous dire la vérité, Kirov, j'ai commencé à avoir peur dès le moment où j'ai quitté la forêt.

– Où irez-vous quand vous serez libre ? demanda Kirov.

– Paris, répondit-il.

– Pourquoi ?

– Si vous me posez la question, c'est que vous n'êtes jamais allé à Paris. Par ailleurs, j'ai des choses à régler là-bas. »

Pekkala avait perdu l'habitude de penser au futur. Chaque fois qu'il avait regardé le soleil descendre sur la vallée de Krasnagolyana, il avait eu conscience du fait qu'il avait déjà dépassé son espérance de vie. Il avait mesuré sa survie par intervalles de quelques jours, n'osant espérer davantage. La simple idée d'étendre ces intervalles à plusieurs semaines, plusieurs mois, voire plusieurs années, le plongeait dans un grand désarroi.

Il fallut un bon moment à Pekkala pour comprendre que ce qu'il ressentait était un véritable espoir, émotion dont il pensait s'être débarrassé à tout jamais.

Enfin, le souffle de Kirov se fit lourd et profond.

Des éclairs scintillaient au loin.

Au lever du soleil, ils étaient de nouveau sur le départ.

Leur parcours croisa une piste connue sous le nom d'auto-route de Moscou qui, malgré son appellation grandiloquente, n'était en fait qu'un chemin de terre à deux voies qui se déployait à travers les ondulations de la steppe.

Tandis qu'une poussière jaune curcuma s'engouffrait par les fenêtres ouvertes, Anton consultait la carte, plissant les yeux pour déchiffrer les courbes des collines en forme d'empreintes digitales, les veines et les artères des routes et la masse osseuse, dense, des forêts.

À midi, ils atteignaient déjà l'intersection qu'Anton avait guettée. Dénuée de panneaux indicateurs, elle ne ressemblait guère qu'à un crucifix de terre posé à l'horizontale. « Par là, Kirov, ordonna-t-il. Par là. » Puis une troisième fois : « Par là. »

L'itinéraire les emmena bientôt le long d'un cours d'eau peu profond, dans un sous-bois de bouleaux blancs, puis ils débouchèrent sur un champ, cerné par une forêt sombre, lugubre. Kirov ralentit pour s'engager sur l'ancienne piste des diligences qui traversait le champ, le pare-chocs de l'Emka chuintant contre les herbes hautes.

Une vieille cabane se dressait au milieu de ce champ, un conduit de cheminée en fer-blanc titubant comme un ivrogne au-dessus du toit. Sur le côté de la cabane se trouvait un long baraquement, dont les étroites fenêtres aux volets clos évoquaient des yeux fermés, paupières crispées.

Anton tourna sa carte dans un sens puis dans l'autre, peinant à trouver ses repères. « C'est là, près de la maison, je crois. »

Les suspensions de la voiture grincèrent tandis que le véhicule négociait à grand-peine le terrain bosselé. Quand ils eurent atteint l'extrémité du champ, les trois hommes descendirent et partirent à la recherche du puits de mine.

Ils ne tardèrent pas à le localiser. C'était un simple trou dans le sol, large d'environ cinq pas, surmonté d'une poulie métallique rongée par la rouille. Des touffes d'herbe d'un vert étincelant se penchaient au-dessus du vide. La partie supérieure du trou était soigneusement étayée par des briques, comme les parois d'un puits. Plus bas, on n'apercevait plus que de la pierre et de la terre où des filets d'eau ruisselaient, s'enfonçant dans l'obscurité. Deux échelles rouillées étaient fixées aux parois, de part et d'autre du puits. La plupart des barreaux avaient disparu et les fixations des échelles étaient descellées. Pas question de les emprunter pour atteindre le fond de la mine.

« Vous comptez vraiment descendre là-dedans ? s'inquiéta Kirov. On n'y voit rien...

– J'ai une lampe torche », répliqua Anton.

Il retourna à la voiture et sortit l'objet de la boîte à gants. La structure métallique de la torche était garnie de cuir, et le cristal de sa lentille ressemblait à un œil exorbité. Anton passa le cordon de la lampe autour de son cou.

Cherchant un moyen de faire descendre Pekkala, Anton examina la poulie. Les fils entremêlés du câble étaient soudés par la rouille, avec des perles d'eau aux endroits où l'huile s'accrochait encore au métal. Du flanc du tambour jaillissait une grande manivelle que l'on manœuvrait à deux, pour monter et descendre le câble le long du puits. Anton agrippa la manivelle, tira dessus, et le levier se brisa net entre ses mains. «Comme ça, c'est réglé», marmonna-t-il.

Mais Kirov sortait déjà du coffre une corde de chanvre, qui avait été placée là au cas où la voiture tomberait en panne et qu'il faudrait la remorquer. Il en noua une extrémité autour du pare-chocs de l'Emka puis s'approcha du bord du trou et jeta le reste du rouleau au fond du puits.

Les trois hommes tendirent l'oreille pendant que la corde se déroulait dans le noir. Ils distinguèrent un claquement humide quand elle toucha le fond.

Pekkala se pencha au-dessus du vide, la corde à la main. Il semblait hésiter.

«Tu es sûr de vouloir le faire? demanda Anton.

– Passe-moi la torche», répliqua Pekkala.

Après qu'Anton lui eut tendu la lampe, Pekkala fit peser son poids sur la corde pour en tester la résistance. Le chanvre grinça autour du pare-chocs mais ne céda pas. Pendant que Kirov soulevait la corde, afin qu'elle ne frotte pas contre l'arête du trou, Pekkala enjamba le rebord et bascula en arrière au-dessus du vide. Les mains fermement serrées autour de la corde, phalanges blanchies, il entama sa descente. L'instant d'après, il avait disparu.

Les deux hommes à la surface voyaient le faisceau de la torche se balancer de droite à gauche contre la poitrine de Pekkala, illuminant ses pieds, puis la corde, puis les parois glissantes du puits. La lumière se fit de plus en plus petite et les halètements de Pekkala s'étouffèrent peu à peu, se réduisant bientôt à un écho creux.

«Il semblait avoir peur, déclara Kirov.

– Il a peur, rétorqua Anton.

– Des cadavres ?

– Les cadavres ne l'effraient pas. Ce qu'il ne supporte pas, c'est de se retrouver piégé dans un espace fermé. Et il ne me le pardonnera jamais...

– En quoi est-ce votre faute ? s'étonna Kirov.

– C'était un jeu entre nous, répondit Anton. Du moins, au début. Un jour, quand nous étions enfants, nous sommes allés dans un endroit où notre père nous avait fait promettre de ne jamais nous aventurer. Au fond de la forêt, derrière notre maison, il y avait un four crématoire que notre père utilisait pour son travail. Il avait une grande cheminée, aussi haute que la cime des arbres, et le four proprement dit ressemblait à un grand cercueil métallique posé sur un piédestal de brique. Les jours où il se servait du four, je me postais à la fenêtre de ma chambre pour regarder la fumée s'élever au-dessus des bois. Notre père nous avait décrit le four, mais je ne l'avais jamais vu de mes propres yeux. Même si j'en mourais d'envie, j'avais bien trop peur pour m'y rendre seul. J'ai donc persuadé mon frère de m'accompagner. Autrement, il n'y serait jamais allé. On ne faisait pas plus obéissant que lui... Mais il est plus jeune que moi et, à cet âge, je n'ai pas eu trop de mal à le convaincre.

« C'était l'automne quand nous sommes allés voir le four... Nous savions que personne ne s'inquiéterait de notre absence. Nous disparaissions souvent pendant des heures.

« Le sol était dur. La première neige était tombée, rien qu'une fine pellicule où s'aggloméraient des carcasses de feuilles desséchées. Nous n'arrêtions pas de nous retourner, craignant de voir débouler mon père sur le chemin, mais au bout d'un moment, nous avons compris que nous étions seuls.

« Le chemin décrivait une courbe, puis, soudain, nous nous sommes retrouvés en face du four. Il était plus petit que je ne l'avais imaginé. L'endroit était rangé avec soin. Le bois pour la combustion était disposé en piles bien nettes. Le sol avait été balayé et mon père avait posé le balai en travers de la porte du four pour la maintenir entrebâillée. Même si le soleil était levé, le four se trouvait sous le couvert des arbres et l'endroit m'a semblé obscur, glacial... J'ai pris le balai et j'ai ouvert en grand la porte du four. À l'intérieur, j'ai aperçu un large plateau qui ressemblait à un brancard. La chambre était grise de poussière, mais elle avait été balayée du mieux possible. C'était important, pour mon père. Même si personne d'autre que lui ne visitait jamais le four, à ses yeux, il fallait que l'endroit demeure parfaitement ordonné et digne.

«À peine étions-nous arrivés sur place que mon frère a voulu repartir. Il était persuadé que notre père se rendrait compte que nous étions venus ici... C'est à ce moment-là que j'ai suggéré que l'un de nous pénètre à l'intérieur du four, pour voir à quoi ça ressemblait. Mon frère a d'abord refusé. Je l'ai traité de lâche. J'ai proposé de tirer à la courte paille. Je lui ai dit que si j'étais prêt à le faire, alors lui aussi devait l'être. Finalement, j'ai réussi à le convaincre.

– Il a tiré la paille la plus courte ? demanda Kirov.

– C'est ce qu'il a cru, répondit Anton. En vérité, quand j'ai vu qu'il avait tiré la plus longue, je l'ai serrée si fort entre mes doigts qu'elle s'est brisée en deux, si bien qu'il n'en a tiré que la moitié... Je lui ai dit qu'il ne pouvait plus se défiler, sinon il passerait le restant de ses jours à regretter sa lâcheté. Il est entré en rampant dans le four. Je l'ai fait rentrer tête la première. Ensuite, j'ai refermé la porte sur lui.

– Vous avez fait quoi ?

– Je pensais juste la fermer une seconde, pour lui flanquer la trouille. Mais la porte avait un verrou à ressort, et je n'arrivais plus à la rouvrir. J'ai essayé, vraiment. Mais je n'avais pas assez de force. Je l'entendais crier à l'intérieur. Il essayait de sortir. J'ai paniqué. J'ai couru jusqu'à la maison. La nuit était sur le point de tomber. Je suis arrivé au moment où ma mère mettait le couvert pour dîner.

«À table, quand mes parents m'ont demandé où était mon frère, j'ai répondu que je ne savais pas. Mon père me regardait fixement. Il avait dû sentir que je leur cachais quelque chose.

« "Montre-moi tes mains", a-t-il dit, et quand je les ai tendues sous ses yeux, il les a empoignées fermement pour les examiner. Je me souviens, il s'est même penché pour coller son visage à mes doigts et en renifler le bout. Alors, il s'est précipité dehors.

« J'ai vu sa lanterne disparaître le long du chemin qui menait au four. Une heure plus tard, il était de retour avec mon frère.

– Il vous a punis, j'imagine...

– Non, répondit Anton. Mon frère a déclaré qu'il avait lui-même refermé la porte... Bien sûr, il était impossible de verrouiller cette porte de l'intérieur. Mon père le savait forcément, mais il a fait semblant de le croire. Il nous a simplement fait jurer de ne jamais retourner au four.

– Et votre frère, il ne s'est pas vengé de ce que vous lui aviez fait ?

– S'il s'est vengé ? répliqua Anton en éclatant de rire. Toute sa vie, depuis qu'il a rejoint le régiment finlandais, n'a été qu'une longue vengeance pour ce qui s'est passé ce jour-là...

– Moi, je vous aurais tué », déclara Kirov.

Anton se tourna pour le dévisager. Des strates d'ombre lui obscurcissaient le visage.

« Cela aurait été moins cruel que ce que mon frère m'a fait subir. »

À mi-descente, Pekkala s'agrippa à la corde.

Il faisait froid en bas, l'air était chargé d'humidité et empestait le moisi. Pourtant, la sueur perlait sur son visage. Les murs semblaient tourbillonner autour de lui, telle une tornade de pierre. Les souvenirs de son calvaire au fond du four se bousculaient sous son crâne. Il se revoyait en train de tâtonner dans l'obscurité, ses doigts rencontrant les dents émoussées des brûleurs suspendus au plafond. Il avait plaqué ses mains dessus, comme pour empêcher les flammes de jaillir. Jamais il n'oublierait l'odeur qui régnait dans le four. D'abord, il s'était efforcé de ne pas la respirer, comme si ses poumons avaient été capables de filtrer ces particules de poussière. Mais c'était peine perdue. Il lui avait bien fallu inspirer, et quand l'air avait commencé à manquer dans ce cylindre de métal, Pekkala avait dû remplir ses poumons autant qu'il le pouvait, et cette odeur s'était répandue en lui, se diffusant dans son sang comme des gouttes d'encre dans l'eau.

Pekkala leva la tête. L'ouverture du puits n'était plus qu'un disque bleu pâle cerné par la noirceur des parois du tunnel. Pendant plusieurs minutes, il lutta contre un désir irrépressible de remonter à la surface. Des vagues de panique le traversaient de part en part, et il resta agrippé là jusqu'à ce qu'elles s'apaisent. Alors, il se laissa glisser jusqu'au fond de la mine.

La première chose qu'il aperçut fut une section d'échelle qui s'était détachée du mur et gisait sur le sol, appuyée contre la paroi. Des éclats noir et orange émanaient du métal oxydé.

Ses pieds touchèrent le sol, s'enfonçant dans des décennies de poussière accumulée. Des débris d'étais en bois, pourris et hérissés de clous, jonchaient le sol. Pekkala lâcha la corde et se massa les mains pour que le sang revienne. Puis il empoigna la torche et balaya l'obscurité. Il aperçut deux entrées de tunnels, obstruées par des tas de roches. Pekkala savait que l'on fermait parfois les mines sans que tout le minerai en ait été extrait. Les mineurs avaient sans doute volontairement fait effondrer les tunnels afin de protéger le reste du filon, au cas où ils reviendraient un jour. Les wagons qui avaient roulé jadis sur ces rails étaient rangés dans une alcôve. Leurs flancs bosselés témoignaient des dures conditions de travail, et des traînées de poudre d'un jaune blanchâtre striaient le métal. Pekkala fut envahi par un élan de pitié à l'égard des hommes qui avaient travaillé dans ces tunnels, privés de la lumière du jour, tout le poids de la terre pesant sur leurs dos courbés.

Pekkala fit jouer le faisceau de la torche autour de cette chambre de pierre, anxieux de découvrir où se trouvaient les corps, et l'idée que son frère avait pu se tromper lui traversa l'esprit. Peut-être le fou avait-il travaillé au fond de cette mine bien des années auparavant et inventé cette histoire de toutes pièces afin d'attirer l'attention. Ses pensées se déployaient encore à la surface de son esprit quand il fit volte-face, balayant la pénombre de sa torche, et découvrit qu'il se trouvait à deux pas des cadavres.

Ils gisaient dans la position où ils étaient tombés, empilés en un grotesque tas d'os, de vêtements, de chaussures et de cheveux. Il y en avait plusieurs. Devant un tel fatras de décomposition, Pekkala était incapable d'en estimer le nombre.

Il était descendu par un côté du puits. Les corps avaient dû s'écraser de l'autre côté.

Quand le faisceau de la torche vacilla, comme la flamme d'une chandelle frappée par le vent, l'instinct de Pekkala lui hurla de ressortir de ce trou, mais il savait qu'il ne pouvait pas s'en aller. Du moins pas encore, même si la peur chassait tout l'air de ses poumons.

Pekkala se força à tenir bon, en se remémorant tous les cadavres qu'il avait vus par le passé, dans des états souvent bien pires que ceux-là. Mais tous ces corps avaient été aussi anonymes à ses yeux dans leur mort qu'ils l'avaient été dans leur vie. Si ce triste amas de membres appartenait bel et bien aux Romanov, alors c'était différent de tout ce qu'il avait pu vivre.

Un son le fit sursauter, répercuté par les parois de pierre. Il lui fallut quelques instants pour reconnaître la voix de son frère, qui l'appelait d'en haut.

« Tu as trouvé quelque chose ?

– Oui », cria-t-il en levant la tête.

Il y eut un long silence. Puis la voix de son frère plongea au fond du gouffre :

« Alors ?...

– Je ne sais pas encore. »

Là-haut, silence.

Pekkala se tourna de nouveau vers les corps. Ici, au fond de la mine, le processus de décomposition avait été ralenti. Les vêtements étaient en grande partie intacts et il n'y avait ni mouches ni insectes d'aucune sorte, dont les larves auraient dévoré les cadavres pour n'en laisser que les os, si les corps avaient été abandonnés en surface. Il n'y avait aucune trace non plus de la présence de souris ou de rats ayant rongé les morts. La profondeur de la mine et les murs verticaux les avaient empêchés d'atteindre les dépouilles. Pekkala ignorait quels minerais avaient été extraits ici. Peut-être avaient-ils également joué le rôle de conservateur.

Les victimes semblaient partiellement momifiées. Leur peau avait pris un aspect brun verdâtre, quasi translucide, elle était tendue autour des os et enveloppée d'une fine pellicule de moisissure. Il avait déjà vu des cadavres comme ceux-là – des gens pris dans la glace ou enfouis dans un sol à l'acidité élevée, des tourbières par exemple. Pekkala se souvenait également d'un cas où le tueur avait enfoncé le cadavre dans une cheminée d'usine. Au fil des années pendant lesquelles il était resté caché là, la fumée de l'usine avait fini par réduire le cadavre à l'état de cuir à chaussure. Le corps était remarquablement conservé, mais dès l'instant où la police l'avait extrait de la cheminée, il s'était décomposé à une vitesse ahurissante.

Si ces corps demeuraient intacts au fond de la mine, Pekkala savait donc qu'ils se détérioreraient très vite si l'on tentait de les ramener à la surface. Il était content que l'on ait pris la décision de les laisser sur place jusqu'à ce qu'une équipe compétente, dotée du matériel adéquat, puisse venir les récupérer.

Dans un premier temps, Pekkala ne toucha à rien.

Au sommet de la pile se trouvait une femme, allongée sur le dos, les bras jetés sur le côté. À la manière dont elle s'était écrasée, Pekkala jugea que la chute aurait sans doute été mortelle, mais tout indiquait qu'elle était déjà morte avant de tomber. Son crâne avait été fracassé par une balle entre les yeux, perforant une partie du cerveau connue sous le nom de *dura oblongata*. La femme avait dû mourir sur le coup. Celui qui s'en était chargé savait parfaitement ce qu'il faisait, en conclut Pekkala. Cependant, il ne s'agissait pas d'un simple assassin sachant comment s'y prendre pour tuer en toute certitude. Comme Vassiliev n'avait cessé de le lui marteler, la manière dont un meurtre était commis en disait long sur son auteur. Même dans des cas où les corps étaient atrocement mutilés, généralement à coups de couteau, la plupart des meurtriers évitaient de s'en prendre au visage. Ceux qui se servaient d'une arme à feu pour tuer leurs victimes tiraient en général à plusieurs reprises, visant le plus souvent la poitrine. Dans les cas où le pistolet était utilisé par une personne inexpérimentée, les corps comportaient des impacts multiples et aléatoires, les tireurs ayant sous-estimé l'imprécision des armes à feu. Pekkala connaissait des gens qui avaient réchappé de balles tirées quasiment à bout portant par des tireurs novices.

Les assassinats commis par des tueurs expérimentés étaient généralement classés sous la rubrique «Exécutions». Eux aussi laissaient derrière eux une signature particulière. Entre les oreilles d'un homme, à l'arrière du crâne, se trouve un petit renflement osseux : la protubérance occipitale externe. Les bourreaux apprenaient à appuyer le canon de leur arme sur cet endroit précis, ce qui leur permettait de tuer avec une seule balle. Pekkala avait souvent été témoin de ce genre d'exécutions, perpétrées par les deux camps aux premiers temps de la révolution. Les tueurs abandonnaient leurs victimes face contre terre dans des champs, des tranchées ou des congères, les mains liées dans le dos, le front éclaté par la sortie de la balle.

L'un des avantages d'une telle méthode, c'est que les bourreaux n'avaient pas à regarder leur victime dans les yeux. Mais celui qui avait tué cette femme s'était tenu debout devant elle. Pekkala savait que cela exigeait un sang-froid exceptionnel.

Son esprit commençait déjà à esquisser un portrait des tueurs, partant du principe qu'il y en avait plusieurs. Très certainement des hommes. Les femmes ne participaient que très rarement aux commandos d'exécution, même s'il y avait des exceptions. Les rouges avaient fait appel à des femmes dans leurs escadrons de la mort et celles-ci s'étaient révélées plus sanguinaires encore que leurs homologues masculins. Il se souvenait de la tueuse bolchevique Rosa Schwartz, responsable de la mort de plusieurs centaines d'anciens officiers tsaristes. Après sa grande orgie de crimes, « Rosa la Rouge » avait été déclarée héroïne nationale et avait fait le tour du pays en robe blanche, un bouquet de roses à la main, telle une vierge le jour de ses noces.

Un autre élément laissait supposer que les tueurs étaient des hommes : tous ces crânes comportaient un orifice de sortie, ce qui indiquait l'usage d'un pistolet à fort calibre. Les femmes, même celles qui faisaient partie des escadrons de la mort, utilisaient généralement des armes d'un calibre plus modeste.

Pekkala examina ensuite les habits, approchant la torche du corps de la femme afin de distinguer la matière de ses vêtements. Le premier détail qui lui sauta aux yeux, ce furent les minuscules boutons de nacre de sa robe, dont le rouge d'autrefois s'était désormais fané en un rose marbré. Son cœur se serra. C'étaient des habits de riches. Dans le cas contraire, ces boutons auraient été de corne, ou de bois. De longues touffes de cheveux recouvraient le tissu.

Sur les bras nus, il aperçut les endroits où les dépôts de graisse s'étaient transformés en adipocire, cette substance savonneuse d'un jaune grisâtre qu'on appelle parfois le « gras des cadavres ».

Il observa les chaussures au cuir plissé et tordu, les minuscules clous qui en avaient jadis maintenu ensemble les différentes pièces dépassant désormais des semelles comme de petites dents. Il ressentit le poids d'une certitude croissante. Ce n'étaient pas des souliers d'ouvrier, ni le type de chaussures que l'on pouvait rencontrer dans les campagnes, et ils étaient bien trop raffinés pour les confins désolés de la Sibérie.

À ce moment précis, la torche frissonna avant de rendre l'âme.

L'obscurité qui l'enveloppait était si absolue qu'il eut l'impression d'être soudain devenu aveugle. Le souffle de Pekkala se fit mince et effréné. Il lutta contre la panique qui tournoyait autour de lui comme une chose vivante.

En nage, il secoua la torche et la lumière se réenclencha.

Essuyant la sueur sur son front, Pekkala se remit au travail.

Ayant examiné tout ce qu'il pouvait sans modifier la scène du crime, il tendit à présent le bras et toucha ce qui se trouvait devant lui.

Le bout de ses doigts tremblait.

Il s'efforça de préserver une certaine distance émotionnelle vis-à-vis des cadavres, comme Bandelaïev lui avait appris à le faire. « Considérez-les comme des puzzles, et pas comme des personnes », professait le docteur.

Glissant ses mains sous le dos de la femme, ses doigts progressant centimètre par centimètre entre les couches de vêtements humides et moisis, il parvint à soulever le corps. Il pesait encore un bon poids, au contraire du cadavre qu'il avait extrait de la cheminée, si léger dans ses bras qu'il lui avait fait penser à une lanterne japonaise.

Comme il déplaçait le corps afin de pouvoir disposer les cadavres côte à côte, le crâne de la femme se désolidarisa. Il roula de l'autre côté de la pile et se fracassa comme un pot de terre cuite contre le sol de pierre. Pekkala contourna le tas et ramassa le crâne, le soulevant avec précaution. C'est là, dans le faisceau de la lampe, qu'il aperçut la manche d'un habit masculin, d'où émergeait une main aussi ratatinée que la serre d'un rapace.

Il était incapable d'identifier formellement la femme qui gisait sur le dessus du tas. Mais en détaillant cette main, un sentiment de certitude le fit frissonner. Certes, la main ne portait aucune marque distinctive, mais Pekkala avait appris à faire confiance à ce genre d'instinct, même lorsqu'il n'avait pas encore été soumis au protocole complet de la pensée rationnelle.

Pekkala posa le crâne de la femme avec le reste de son corps et s'occupa du cadavre suivant.

En une demi-heure, il dégagea les corps de trois autres femmes et les aligna sur le sol. Toutes avaient reçu une balle en plein visage.

À présent, il ne faisait plus aucun doute ou presque, dans son esprit, qu'il s'agissait des sœurs Romanov – Olga, Maria, Anastasia et Tatiana.

Dessous gisait une cinquième femme, la tsarine à coup sûr, étant donné la taille de son corps et la coupe plus adulte de ses habits. Elle aussi avait été tuée d'une balle dans la tête, mais, contrairement aux autres, elle l'avait reçue par-derrière. Comme dans la plupart des blessures de ce type, la balle en ressortant avait fait exploser le front, creusant une large cavité à l'avant du crâne. Elle était donc morte en tentant de protéger ses enfants du canon de l'assassin, raisonna Pekkala. Pour toutes, il le savait, la mort avait dû être instantanée. Il tenta de tirer un peu de réconfort de cette conclusion.

Il nota également l'évidente absence de résistance dont avaient fait preuve les femmes. Les tirs avaient tous fait mouche avec une extrême précision, ce qui aurait été impossible si les victimes s'étaient débattues.

Puis Pekkala se tourna vers le dernier corps.

Les piles de sa lampe étaient sur le point d'expirer. La lumière jaillissant du gros œil de cristal était passée du blanc éblouissant au jaune pâle cuivré. La pensée que la torche puisse s'éteindre pour de bon, le laissant seul et aveugle au milieu de ces cadavres, faisait résonner sous son crâne un murmure d'effroi.

Le dernier corps était celui d'un homme, étendu sur le flanc. Ses os avaient été en partie disloqués sous le poids des autres cadavres jetés du haut du puits. La cage thoracique et les clavicules avaient cédé. Sous le corps et autour de lui, le sol était noir et huileux.

Le cadavre était tout entier recouvert d'une couche de moisissure sèche, d'un brun jaunâtre. Les boutons du manteau dépassaient du tissu tels de minuscules champignons. Pekkala tendit le bras et essuya du pouce la pellicule de poussière qui enduisait le ceinturon, dévoilant l'aigle à deux têtes des Romanov.

Le bras gauche de l'homme, qu'il avait déjà aperçu dépassant de la pile, était brisé – probablement par la chute. Le droit était replié sur son visage, comme s'il avait tenté de se protéger. Peut-être, s'interrogea Pekkala, l'homme avait-il survécu à la chute et tenté ensuite de se préserver des corps qu'on jetait sur lui.

Outre sa culotte de cheval et ses longues bottes, le mort portait une tunique de style *gymnastiorka*, qui avait été modifiée pour s'ouvrir par-devant. Elle se fermait par des crochets au lieu des traditionnels boutons, et son col droit était orné de deux larges bandes de brocart brochées en fils d'argent. La couleur originelle de la veste avait été un brun-vert clair, les pans et ourlets rehaussés du même brocart d'argent que le col. L'habit avait désormais la couleur d'une pomme pourrie.

Cette tunique, il l'avait déjà vue, et il ne subsistait plus le moindre doute dans l'esprit de Pekkala: il s'agissait bien du tsar. Ce dernier avait possédé des dizaines d'uniformes, tous différents, chacun représentant une branche de l'armée russe. Cet uniforme en particulier, que le tsar revêtait lorsqu'il passait en revue ses régiments de gardes, était l'un des plus confortables. Pour cette raison, c'était également l'un de ses préférés.

Quatre blessures par balle étaient clairement visibles sur la tunique, au niveau de la poitrine. Pekkala étudia les taches de sang délavées qui rayonnaient autour des plaies. Le tissu portait des traces de brûlures, indiquant que les balles avaient été tirées de très près. Précautionneusement, Pekkala déplaça le bras, afin de mieux voir le visage du défunt. Il s'attendait à ce que son crâne soit brisé, comme celui des autres, mais, à sa grande surprise, il le trouva intact. Aucune balle n'avait perforé la *dura oblongata*. En proie à une grande confusion, il examina les vestiges de la barbe soigneusement taillée, la cavité à l'endroit où se trouvait jadis le nez, les lèvres fripées, relevées sur des dents saines et droites.

Pekkala se redressa pour aspirer une bouffée d'air non saturé par la poussière de la décomposition. Il leva les yeux vers le disque de ciel nocturne, pourpre, qui dessinait l'entrée du puits. À cet instant précis, comme éjecté de l'échafaudage de son propre corps, Pekkala se retrouva dans la tête du tsar, assistant à travers ses yeux aux ultimes secondes de son existence, au fond de cette mine.

De tout en haut, là-bas, des poignards de lumière plongeaient vers lui. Ils faisaient miroiter un tunnel de pierre humide. Des gouttes de pluie illuminées étincelaient tout autour comme des joyaux. Puis il vit les silhouettes de la femme du tsar et de ses enfants dégringolant vers lui, les doigts déployés comme des bouts d'ailes, la vitesse de leur chute faisant vrombir les robes des femmes. Pekkala les sentit le traverser de part en part, entraînant derrière elles des lambeaux de nuit, telles de noires comètes, et il entendit leurs os se briser comme du verre.

Pekkala se secoua pour chasser le cauchemar. Il se força à rester concentré sur la tâche qu'il lui restait à accomplir. Pourquoi, se demanda-t-il, le tueur aurait-il exécuté les femmes d'une balle dans la tête, mais laissé le visage du tsar intact ? L'inverse aurait semblé plus logique, surtout si la tuerie avait été orchestrée par un homme, comme tout portait à le croire. Un meurtrier de ce genre aurait plus volontiers défiguré une victime du même sexe que lui.

Soudain, le cœur de Pekkala se mit à lui marteler la poitrine. Il était tellement obnubilé par ce détail qu'il avait totalement oublié un autre aspect des choses, beaucoup plus important.

Le corps du tsar était le dernier.

Espérant s'être trompé, d'une manière ou d'une autre, Pekkala se tourna vers les corps des femmes, alignés sur le sol poussiéreux.

Non, il ne s'était pas trompé. Il manquait un corps.

Alexeï ne figurait pas parmi les cadavres.

Chaque fois qu'il pensait au garçon, Pekkala sentait une boule se former au fond de sa gorge. De tous les membres de cette famille, Alexeï avait toujours été son préféré. Les filles étaient charmantes, en particulier l'aînée, Olga, mais elles avaient constamment gardé leurs distances. Elles étaient belles, d'une beauté certes mélancolique, et ne lui prêtaient presque aucune attention. Pekkala savait qu'il les rendait nerveuses, quand il les surplombait dans son pardessus noir, visiblement insensible aux frivolités qui occupaient l'essentiel de leurs vies. Il n'était pas aussi raffiné que la procession sans fin des visiteurs reçus par la famille Romanov. Les barons élégants, les seigneurs, les ducs – un titre se cachait toujours quelque part –, tirant sur leurs moustaches soignées et pimentant leurs discours d'exclamations en français, jugeaient Pekkala trop grossier pour partager leur monde.

« Ne faites pas attention à eux ! » s'exclama Alexeï.

Après qu'une explosion eut été signalée dans les rues de Petrograd, le tsar avait convoqué Pekkala au domaine royal de Tsarskoïe Selo, en périphérie de la ville.

Lorsqu'il entra dans le bureau du tsar, dans l'aile nord du palais d'Alexandre, un essaim d'invités passa devant lui en le bousculant, sans même lui jeter un regard.

Le tsar était assis à son bureau.

Alexeï se tenait à côté de lui, la tête enveloppée d'un bandage blanc qui maintenait en place quelque préparation médicinale prescrite par Raspoutine. Son expression était toujours la même – à la fois chaleureuse et triste. L'hémophilie dont il souffrait avait si souvent failli l'emporter que le tsar, et surtout la tsarine Alexandra, semblaient avoir absorbé la maladie dans leur propre chair. Alexeï aurait pu perdre tout son sang et en mourir, à cause du genre de coupures ou d'écorchures que les garçons de son âge se font tous les jours. Cette fragilité l'avait contraint à vivre comme un être de verre. Si bien que ses parents vivaient, à leur tour, comme s'ils avaient été aussi fragiles que lui, les dizaines de milliers de morceaux d'ambre qui ornaient les murs du salon d'ambre, dans le palais de Catherine, ou les œufs de Fabergé, extraordinairement raffinés, que le tsar offrait à sa femme pour son anniversaire.

Même les amis d'Alexeï étaient triés sur le volet par les parents, pour leur capacité à jouer gentiment. Pekkala se *souvenait de la voix si douce des frères Makarov – deux garçons fins et nerveux aux oreilles décollées et qui rentraient perpétuellement les épaules, comme le font les enfants juste avant l'explosion d'un feu d'artifice. En dépit de sa fragilité, Alexeï leur avait survécu – ils avaient péri tous les deux à la guerre.*

Malgré toutes les précautions qu'ils pouvaient prendre avec leur fils, les parents semblaient constamment s'attendre à ce qu'Alexeï s'éteigne subitement. Alors, eux aussi, ils tomberaient en poussière.

«Alexeï a raison, renchérit le tsar. Ne faites pas attention à ces gens.»

D'un geste désinvolte, il désigna ses invités.

«Ils ne vous ont pas accueilli comme vous le méritez, reprit Alexeï.

– Ils ne me connaissent pas, répondit Pekkala.

– Vous avez de la chance, non? » ajouta le tsar dans un sourire.

La compagnie de Pekkala paraissait toujours le réjouir.

«Mais nous, nous vous connaissons, Pekkala, remarqua Alexeï. C'est ce qui compte le plus.

– Eh bien, Pekkala! Regardez-moi ça!»

Le tsar désignait un mouchoir rouge posé sur le bureau, qui semblait insulter l'ordre impeccable des stylos, des ciseaux, de l'encrier et du coupe-papier à manche de jade. Il exigeait que son bureau soit toujours parfaitement rangé. Lorsqu'il s'y entretenait avec des gens, en particulier ceux dont il n'appréciait guère la compagnie, il se livrait souvent à des modifications infimes de l'ordonnancement de ces objets, comme si un millimètre de distance entre eux était la marge ultime de son équilibre mental.

Alors, avec les gestes théâtraux d'un magicien réalisant son tour, le tsar fit décoller le mouchoir, dévoilant ce qu'il y avait dessous.

Pekkala crut d'abord qu'il s'agissait d'une sorte de grand œuf. Ses couleurs étaient étincelantes – un cocktail de verts flamboyants, de rouges et d'oranges. Il se demanda s'il ne s'agissait pas encore d'une création de Fabergé.

« Qu'en pensez-vous, Pekkala ? » interrogea le tsar.

Pekkala était passé maître dans ce type de jeu.

« Cela ressemble à... » Il s'interrompit. « ... une sorte de haricot magique. »

Le tsar éclata de rire, découvrant ses dents blanches et saines.

Alexeï riait, lui aussi, mais il baissait toujours la tête dans ces cas-là et mettait la main devant sa bouche.

« Un haricot magique ! hurla le tsar. J'aurai tout entendu !

– C'est une mangue, expliqua Alexeï. Les gens qui viennent de partir nous en ont fait cadeau. Elle arrive tout droit d'Amérique du Sud, par les navires, les caboteurs et les trains les plus rapides. À les en croire, cette mangue pendait encore à son arbre il n'y a même pas trois semaines.

– Une mangue », répéta Pekkala en se torturant la mémoire pour savoir s'il avait déjà entendu ce mot.

« C'est une variété de fruit, ajouta le tsar.

– Pekkala n'a pas de temps à perdre avec une mangue, déclara Alexeï, dans l'espoir de lui arracher un sourire.

– À moins, répliqua Pekkala en tendant le doigt devant lui, qu'elle n'ait commis un crime.

– Un crime ! » s'exclama le tsar dans un éclat de rire.

Pekkala tendit sa main ouverte en direction de la mangue, et quand le tsar la lui donna, il fit mine de l'examiner en détail.

« Suspecte, marmonna-t-il. Éminemment suspecte. »

Alexeï se redressa contre le dossier de son siège.

« Eh bien alors, répliqua le tsar, jouant son jeu, elle doit payer le prix ultime. Il ne reste qu'une chose à faire. »

Il ouvrit le tiroir de son bureau et en sortit un grand couteau pliant dont la poignée était en corne de cerf. Il déplia la lame, qui se bloqua dans un cliquetis sec. Prenant le fruit dans une main, il trancha la peau luisante, dévoilant une chair d'un orange éclatant. Avec précaution, il fit jouer son couteau dans la pulpe. Maintenant les tranches ainsi coupées entre l'épaisseur du couteau et le flanc de son pouce, il en offrit une à Pekkala, une autre à Alexeï, puis il s'en servit une troisième.

Ils mâchèrent en silence.

Le froid sucré du fruit semblait bondir aux quatre coins de la bouche de Pekkala, qui ne put s'empêcher de laisser échapper de petits grommellements de plaisir.

« Pekkala aime bien, déclara Alexeï.

– C'est vrai », confirma Pekkala.

Par-dessus l'épaule du tsar, il regardait la neige tomber sur les jardins du palais.

Ils mangèrent le reste de la mangue.

Le tsar essuya la lame du couteau sur le mouchoir rouge, puis il le rangea dans son tiroir. Quand il releva les yeux et croisa le regard de Pekkala, son visage s'était durci, prenant l'expression qu'il adoptait toujours lorsque les problèmes du monde extérieur faisaient intrusion.

Il avait déjà deviné que cette histoire d'explosion à Petrograd était vraie. Et même si le tsar ignorait qui avait été tué, il ne faisait aucun doute qu'un de ses fidèles avait trouvé la mort. C'était comme s'il avait vu de ses yeux le corps déchiqueté du ministre Orlov, dont il apprendrait par la suite qu'il avait péri au cours de cette attaque, écartelé au point qu'on avait retrouvé sa colonne vertébrale tout entière ou presque, tel un serpent blanc, à côté de sa cage thoracique.

Ces attentats se faisaient de plus en plus fréquents. Malgré le nombre considérable de complots terroristes déjoués, il semblait toujours y en avoir d'autres, qui échappaient aux enquêteurs.

« Je ne désire pas aborder avec vous les récents désagréments à Petrograd », déclara le tsar, d'un ton qui tenait davantage de la requête que de l'ordre.

Dans un geste de grande fatigue, il enfouit le visage dans ses mains, massant du bout des doigts ses paupières fermées.

« Nous verrons cela plus tard.

– *Bien, Excellence.* »

Oubliant la vraie raison de la visite de Pekkala, Alexeï lui souriait toujours. Pekkala lui fit un clin d'œil. Alexeï le lui rendit.

Pekkala recula de trois pas, pivota sur ses talons et se dirigea vers la porte.

« Pekkala ! » l'interpella le tsar.

Il s'arrêta, fit volte-face et attendit.

« Ne changez jamais, dit le tsar.

– *Jamais ! » s'écria Alexeï.*

Quand Pekkala eut quitté le bureau du tsar, il referma la porte derrière lui. Ce faisant, il entendit la voix d'Alexeï.

« Pourquoi Pekkala ne sourit-il jamais, papa ? »

Pekkala se figea. Il n'avait eu nulle intention d'écouter aux portes, mais la question l'avait pris par surprise. Il ne se considérait pas comme quelqu'un qui ne souriait pas.

« Pekkala est un homme sérieux, répondit le tsar. Il regarde le monde avec gravité. Il n'a pas de temps à consacrer aux jeux que vous et moi apprécions.

– *Est-il malheureux ? demanda Alexeï.*

– *Non, je ne crois pas. Simplement, il garde ses émotions pour lui.*

– *Pourquoi l'avez-vous choisi pour être votre enquêteur spécial ? Pourquoi n'avoir pas pris un agent de l'Okhrana ou de la gendarmerie ? »*

Pekkala parcourut du regard le long corridor vide. Des éclats de rire lui parvenaient de salles lointaines. Il savait qu'il devait partir, mais la question qu'avait posée Alexeï, il se l'était souvent posée lui-même, et il eut l'impression que s'il ne découvrait pas la réponse en cet instant précis, jamais il ne la connaîtrait. Si bien qu'il resta, retenant son souffle, tendant l'oreille pour distinguer leurs voix à travers l'épaisse porte du bureau.

« Un homme comme Pekkala, reprit le tsar, n'a pas conscience de son propre potentiel. Cela, je l'ai compris la première fois que j'ai posé les yeux sur lui. Voyez-vous,

Alexeï, dans la position que nous occupons, il est crucial de pouvoir comprendre au premier regard la nature de ceux que nous rencontrons. Nous devons savoir immédiatement s'il faut leur faire confiance ou les garder à distance. Les actes d'un homme importent plus que ses paroles. J'ai vu Pekkala refuser de faire sauter son cheval par-dessus une barrière hérissée de fil barbelé, qu'un instructeur militaire particulièrement sadique avait installée, et j'ai vu sa manière de se comporter pendant que le sergent lui passait un savon. Il ne laissait transparaître aucun signe de peur, voyez-vous. Si je n'avais pas assisté à la scène, ce sergent aurait fait renvoyer Pekkala du régiment, pour insubordination. Mais aux yeux de Pekkala, cela importait peu.

– Pourquoi donc ? s'étonna Alexeï. S'il ne voulait pas faire partie du régiment...

– Oh! mais si, il le voulait, mais pas dans ces conditions-là. La plupart de ces cadets auraient sacrifié leur cheval sans sourciller, et fait tout ce qu'on leur disait.

– Mais cela n'est-il pas essentiel ? intervint Alexeï. D'obéir, quoi qu'il advienne ?

– Parfois, oui. Mais pas pour ce que j'avais en tête.

– Vous voulez dire que vous l'avez choisi parce que vous pensiez qu'il était susceptible de ne pas faire ce qu'on lui disait ?

– Ce dont j'avais besoin, Alexeï, c'était d'un homme que ni les menaces, ni la violence, ni la corruption ne pouvaient faire renoncer à son sens du bien et du mal. Et cela n'arrivera jamais à un homme tel que Pekkala.

– Pourquoi ?

– Parce que cela ne lui viendrait même jamais à l'idée. Des hommes comme lui, Alexeï, il n'y en a pas un sur un million, et quand on en croise un, on le reconnaît au premier regard.

– Qu'est-ce qui le pousse à faire ce métier ? interrogea Alexeï. Croyez-vous que cette vie lui plaise ?

– *La question n'est pas de savoir si elle lui plaît ou non,
répliqua le tsar. Il est fait pour cela, comme un lévrier est fait
pour courir. Il exerce l'activité pour laquelle il est né, parce
qu'il sait que c'est important.* »

En écoutant le tsar, Pekkala pensa à son père, qui faisait
le métier que personne d'autre ne voulait faire. Au cours des
mois précédents, les coïncidences qui avaient amené Pekkala
à travailler pour le tsar l'avaient plongé dans une grande
perplexité. Mais à présent, en entendant ces mots, ce qui lui
était apparu jusqu'alors comme le fruit d'une improbable
combinaison de hasards lui semblait presque inéluctable.

« *Aviez-vous vraiment besoin de quelqu'un comme lui ?*
insista Alexeï.

– *La vérité, malheureusement, c'est que l'Okhrana regorge
d'espions. La gendarmerie, également. Ces deux services
s'espionnent mutuellement. Nous envoyons des espions dans
les rangs des terroristes. Nous créons même des cellules
d'espionnage qui donnent l'impression d'œuvrer contre nous,
mais qui sont en réalité contrôlées par le gouvernement. C'est
une tromperie sans fin. Quand on en arrivera au point où le
peuple estimera qu'aucun de ses dirigeants n'est digne de
confiance, ce pays sera voué à la ruine. Dans ces conditions,
Alexeï, ce dont les gens auront besoin, c'est d'une personne
dont ils sauront qu'ils peuvent compter sur elle.*

– *Encore plus que sur vous, papa ?*

– *J'espère que non, rétorqua le tsar. Et pourtant, la réponse
est oui.* »

« Tout va bien ? »

La voix d'Anton ricocha le long des parois.

Levant les yeux, Pekkala distingua les silhouettes d'Anton et de Kirov penchées au-dessus du vide, comme découpées dans du papier.

« Oui, tout va bien, bafouilla Pekkala.

– S'agit-il de qui nous pensions ? interrogea Anton.

– Oui, mais l'un d'entre eux a disparu. »

Jusqu'alors, Pekkala n'avait envisagé que trois hypothèses – Un : qu'il n'y aurait aucun corps. Deux : que des corps se trouveraient bien là mais qu'il ne s'agirait pas des Romanov. Trois : que les Romanov seraient bel et bien retrouvés morts au fond de cette mine. Pekkala n'avait pas pris en compte la possibilité que l'un des Romanov manque à l'appel.

« Disparu ? hurla Kirov. Lequel ?

– Alexeï. »

La lampe torche était sur le point de s'éteindre. Son faisceau se réduisait à une brume cuivrée qui dépassait à peine de la lentille bombée. L'obscurité se refermait sur lui.

« Tu en es sûr ? » insista Anton. En s'engouffrant dans le puits, sa voix était amplifiée comme par un mégaphone.

Pekkala se retourna vers l'endroit où les entrées de tunnels avaient été condamnées.

« Oui, certain. »

Même si Alexeï avait survécu à sa chute, il n'aurait jamais réussi à pénétrer dans les tunnels et, avec son hémophilie, le jeune homme aurait certainement succombé à ses blessures.

Là-haut, à l'entrée de la mine, les deux hommes s'entretenaient à voix basse. Leurs paroles étaient devenues inaudibles, comme un sifflement de serpents.

« On va te remonter », hurla Anton.

Aussitôt après, le moteur de l'Emka se réveilla en grondant.

« Accroche-toi à la corde, cria Anton. Kirov va reculer doucement. On va te tirer. »

Le faisceau d'une torche fit vaciller les murs. Des ombres dansaient sur la roche, tels des fantômes.

Pekkala empoigna la corde.

« Prêt ? demanda Anton.

– Oui », répondit-il.

Le moteur rugit et Pekkala se sentit hissé lentement vers la surface. Il jeta un dernier regard sur les corps alignés au fond de la mine, bouches grandes ouvertes, comme une sorte de chorale terrible et silencieuse.

Empoignant la corde de toutes ses forces, il posa les pieds sur la paroi et marcha vers le sommet du puits. Enfin, alors que Pekkala était presque parvenu en haut, Anton fit un geste en direction de Kirov, et la voiture s'arrêta. Anton tendit le bras dans le vide.

« Accroche-toi », ordonna-t-il.

Pekkala hésitait.

« Si j'avais voulu te tuer, déclara Anton, je l'aurais déjà fait. »

Pekkala détacha une main de la corde et agrippa l'avant-bras de son frère. Puis Anton le hissa vers la surface.

Pendant que Kirov enroulait la corde, Pekkala marcha jusqu'à la voiture et s'assit contre le capot, les bras croisés, perdu dans ses pensées.

Anton lui tendit sa flasque de *samahonka*.

Pekkala secoua la tête.

«Tu es conscient, déclara-t-il, qu'il y a désormais deux enquêtes. Une qui consiste à identifier l'assassin des Romanov, et une autre pour retrouver le tsarévitch. Peut-être est-il toujours vivant... »

Anton haussa les épaules et but une gorgée de vodka.

«Tout est possible, marmonna-t-il.

– Je vous aiderai à retrouver le corps d'Alexeï, poursuivit Pekkala, mais s'il se confirme qu'il est vivant, il faudra trouver quelqu'un d'autre pour partir à sa recherche.

– Que veux-tu dire ?

– Je veux dire que je ne vous livrerai pas Alexeï pour que vous puissiez l'assassiner ou le jeter en prison pour le restant de ses jours.

– J'ai quelque chose à te dire... » Anton remit la flasque au fond de sa poche. «... qui te fera peut-être changer d'avis.

– J'en doute fort, répliqua Pekkala.

– Écoute, reprit Anton. N'oublie pas que nous courons depuis toutes ces années derrière les rumeurs selon lesquelles certains des Romanov pourraient avoir survécu. Nous étions tout à fait conscients que de telles rumeurs pouvaient très bien être fondées. Le camarade Staline a l'intention d'accorder l'amnistie à tout membre de la famille proche du tsar qui serait retrouvé vivant...

– Tu penses que je vais te croire ? grommela Pekkala.

– Comme je te l'ai déjà dit, Moscou n'a jamais eu l'intention de tuer tous les Romanov. Le tsar devait être jugé et, oui, il aurait été reconnu coupable et, oui, il aurait très certainement été exécuté. Mais il n'a jamais été question d'éliminer sa famille tout entière. Ses proches étaient censés servir de monnaie d'échange. Ils constituaient une ressource de trop grande valeur pour qu'on les sacrifie...

– Mais Moscou a déjà annoncé que toute la famille avait été tuée ! s'exclama Pekkala. Pourquoi Staline reconnaîtrait-il qu'il a fait une erreur ? Il serait plus logique pour lui d'éliminer le tsarévitch que d'admettre qu'il a menti.

– Peut-être l'un des gardes a-t-il eu pitié d'Alexeï. Peut-être l'a-t-on sauvé de l'exécution et caché quelque part en attendant de pouvoir le transférer clandestinement en lieu sûr. Si tel est le cas, alors il n'y aurait pas eu mensonge. Ceux de Moscou pourraient simplement se justifier en expliquant qu'ils ont été mal informés. Dans l'esprit de Staline, laisser la vie sauve à Alexeï signifierait que nous n'avons plus peur de notre passé. Les Romanov ne régneront plus jamais sur ce pays. Alexeï ne représente plus une menace, et c'est pour cela qu'en ce qui nous concerne, il a davantage de valeur vivant que mort. »

Kirov avait terminé de ranger la corde de remorquage dans la voiture. Il ferma le coffre et rejoignit les deux frères. Il ne dit rien, mais il était évident qu'il avait écouté la conversation.

« Qu'en pensez-vous ? » l'interrogea Pekkala.

Kirov parut d'abord surpris qu'on lui demande son avis. Il réfléchit quelques instants avant de répondre.

« Mort ou vivant, Alexeï n'est plus qu'un être humain comme les autres. Tout comme vous et moi.

– Le tsar aurait voulu qu'il en soit ainsi pour son fils, rétorqua Pekkala, comme il l'aurait souhaité pour lui-même.

– Eh bien ? intervint Anton en donnant une tape sur le bras de son frère. Qu'en dis-tu ? »

Malgré sa méfiance instinctive, Pekkala ne pouvait nier le fait qu'une offre d'amnistie constituait un signe fort. Seul un gouvernement doué d'une grande confiance en lui était capable d'un tel geste à l'égard d'un ancien ennemi. Staline avait raison. Le monde entendrait ce message.

Pekkala se sentit entraîné par l'espoir qu'Alexeï soit toujours vivant. Il tenta de le réprimer, sachant le danger qu'il y avait à trop désirer une chose. Cela risquait d'obscurcir sa capacité de juger. De le rendre vulnérable. Mais, en cet instant, les poumons encore pleins de l'odeur amère de la mort, les dernières hésitations de Pekkala furent balayées par le devoir dont il se sentait investi à l'égard du tsarévitch.

« Très bien, répondit-il. Je vais vous aider à trouver Alexeï, d'une manière ou d'une autre.

– Où allons-nous maintenant, chef ? interrogea Kirov.

– À l'asile de Vodovenko, répondit Pekkala. À l'évidence, ce fou n'est pas aussi cinglé qu'ils veulent bien le croire. »

Ils se trouvaient aux portes de Sverdlovsk, dont on apercevait au loin la coupole-oignon de l'église surplombant les toits, mais les trois hommes s'engagèrent sur une route qui contournait la principale voie d'accès à la ville, et poursuivirent plein sud, en direction de Vodovenko. À la sortie de Sverdlovsk, ils s'arrêtèrent dans un dépôt de carburant pour faire le plein d'essence réquisitionnée.

Ce n'était guère plus qu'un simple terrain clôturé, au centre duquel se dressait une cahute entourée d'une barricade de bidons jaunes encrassés. Le portail était ouvert et, quand l'Emka pénétra à l'intérieur, le gérant sortit de sa cabane en s'essuyant les mains sur un chiffon. Il portait un bleu de travail déchiré aux genoux et tatoué de cambouis.

« Bienvenue au Centre régional des transports de Sverdlovsk », déclara-t-il avec enthousiasme tout en s'approchant d'eux d'un pas traînant, pataugeant dans des mares où l'essence renversée traçait des arcs-en-ciel. « Nous sommes en outre le Centre régional de contact et de communication. »

Le gérant désigna un téléphone déglingué cloué au mur, à l'intérieur de la cabane.

« Voulez-vous savoir quel est le titre qu'ils m'ont donné pour m'occuper de cet endroit ? Il faut à peu près cinq minutes pour le prononcer en entier...

– Nous sommes juste venus faire le plein. »

Anton tira de sa poche une liasse de coupons de carburant de couleur brique. Il les feuilleta rapidement, comme un caissier de banque recomptant l'argent, puis lui en tendit quelques-uns.

Sans même les regarder, le gérant les jeta dans un baril rempli de vieilles pièces de moteurs et de chiffons graisseux.

Puis il se tourna vers un bidon de carburant équipé d'une pompe. Il fit jouer la manivelle pour mettre le fût sous pression, souleva le lourd embout et entreprit de remplir le réservoir de l'Emka.

« Où allez-vous, les gars ? Il n'y a pas beaucoup de voitures qui passent, dans le coin. Tout le monde prend le train, de nos jours...

– On va au sanatorium de Vodovenko », répondit Kirov.

Le gérant hocha la tête, la mine grave.

« Quelle route comptiez-vous emprunter ?

– Celle qui part vers le sud mène tout droit là-bas.

– Ah, murmura l'homme. Erreur compréhensible, vu que vous n'êtes pas d'ici...

– Comment ça, une "erreur" ? s'étonna Kirov.

– Je crois que vous constaterez que cette route n'est pas... enfin... qu'elle n'est pas là.

– Qu'est-ce que vous racontez ? s'impatienta Anton. Je l'ai vue sur la carte !

– Oh, elle existe, confirma le gérant. Seulement... » Il hésita. « Le pays s'interrompt, au sud.

– Le pays s'interrompt ? Vous débloquez, ou quoi ?

– Vous avez la carte avec vous ? demanda le gérant.

– Oui.

– Alors jetez-y un coup d'œil, et vous comprendrez ce que je veux dire... »

Le gérant debout à ses côtés, Anton déplia la carte sur le capot de la voiture. Il lui fallut contempler le document pendant un long moment avant de trouver ses repères.

« La route est là », annonça-t-il, en la suivant de son index.

Alors, le gérant tamponna un doigt couvert de gasoil sur une vaste zone blanche, au sud de la ville, à travers laquelle la veine bleu sombre de la route devenait une ligne en pointillé.

« Je n'avais pas remarqué, concéda Anton. Qu'est-ce que ça signifie ? »

À l'expression qui s'empara du visage du gérant, il était évident qu'il savait mais n'avait aucune intention de répondre.

« Faites le tour », conseilla-t-il, pointant du doigt une autre route qui serpentait au sud puis décrivait une large boucle, atteignant Vodovenko après un long détour.

« Mais ça prendra des jours ! s'écria Anton. Nous n'avons pas le temps.

– Comme vous voudrez, rétorqua le gérant.

– Qu'est-ce que vous nous cachez ? » insista Pekkala.

Le gérant souleva un autre bidon de carburant et le posa sur les bras de Pekkala.

« Prenez ça avec vous, au cas où. »

L'après-midi touchait à sa fin lorsqu'ils atteignirent l'orée de ce blanc sur la carte ; là, ils rencontrèrent un barrage routier composé d'un simple tronc d'arbre posé en travers de la chaussée à hauteur de hanche, soutenu de part et d'autre par deux X de bois. Une petite cabane avait été construite sur le bas-côté.

Un garde se dressait au milieu de la route, bras tendu devant lui pour leur dire de s'arrêter. Dans l'autre main, il tenait un revolver fixé à une lanière qui pendait à son cou. Ses oreilles étaient rabattues contre son crâne, ce qui lui donnait l'allure d'un prédateur. Sur son col, on distinguait les rectangles rouges, émaillés, des officiers.

Un autre homme somnolait dans la pénombre de la guérite, bras croisés, la tête basculée sur l'épaule.

Pekkala remarqua qu'au-delà du barrage, les champs étaient verts et cultivés. Au loin, les toits de chaume d'un village semblaient étinceler sous le soleil de midi.

Anton avait vu tout cela, lui aussi. « Sur la carte, déclara-t-il, ce village n'existe pas. »

Kirov arrêta la voiture mais laissa le moteur tourner.

L'officier vint à sa hauteur.

« Descendez, ordonna-t-il. Tous les trois. »

À présent, le second garde était sorti de la cabane. Il avait de grands yeux enfoncés et des touffes de barbe noire disséminées sur le visage. Il boucla sa ceinture de pistolet et vint rejoindre son compagnon près de la voiture.

Pendant qu'Anton, Pekkala et Kirov patientaient au bord de la route, les deux gardes fouillèrent le véhicule. Ils débouchèrent les jerricans d'essence et en reniflèrent le contenu. Ils examinèrent les conserves de viande de l'armée. Ils tâtèrent les boucles de la corde de chanvre rêche. N'ayant rien trouvé, le premier garde finit par s'adresser aux trois hommes.

« Vous êtes perdus, déclara-t-il.

– Non, répliqua Kirov. Nous nous dirigeons vers Vodovenko.

– Je ne vous demande pas si vous êtes perdus. Je vous le dis.

– Pourquoi n'y a-t-il rien sur la carte ? l'interrogea Anton.

– Je ne suis pas habilité à répondre à cette question, rétorqua l'officier. Ni vous d'ailleurs à la poser.

– Mais comment faire, alors ? insista Anton. C'est la seule route qui aille au sud...

– Il va vous falloir faire demi-tour, répondit l'officier. Retournez sur vos pas. Vous finirez par croiser un carrefour. De là, vous pourrez continuer vers le nord. Ensuite... » Il fit tourner sa main dans le vide. « Au bout de quelques heures, vous trouverez une autre route, qui part vers l'est.

– Mais ça prendra un temps fou ! s'indigna Kirov.

– C'est vrai, alors plus tôt vous vous mettrez en route... »

Anton fouilla dans la poche de sa veste.

L'apercevant, le second garde baissa lentement la main et défit le rabat de son étui de revolver.

Anton sortit une liasse d'ordres de mission tapés sur de minces feuilles de papier paraffiné, d'une transparence grisâtre. Sur celui du dessus, l'encre de la signature avait traversé le papier.

« Lisez », ordonna Anton.

L'officier lui arracha des mains les documents. Son regard se posa successivement sur chacun des trois hommes.

Sibérie, 1929

Le moteur de l'Emka bourdonnait patiemment, remplissant l'air de gaz d'échappement.

Le deuxième garde se pencha par-dessus l'épaule de l'officier, lisant les ordres qu'Anton leur avait montrés. Il s'étouffa, imperceptiblement.

« L'Œil d'Émeraude », murmura-t-il.

Par une fin d'après-midi de septembre, Pekkala fut convoqué au palais de Catherine, situé lui aussi dans l'enceinte de Tsarskoïe Selo.

Il arriva en retard. Cet après-midi-là, à Petrograd, il avait été cité comme témoin au procès de Grodek. L'audience s'était éternisée. Lorsque la cour l'avait autorisé à quitter la barre des témoins, l'heure du rendez-vous était déjà passée.

Pekkala imaginait que le tsar ne l'aurait pas attendu et qu'il aurait regagné ses quartiers pour la nuit. Mais, dans le doute, et ignorant la raison de cette convocation, Pekkala décida de gagner quand même le palais, au cas où. Depuis deux ans qu'il était l'enquêteur spécial du tsar, Pekkala avait souvent été convoqué sans en connaître la raison. Le tsar n'aimait pas qu'on le fasse attendre. C'était un homme discipliné, dont les journées étaient programmées de manière stricte entre réunions, repas, exercices physiques et moments consacrés à la vie de famille. Ceux qui avaient le malheur de rompre l'équilibre n'étaient jamais traités avec bienveillance.

À la grande surprise de Pekkala, le valet qui vint l'accueillir à la porte du palais de Catherine lui annonça que, finalement, le tsar l'avait bien attendu. Pekkala fut tout aussi étonné d'apprendre que le tsar patientait dans le salon d'ambre.

Le salon d'ambre était un lieu unique sur terre. Pekkala avait entendu certains le décrire comme la huitième merveille du monde. Rares étaient ceux, hormis la famille proche du *tsar, à y avoir été admis. C'était une salle de taille modeste, un peu plus de six pas de large sur dix de long, haute comme deux grands hommes. Par comparaison avec d'autres salles du palais de Catherine, les fenêtres ménagées dans l'un des murs du salon n'offraient pas non plus la vue la plus spectaculaire. Non, ce qui rendait l'endroit unique, c'étaient les murs eux-mêmes, recouverts du sol au plafond par des panneaux sertis de plus d'un demi-million de fragments d'ambre. Les marque-teries du plancher reflétaient ce collage étourdissant, et un présentoir de verre installé dans un angle contenait des bibelots incrustés de cette sève fossilisée – boîtes à cigares, brosses à cheveux, boîtes à musique et un jeu complet de pièces d'échecs.*

Quand la lumière du jour entrait par les baies vitrées, les murs étincelaient comme s'ils avaient été en feu, irradiant des flammes sans chaleur jaillies des entrailles de la pierre. Dans ces moments-là, l'ambre semblait être une fenêtre ouvrant sur un monde au crépuscule perpétuel.

Pekkala avait beau s'être retrouvé si souvent entouré des précieuses possessions du tsar, il n'en éprouvait aucune convoitise. Il avait grandi dans une maison où l'on trouvait la beauté dans les choses les plus simples. Les outils, les meubles et les couverts étaient appréciés pour leur absence de frivolité. La majeure partie des objets que possédait le tsar n'inspiraient à Pekkala qu'une simple réflexion : ils n'étaient pas utiles.

Ce manque d'intérêt pour de telles richesses décontenan-çait le tsar. Il avait l'habitude que les gens soient jaloux, et le fait que Pekkala ne l'envie pas le préoccupait. Il s'effor-çait souvent d'attirer son attention sur l'incrustation d'ivoire ou d'ébène d'un bureau, sur les canons damassés de ses pistolets de duel, allant même jusqu'à lui en faire cadeau. En général, Pekkala refusait, n'acceptant que les présents les plus modestes, et uniquement lorsque le tsar restait sourd à ses protestations. Au bout du compte, c'était le tsar qui enviait

Pekkala, et non l'inverse, non pas pour ce qu'il possédait, mais pour son absence de besoins.

Mais le salon d'ambre occupait une place à part dans les richesses du tsar. Pekkala lui-même ne pouvait nier le pouvoir envoûtant que ce lieu exerçait sur le visiteur. En traversant les salles à manger blanche et pourpre, Pekkala aperçut un homme de haute taille en uniforme militaire qui ressortait du salon d'ambre. L'homme referma la porte derrière lui et, d'une démarche élastique, remonta à grandes enjambées la galerie des Portraits. Quand il s'approcha, Pekkala reconnut l'uniforme serré et les jambes légèrement arquées d'un officier de cavalerie. Il avait le visage étroit, ponctué d'une moustache cirée, rigide. Il croisa Pekkala sans même le saluer, puis il parut se raviser, et s'arrêta.

« Pekkala ? » interrogea-t-il.

Pekkala fit volte-face et fronça les sourcils, attendant que l'homme décline son identité.

« Major Kolchak ! » s'exclama l'homme, d'une voix plus forte qu'il n'était besoin dans l'espace confiné de la galerie.

Il lui tendit la main.

« Je suis heureux de vous rencontrer.

– Major », répondit Pekkala en lui serrant la main.

Il ne voulait pas offenser l'homme en avouant qu'il n'avait jamais entendu parler de lui.

« Vous êtes attendu, je crois. »

Kolchak désigna du chef l'entrée du salon d'ambre.

Pekkala frappa à la porte et entra.

Lorsque les rayons du soleil ne les illuminaient plus à travers les fenêtres ouvertes, les murs d'ambre prenaient un aspect marbré, terne. Dans la pénombre, la surface polie des parois donnait l'illusion qu'elles étaient humides, comme si Pekkala était entré par erreur dans une grotte, et non pas dans une salle du palais de Catherine.

Le tsar était assis sur une chaise près de la fenêtre. Un guéridon était posé à côté de lui, sur lequel une bougie *brûlait dans un chandelier. La forme de ce dernier évoquait un chien hurlant à la lune, la chandelle coincée entre les dents. Deux livres étaient empilés avec minutie au pied du chandelier.*

Ce n'est que dans la sphère immédiate de la bougie qu'une lueur semblait irradier de l'ambre. Le tsar lui-même ressemblait davantage à une apparition, suspendue dans l'obscurité. Une pile de documents était posée sur ses genoux – comme souvent, car il était son propre secrétaire. Si bien qu'en dépit de son grand souci de netteté et d'ordre, le tsar croulait généralement sous les paperasses.

« Avez-vous rencontré le major Kolchak ? lui demanda le tsar.

– Brièvement, répondit Pekkala.

– Kolchak est un homme d'une grande ingéniosité. Je lui ai confié la tâche peu commune de veiller sur mes réserves financières personnelles. En cas d'urgence, nous sommes convenus, lui et moi, de les cacher en un lieu où, si Dieu le veut, nul ne les trouvera jusqu'à ce que j'aie besoin d'y avoir recours. »

Le tsar souleva la liasse de documents puis la laissa tomber, dans une gifle, sur le plancher.

« Bon, reprit-il. Vous êtes en retard...

– Toutes mes excuses, Excellence. »

Pekkala était sur le point de fournir des explications quand le tsar l'interrompit :

« Comment était le procès ?

– Long, Excellence. »

Le tsar désigna les deux livres.

« J'ai quelque chose pour vous. »

En les observant de plus près, Pekkala se rendit compte qu'il ne s'agissait pas de livres, mais de coffrets en bois.

« Allez, ouvrez-les », ordonna le tsar.

Pekkala souleva le premier, qui était plus petit que celui du dessous. En l'ouvrant, il aperçut pour la première fois l'emblème qui allait faire sa renommée au cours des années à venir.

« J'ai décidé, reprit le tsar, que le titre d'enquêteur spécial ne reflétait pas assez... » Il tordit sa main dans le vide, comme la palme d'une oie bernache pagayant dans le courant en plein océan. « ... la gravité de vos fonctions. Il y a d'autres enquêteurs spéciaux dans mes forces de police, mais une position telle que la vôtre n'a jamais vraiment existé. C'est mon grand-père qui a fondé la gendarmerie, et mon père l'Okhrana. Vous, vous êtes ma création. Vous êtes unique, Pekkala, et cet insigne, que vous porterez à compter d'aujourd'hui, l'est tout autant. J'ai remarqué, et je ne suis pas le seul, l'étrange reflet argenté de votre regard. Je n'avais jamais rien vu de semblable. On pourrait même penser que vous souffrez de cécité...

– Non, Excellence. Je n'ai aucun problème de vue. Je comprends ce dont vous parlez. » Pekkala porta la main à ses yeux, comme pour effleurer la lumière qui en émanait. « Mais j'ignore d'où cela vient.

– Appelons cela le destin », déclara le tsar.

Il se leva de sa chaise et, soulevant l'insigne de son coussin de velours, l'agrafa sur la veste de Pekkala, juste sous le revers droit.

« Dorénavant, vous serez connu sous le nom d'Œil d'Émeraude. Vous jouirez d'un pouvoir absolu dans l'accomplissement de vos devoirs. Nul secret ne pourra vous être caché. Il n'existera aucun document que vous ne puissiez consulter si vous en faites la requête. Nulle porte que vous ne puissiez franchir sans y être invité. Vous pourrez réquisitionner n'importe quel moyen de transport, où que vous soyez, si vous le jugez nécessaire. Vous êtes libre d'aller et venir où bon vous semble, et quand vous le jugerez bon. Vous pourrez arrêter toute personne que vous soupçonnez d'avoir commis un crime. Y compris moi.

– Excellence... », protesta Pekkala.

Le tsar leva la main pour l'interrompre.

« *Il ne doit y avoir aucune exception, Pekkala. Sinon, tout cela n'aurait pas de sens. Je vous confie la sécurité de ce pays, mais également ma vie et celle de mes proches. Ce qui nous amène au second coffret...* »

Posant de côté la boîte désormais vide qui avait contenu l'insigne, le tsar ouvrit l'autre, plus grande, toujours posée sur la table basse.

Elle recélait, blotti dans son étui, un revolver Webley à la crosse de cuivre.

« *Il m'a été offert par mon cousin, George V.* »

Pekkala avait vu une photographie des deux hommes, accrochée au mur dans le bureau du tsar – le roi d'Angleterre et le tsar de Russie, deux des êtres les plus puissants de la planète. Le cliché avait été pris en Angleterre, et les deux sujets portaient des tenues de marins élégantes. Le tsar s'était rendu là-bas à bord de son voilier, le Standart. *Les deux hommes se ressemblaient comme deux gouttes d'eau. Leur expression était identique, la physionomie de leurs crânes, leurs barbes, leurs bouches, leurs nez et leurs oreilles. Seuls leurs yeux étaient différents, plus ronds chez le roi que chez le tsar.*

« *Allez, ordonna le tsar. Prenez-le.* »

Pekkala sortit l'arme du coffret, avec précaution. Elle était lourde, mais bien équilibrée. Le cuivre de la crosse était froid dans sa paume.

« *L'impératrice ne veut pas le voir dans ce palais, déclara le tsar. Elle affirme qu'il est trop "sauvage" pour un homme comme moi, même si j'ignore au juste ce qu'elle entend par là.* »

Pekkala savait ce que cela signifiait, venant d'une femme telle que l'impératrice, et il soupçonnait le tsar de l'avoir parfaitement compris.

« *C'est elle qui a eu l'idée de vous en faire cadeau. Et vous savez ce que je lui ai répondu ? J'ai dit que pour un homme comme Pekkala, il ne serait sans doute pas assez "sauvage"...* »

Le tsar éclata de rire, mais l'expression de son visage se fit brusquement grave.

« La vérité, Pekkala, c'est que si mes ennemis venaient à s'approcher assez près de moi pour que j'aie besoin d'une arme comme celle-ci, il serait déjà trop tard. Voilà pourquoi elle vous revient.

– Très bien, Excellence. Mais vous connaissez mon sentiment à l'égard des cadeaux...

– Qui a parlé de cadeau ? Cette arme et l'insigne sont vos outils de travail, Pekkala. Je vous les remets de la même manière que n'importe quel soldat reçoit de l'armée ce dont il a besoin pour accomplir sa mission. Je ferai livrer dans vos quartiers quatre cents cartouches du calibre adéquat, d'ici à demain soir. Cela devrait vous suffire pour un bon moment. »

Pekkala acquiesça sobrement du chef, et il était sur le point de se retirer quand le tsar reprit la parole.

« L'affaire Grodek va vous rendre célèbre, Pekkala. C'est inévitable. Tant de publicité a été faite depuis que vous l'avez arrêté... Certains hommes désirent la gloire plus que tout. Ils seraient prêts à tout pour l'atteindre. Ils trahiraient n'importe qui. Ils s'humilieraient eux-mêmes et ceux qui les entourent. Qu'ils soient aimés ou haïs, peu importe. Tout ce qu'ils désirent, c'est être connus. C'est un penchant bien triste, dans lequel ils se vautrent toute leur vie, comme des porcs dans les immondices. Mais si vous êtes l'homme que je vois en vous, la saveur de la gloire vous déplaira.

– Oui, Excellence. »

Le tsar tendit la main et empoigna l'avant-bras de Pekkala.

« Et c'est pour cette raison que je vous considère comme un ami. »

L'officier feuilleta les ordres de mission.

« Opérations spéciales, marmonna-t-il.

– Vous avez vu qui a signé ces documents ? commenta l'autre garde.

– Taisez-vous », rétorqua l'officier. Il replia les documents et les tendit à Anton. « Vous pouvez passer. »

Le deuxième garde remit son revolver dans l'étui.

« Ne parlez à personne de ce que vous verrez de l'autre côté de cette barrière, reprit l'officier. Vous devrez traverser sans vous arrêter. Vous ne parlerez à personne. Il est important que vous donniez l'apparence de la normalité. Quand vous aurez franchi le village, vous rencontrerez un autre barrage. Vous ne devrez jamais raconter ce que vous avez vu. C'est bien compris ?

– Bon Dieu, mais qu'est-ce qu'il y a là-bas ? s'écria Kirov, dont le visage avait pâli.

– Vous le saurez bien assez tôt, répliqua l'officier. Mais il n'est pas trop tard pour changer d'avis...

– Nous n'avons pas le temps, intervint Anton.

– Très bien », répondit le garde.

Puis, se tournant vers son compagnon :

« Donnez-leur les pommes. »

Le deuxième homme disparut au fond de la cabane et en ressortit avec un cageot de bois, qu'il posa sur le capot de la voiture. Dedans, nichées sur un linge noir et rembourré, se trouvaient une demi-douzaine de pommes magnifiques. Il en offrit une à chacun des trois étrangers.

C'est en prenant le fruit au creux de sa main que Pekkala constata qu'il avait été sculpté dans le bois, puis peint avec soin.

«Qu'est-ce que c'est que cette histoire? s'écria Kirov.

– Quand vous traverserez le village, répondit l'officier, vous tiendrez ces pommes bien en évidence comme si vous alliez les croquer. Faites en sorte qu'elles soient bien visibles. La pomme est le signal, pour les habitants du village, que vous avez été autorisés à passer. Si vous ne suivez pas ces instructions à la lettre, vous risquez d'être abattus...

– Pourquoi ne pouvons-nous pas leur parler, tout simplement? insista Kirov.

– Assez de questions, trancha l'officier. Assurez-vous juste qu'ils voient les pommes dans vos mains.»

Les deux gardes soulevèrent la lourde poutre qui bloquait le passage.

Kirov franchit la barricade au volant de l'Emka.

Pekkala contemplait la pomme. Il y avait même une petite feuille verte, peinte à la main, sous la tige de bois.

Ils longèrent des champs plantés de tournesols d'un jaune éblouissant. Au loin, dans l'ondulation des champs d'orge, ils distinguaient les fichus blancs de femmes qui se tenaient debout sur une charrette, et les grands paniers que leur tendaient les hommes.

«Ces paniers sont vides», grommela Kirov.

Ils pénétrèrent dans le village, qui grouillait de monde. L'endroit avait l'air propre, et prospère. Les femmes portaient des bébés sur leur hanche. Les vitrines des magasins débordaient de miches de pain, de fruits, de pièces de viande. Rien à voir avec les rues boueuses et les habitants miséreux d'Oreshek.

Comme ils remontaient la rue, une foule surgit de la salle commune du village. C'étaient des étrangers, vêtus et coiffés comme des Européens de l'Ouest et des Américains. Certains portaient des sacoches de cuir, des appareils photo. D'autres tenaient à la main des carnets ouverts et griffonnaient des notes tout en marchant.

Un petit homme aux lunettes rondes menait le groupe. À en juger par la longueur de la veste et la largeur de ses revers, son costume sombre était d'origine russe, sans le moindre doute. L'homme souriait, parfois il éclatait de rire. Il tendait les bras dans un sens puis dans l'autre, et les étrangers suivaient de la tête le mouvement, comme plongés dans une transe par le balancement d'une montre d'hypnotiseur.

« Des journalistes », murmura Anton.

L'homme au costume sombre se désintéressa subitement du troupeau qu'il menait, il lui tourna le dos et son regard vint se poser sur la voiture. Son sourire fut soudain balayé de son visage et remplacé par un rictus hostile. Anton le salua du bras, la pomme de bois bien en évidence au creux de son poing. Portant devant son œil un petit appareil photo, l'un des journalistes prit un cliché de la voiture en train de s'éloigner. Les autres se penchèrent en avant, tendant le cou comme des échassiers pour jeter un coup d'œil à l'intérieur du véhicule. L'homme au costume pivota sur ses talons pour faire de nouveau face aux journalistes et, tandis qu'il se tournait vers eux, le sourire réapparut sur son visage comme le soleil émergeant d'un nuage.

Pekkala observait les gens qui flânaient dans la rue. Ils avaient tous l'air si heureux... Puis il aperçut un homme assis seul sur un banc, qui fumait une pipe. Sur son visage, on ne lisait que la peur.

Une gare ferroviaire se dressait de l'autre côté du village. L'unique voie donnait sur des rails de garage puis faisait demi-tour, de telle sorte que la locomotive ne pouvait repartir que vers là d'où elle était venue. Le train avait été préparé pour son voyage retour, quelle qu'en soit la destination. Des rideaux noirs couvraient les fenêtres des deux wagons, dont les flancs vert olive étaient bordés de bandes bleu marine. Chaque wagon exhibait en blason le marteau et la faucille, entourés d'une immense étoile rouge.

Quatre hommes, assis sur le rebord du quai, jambes ballantes au-dessus des rails, bondirent brusquement sur leurs pieds en entendant l'automobile approcher, empoignèrent des balais et entreprirent de nettoyer le quai. Ils s'interrompirent un instant pour en dévisager les occupants. Ils avaient l'air abasourdis. Ils contemplaient toujours la voiture lorsqu'elle quitta le village.

La route plongeait au fond d'une cuvette, où ils débouchèrent soudain sur une autre poutre de bois qui enjambait la chaussée.

Kirov écrasa les freins et le véhicule dérapa avant de s'immobiliser.

Les gardes attendaient les trois hommes.

« Vous êtes-vous arrêtés ? interrogea le responsable.

– Non, répondit Kirov.

– Avez-vous parlé à quelqu'un ?

– Non. »

Kirov exhiba la pomme de bois. « Vous voulez la récupérer ? » demanda-t-il.

Les fruits furent ramassés, et, une fois le barrage levé, Kirov appuya si fort sur l'accélérateur que les roues de l'Emka tournèrent à vide dans la poussière.

En ressortant de la cuvette, Pekkala jeta un regard derrière eux et comprit alors le choix de cet emplacement pour le second barrage : il était invisible depuis la voie ferrée, au cas où l'un des étrangers serait parvenu à jeter un coup d'œil à travers les lourds rideaux qui leur cachaient le paysage. Pekkala se demanda quelle histoire avaient bien pu inventer les autorités pour justifier la présence des rideaux, et si les journalistes de l'Ouest croyaient vraiment à l'authenticité de ce qu'on leur montrait.

Par-delà le second barrage, le décor reprit l'apparence qu'il avait avant le premier – champs en jachère, rangées d'arbres fruitiers morts griffant le ciel de leurs squelettes de branches effeuillées, quelques maisons dont les toits laissés à l'abandon s'étaient affaissés au milieu.

Brusquement, Kirov quitta la route.

Les deux frères se cognèrent l'un contre l'autre et poussèrent un juron.

Dès que la voiture se fut immobilisée, Kirov descendit et marcha vers le champ, laissant sa portière grande ouverte. Il leur tournait le dos, perdu dans la contemplation de ces campagnes désolées.

Sans laisser à Pekkala le temps de poser sa question, Anton lui fournit des explications :

« Après la révolution, le gouvernement a ordonné la collectivisation de toutes les fermes, dont les anciens propriétaires ont été soit exécutés, soit envoyés en Sibérie. Ceux à qui on avait confié la charge de ces terres ne savaient pas gérer une ferme, si bien que les récoltes ont été perdues. Une famine a éclaté. À peu près cinq millions de personnes sont mortes de faim. »

Pekkala souffla à travers ses dents.

« Peut-être davantage, poursuivit Anton. On ne saura jamais le nombre exact. Quand la nouvelle de cette famine a atteint le monde extérieur, notre gouvernement en a nié l'existence, purement et simplement. Ils ont construit plusieurs villes modèles, comme celle-ci. Les journalistes étrangers sont invités dans le pays. Ils sont bien nourris. Ils reçoivent des cadeaux. Ils visitent ces villages modèles. On leur explique que la famine est une invention de la propagande antisoviétique. L'emplacement de ces villages est gardé secret. Je n'avais pas compris que celui-là en était un, jusqu'à ce que nous y entrions...

– Penses-tu que ces journalistes aient cru à ce qu'on leur montrait ? interrogea Pekkala.

– Pas mal d'entre eux, oui. Les gens peuvent éprouver de l'empathie pour la mort d'une personne, de cinq ou dix personnes, mais pour eux, la mort d'un million de personnes n'est qu'une statistique abstraite. Tant qu'un doute subsiste, ils opteront pour ce qu'il est le plus facile de croire. C'est pour cela que toi et ton tsar n'aviez aucune chance contre nous, quand la révolution a éclaté. Vous vouliez trop croire que la violence de l'homme avait des limites. Le tsar est mort persuadé que, puisqu'il aimait son peuple, son peuple l'aimerait en retour. Regarde où ça vous a menés...»

Pekkala ne dit rien. Il baissa les yeux sur ses mains et serra lentement les poings.

Quand Kirov regagna la voiture, Pekkala et Anton furent surpris de constater qu'il souriait.

«Content de vous voir si joyeux, déclara Anton, quand Kirov se remit en route.

– Pourquoi ne le serais-je pas ? répliqua Kirov. Ne comprenez-vous pas à quel point ce que nous venons de voir est génial ? On nous a appris, à l'Institut, qu'il était parfois nécessaire de présenter la vérité sous un jour différent...

– De mentir, vous voulez dire..., intervint Pekkala.

– Un mensonge temporaire, expliqua Kirov. Un jour, quand les circonstances s'y prêteront, on mettra tout au clair...

– Vous le pensez vraiment ? rétorqua Pekkala.

– Bien sûr ! s'exclama Kirov, enthousiaste. Simplement, je n'avais jamais pensé que je verrais ça de mes yeux.»

Pekkala plongea la main au fond de sa poche et en sortit la pomme de bois qu'on lui avait donnée au premier barrage, et qu'il n'avait pas rendue. Il la jeta sur les cuisses de Kirov.

«Voici un petit souvenir de votre séjour au village des mensonges temporaires.»

Anton se pencha et donna un coup de poing sur l'épaule de son frère. «Bienvenue dans la révolution», dit-il.

Mais Pekkala ne pensait pas à la révolution. Son esprit avait replongé vers des temps plus anciens, où les pommes étaient bien réelles.

Il trouva le tsar en train de couper du bois derrière les serres du domaine de Tsarskoïe Selo, que l'on appelait les orangeries.

Quand il sortit sur la terrasse du palais de Catherine, sans avoir rencontré le tsar dans aucune de ses salles, il entendit au loin le bruit cadencé d'une hache tranchant du bois sec.

À la manière dont l'outil était employé – rapidement, sans hésitation, et sans le fracas alourdi de celui qui y met davantage de force qu'il n'est besoin pour fendre les bûches –, Pekkala sut qu'il s'agissait du tsar.

L'empereur aimait faire de l'exercice, mais pas gratuitement. Il préférait se livrer à une activité qu'il estimait utile, comme déblayer la neige à la pelle ou nettoyer les massifs de joncs autour des étangs. Mais son activité préférée consistait à aller se cacher derrière les orangeries et à se perdre dans la méditation du maniement de la hache.

C'était un jour glacial de la fin septembre. Les premières neiges étaient tombées et le sol était durci par le gel. Dans quelques jours, tout aurait fondu. Les routes et les chemins se changeraient en boue. Pekkala avait remarqué que ces premières chutes occupaient une place à part dans la vie des habitants de Petrograd. Elles les remplissaient d'une énergie nouvelle, reconstituant les réserves que la moiteur des mois d'été avait sapées.

Le tsar travaillait torse nu. Sur sa gauche se trouvait une pile de bûches impeccable. Sur sa droite, un tas désordonné de rondins grossièrement débités. Devant lui, une souche d'arbre, qui faisait office de billot. Pekkala admira la précision des gestes du tsar, la manière dont il disposait chaque rondin, dont la hache s'élevait, le manche de frêne glissant entre les poings jusqu'au sommet de l'arc. Puis venait le mouvement pendulaire, incisif, vers le bas, si fulgurant qu'on ne voyait même plus la cognée, et la bûche éclatait comme les quartiers d'une orange.

Pekkala patienta au bord de la clairière, jusqu'au moment où le tsar s'interrompit pour essuyer d'une main la sueur sur son visage. Alors il s'avança vers lui et s'éclaircit la voix.

Le souverain fit volte-face, surpris. D'abord, il parut agacé d'être ainsi dérangé, mais son expression se radoucit quand il le reconnut. «Ah, c'est vous, Pekkala...» Il laissa la hache retomber sur la souche. La lame mordit le bois et, quand il relâcha le manche, la hache resta plantée dans le billot.

«Qu'est-ce qui vous amène, aujourd'hui?

– Je viens vous demander une faveur, Excellence.

– Une faveur?»

Le tsar frotta ses mains l'une contre l'autre, comme pour nettoyer la rougeur sur ses paumes.

«Eh bien, il était temps que vous vous décidiez à me demander quelque chose. Je commençais à croire que je n'étais pour vous d'aucune utilité...

– D'aucune utilité pour moi, Excellence?»

Il n'avait jamais envisagé les choses sous cet angle. Son embarras fit sourire le tsar.

«Qu'est-ce qui vous ferait plaisir, mon ami?

– Un bateau.»

Le tsar fronça les sourcils.

«Eh bien, ça ne devrait pas poser problème. Quel type de bateau? Mon voilier, le Standart? Quelque chose de plus grand? Avez-vous besoin d'un navire militaire?

– J'ai besoin d'une barque, Excellence.

– Une barque...

– Oui.

– Rien qu'une malheureuse barque ? »

Le tsar peinait à cacher sa déception.

« Et des rames, Excellence.

– Laissez-moi deviner, répliqua le tsar. Il vous en faudrait deux... »

Pekkala acquiesça.

« C'est tout ce que vous voulez de moi ?

– Non, Excellence. J'ai également besoin d'un lac où la poser.

– Ah, gronda le tsar. Je préfère ça, Pekkala. »

Deux jours plus tard, juste après le coucher du soleil, Pekkala traversait à la rame le lac connu sous le nom de Grand Étang, à l'extrémité sud du domaine de Tsarskoïe Selo. Ilya était assise à l'arrière de la barque, un bandeau sur les yeux.

C'était une soirée fraîche, mais pas froide. Dans un mois, le lac entier serait gelé.

« Combien de temps encore dois-je porter cette chose ? »

Sans lui laisser la possibilité de s'exprimer, elle demanda :

« Où allons-nous ? »

Il ouvrit la bouche pour répondre.

« Y a-t-il quelqu'un d'autre dans cette barque ? poursuivit-elle. Pourquoi ne me répondez-vous pas ?

– Je vous répondrai si vous m'en laissez le temps, dit-il. Les réponses sont : "Plus très longtemps", "C'est une surprise" et "Non". »

Ilya soupira et posa les mains sur ses cuisses.

« Et si l'un de mes élèves me voyait ? Il penserait qu'on m'a enlevée...

– Je vous aime », déclara Pekkala.

Il avait prévu de garder ces mots pour plus tard, mais ils lui avaient échappé.

« Comment ? demanda-t-elle, d'une voix soudain tendre.

– *Vous m'avez entendu.* »
Elle avala sa salive.
Il se demanda s'il n'avait pas commis une erreur.
« *Eh bien, il était temps, dit-elle.*
– *Vous êtes la deuxième personne à me dire ça, dernièrement...*
– *Moi aussi, je vous aime* », *ajouta-t-elle.*

La proue de l'embarcation vint buter doucement contre le rivage d'une île qu'on appelait le Manoir et qui se dressait au milieu du lac. Un grand pavillon avait été construit sur l'île, dont il occupait presque toute la surface, si bien qu'il semblait flotter à la surface de l'eau.

Pekkala rentra les avirons, et l'eau ruissela des nœuds en tête de Turc ornant les rames, juste sous les poignées. Puis il aida Ilya à descendre. Elle portait toujours le bandeau mais ne s'en plaignait plus – ses plaintes d'avant n'étaient d'ailleurs que de pure forme. Il la guida jusqu'au pavillon, sous lequel étaient installées une table et deux chaises. Une lanterne posée sur la table baignait les lieux de sa lumière, et les ombres projetées par les dossiers des chaises ressemblaient à des ceps de vigne entrelacés.

Une fois qu'Ilya fut assise, Pekkala souleva les globes d'argent posés sur leurs assiettes. Il avait lui-même cuisiné le repas – poulet à la Kiev rehaussé d'une noix de beurre persillé, champignons réduits de moitié, servis avec une sauce à base de crème et de brandy, haricots frais aussi fins que des aiguilles et pommes de terre grillées au romarin. La tsarine avait offert une bouteille de grande-dame veuve-clicquot. Près de la lanterne était posé un saladier rempli de pommes magnifiques, qu'ils mangeraient au dessert avec du fromage.

Les assiettes étaient disposées sur des anneaux d'argent qui les décollaient de la table et dans lesquels on avait placé des chandelles pour maintenir les plats chauds.

Pekkala enleva les bougies et les supports d'argent, et reposa les assiettes sur la table.

Sibérie, 1929

Il inspira longuement, inspectant les lieux pour s'assurer que tout était bien en place. Au cours des deux de; niers jours, il avait été si occupé par la préparation de ce repas qu'il n'avait pas eu le temps d'être nerveux. Mais, à présent, il se sentait à cran. Il souffla.

« Vous pouvez ôter le bandeau, maintenant. »

Les yeux d'Ilya se posèrent sur le repas, puis sur lui, puis sur le pavillon autour, clôturé par les rideaux de velours de la nuit.

Pekkala l'observait, fébrile.

« Vous n'aviez pas besoin de vous donner tant de mal..., dit-elle.

– Je le sais bien, mais...

– Au premier craquement d'aviron, vous m'aviez conquise... »

Kirov conduisait d'une main, tenant la pomme dans l'autre. « N'est-ce pas magnifique ! s'extasiait-il. Ne vivons-nous pas une époque formidable ! »

L'asile de Vodovenko se dressait, imposant et solitaire, au sommet d'une colline battue par les vents. Une seule route menait à l'édifice de pierre. La colline tout entière était dénuée de végétation, et les terres alentour avaient été labourées.

« Pourquoi ont-ils fait ça ? s'étonna Kirov. Ils comptent cultiver ces champs ? »

Anton lui répondit :

« C'est pour pouvoir suivre les traces de celui qui tenterait de s'évader. »

Ils tombèrent sur un barrage routier, au pied de la colline. Des gardes en armes examinèrent leurs papiers, soulevèrent la barrière jaune et noir et les laissèrent passer. Deux portes d'acier s'ouvrirent à l'entrée de Vodovenko. L'Emka pénétra dans la cour.

La façade du sanatorium semblait se pencher au-dessus de leurs têtes. Devant chaque fenêtre protégée par des barreaux scellés à une main de la paroi, de grandes plaques de métal bloquaient la vue.

Kirov coupa le moteur. Ils ne s'attendaient pas à rencontrer un tel silence, mais ce n'était pas le silence d'un endroit désert. Bien au contraire, il donnait l'impression que tout ce qui se trouvait dans cet édifice retenait son souffle.

À la réception, un gardien examina de nouveau leurs documents. C'était un homme au visage large, chevelure rousse en bataille, dont la peau était constellée de taches couleur rouille. Son nez avait été cassé et s'était remis de travers. Il sortit un dossier et le fit glisser sur le comptoir.

Pekkala découvrit la photographie d'un homme au regard tourmenté, épinglée en haut à gauche, et un nom griffonné en tête du document : *Katamidze*.

Le gardien décrocha son téléphone et donna l'ordre de transférer le patient dans une salle sécurisée. Pekkala se demanda ce qu'il entendait par sécurisée, dans ce lieu aux allures de forteresse.

« Il faudra déposer vos armes », déclara le gardien.

Deux Tokarev et le Webley heurtèrent le guichet dans un grand fracas métallique. Le regard du gardien s'attarda sur le Webley. L'homme dévisagea Pekkala sans aucun commentaire. Les revolvers furent placés dans un placard métallique. Puis le gardien se leva, fit le tour de son bureau pour se diriger vers des portes blindées, déverrouilla le lourd loquet et leur fit signe d'entrer.

Pekkala se tourna vers Anton et Kirov. « Attendez-moi là. »

Anton avait l'air soulagé.

« J'aimerais autant venir, déclara Kirov. En fait, je...

– Non », le coupa Pekkala.

Anton donna une tape sur l'épaule de Kirov. « Allez, Petit Homme. Sortons, vous pourrez fumer votre pipe fantaisie... »

Kirov lui lança un regard furieux, mais s'exécuta.

Quand Pekkala eut franchi les portes blindées, le gardien lui emboîta le pas et referma de l'intérieur, avec la clé qui était accrochée à sa ceinture.

À peine eut-il posé le pied dans les couloirs de Vodovenko que Pekkala se mit à transpirer. Il y avait d'abord le sol, couvert d'un épais tapis de feutre qui absorbait le bruit de ses pas et semblait ingérer tous les sons de son corps, jusqu'aux battements ralentis de son cœur. Ses sens furent submergés par des relents de savon au goudron, d'aliments bouillis jusqu'à en faire de la purée, d'excréments et, pour amalgamer le tout, de l'odeur de sueur si particulière de ceux qui vivent dans la peur.

Les portes se succédaient de part et d'autre des couloirs. Plusieurs couches de peinture bleu canard encroûtaient le métal. Toutes les portes étaient fermées et comportaient un œilleton au volet coulissant. Sous le judas, telle une bouche sans sourire, chacune disposait en outre d'une fente qui faisait office de passe-plat.

Pekkala se figea. Ses jambes refusaient d'avancer. Des perles de sueur dégoulinaient de sa mâchoire. Son souffle paraissait aussi chaud que des braises au fond de sa gorge.

« Vous vous sentez bien ? demanda le gardien.

– Je crois, répondit Pekkala.

– Vous êtes déjà venu ici... ou dans un endroit de ce genre. Je sais reconnaître la tête que font les gens comme vous, quand ils reviennent... »

Le gardien le conduisit à une salle au deuxième sous-sol. Le plafond était bas, une largeur de main à peine au-dessus de la tête de Pekkala. Une chaise métallique était installée au centre de la pièce, fixée au béton par des crochets en L scellés dans le sol au moyen de gros écrous.

La seule lumière de la pièce émanait du plafond, à la verticale de la chaise, où une ampoule nue était suspendue, protégée par une grille d'acier.

Un homme était assis sur la chaise, les poignets enchaînés aux deux pieds de devant. Il était grand, et ses entraves le contraignaient à se courber en deux, dans une position qui rappelait à Pekkala celle du sprinter au départ d'une course.

Des cheveux sales et grisonnants se dressaient sur ses tempes, encadrant une large zone de calvitie. Il avait de grandes oreilles et un menton mou et arrondi, moucheté d'une barbe de deux jours. Les yeux de l'homme, sous un front étroit, étaient d'un bleu aussi vague que ceux d'un nouveau-né.

Katamidze portait le même genre de pyjama de coton beige dont Pekkala avait dû se contenter aux premiers temps de son voyage vers le goulag. Il se souvint de la finesse humiliante du tissu, de la manière dont il se plaquait contre l'arrière de ses cuisses quand il transpirait, et de l'absence de cordon, qui obligeait le prisonnier à tenir son pantalon à longueur de journée pour qu'il ne tombe pas.

« Katamidze, annonça le gardien, j'ai là quelqu'un qui veut vous voir...

– Ce n'est pas ma cellule habituelle, répliqua l'homme.

– Bon, Katamidze, poursuivit le gardien. Voyez-vous l'homme que j'ai amené pour vous rencontrer ?

– Je le vois. »

Ses yeux se fixèrent sur Pekkala.

« Alors comme ça, vous êtes l'Œil d'Émeraude ?

– Oui, répondit Pekkala.

– Prouvez-le », rétorqua Katamidze.

Pekkala souleva le revers de sa veste. L'émeraude étincela dans la lumière crue de l'ampoule grillagée.

« On vous disait mort...

– Une légère exagération, répliqua Pekkala.

– J'ai dit que je ne parlerais qu'à vous. »

Katamidze se tourna vers l'autre homme.

« En privé...

– Très bien, approuva Pekkala.

– Je ne suis pas autorisé à vous laisser seul avec le patient, protesta le gardien.

– Je ne veux pas être libéré », ajouta Katamidze.

Après qu'il eut parlé, sa bouche continua de bouger sans produire aucun son.

Pekkala déchiffra les mots qui se formaient sur ses lèvres et se rendit compte que Katamidze répétait la fin de chaque phrase, comme si l'écho de sa propre voix s'était répercuté contre les parois de son crâne. Il remarqua également que la

cheville droite et le poignet gauche du prisonnier étaient forte-
ment enflés, là où il était enchaîné au mur de sa cellule.

«C'est contraire au règlement, insista le gardien.

– Sortez», ordonna Pekkala.

Le gardien semblait sur le point de cracher par terre.

«Très bien, répondit-il. Mais cet homme est classé comme
dangereux. Gardez vos distances. Je décline toute responsabilité sur ce qu'il vous fera si vous vous approchez de lui...»

Quand les deux hommes furent enfin seuls, Pekkala s'assit
à même le sol, adossé au mur. Il ne voulait pas que Katamidze
ait l'impression de subir un interrogatoire.

«En quelle saison sommes-nous? l'interrogea Katamidze.

– Presque en automne, répondit Pekkala. Les feuilles
commencent à changer de couleur.»

Un sourire fugace traversa le visage du prisonnier.

«Je me souviens de l'odeur des feuilles sur le sol, après la
première gelée. Vous savez, j'avais commencé à les croire,
quand ils disaient que vous étiez mort...

– Je l'étais, d'une certaine manière.

– Alors vous devriez me remercier, inspecteur Pekkala, de
vous avoir fait revenir du royaume des morts! À présent, vous
avez une raison de vivre.

– Oui, acquiesça Pekkala. J'en ai une.»

Ilya et Pekkala étaient perdus dans la foule, sur le quai de la gare Nicolaievsky, à Petrograd.

C'était la dernière semaine de février 1917.

Des régiments entiers de l'armée – le Volhynian, le Semionovsky, le Preobrajensky – s'étaient mutinés. Nombre d'officiers avaient déjà été fusillés. Le cliquetis des mitrailleuses résonnait au loin, sur la perspective Liteiny. Se ralliant aux militaires, les ouvriers en grève et les marins de l'île fortifiée de Cronstadt avaient entrepris un pillage en règle des boutiques. Ils avaient pris d'assaut le siège de la police de Petrograd et détruit les archives du Fichier criminel.

Le tsar s'était finalement laissé convaincre d'envoyer un bataillon de cosaques pour réprimer les révolutionnaires, mais la décision était venue trop tard. Constatant que la révolution prenait de l'ampleur, les cosaques eux-mêmes s'étaient rebellés contre le pouvoir.

Pekkala avait alors compris qu'il fallait faire sortir Ilya du pays, du moins jusqu'à ce que les choses se calment.

À présent, le train était prêt à partir vers l'ouest, en direction de Varsovie. De là, il continuerait vers Berlin puis Paris, destination finale d'Ilya.

« Tenez », dit Pekkala. Passant la main sous sa chemise, il tira sur le cordon de cuir noué autour de son cou. Une chevalière en or était passée dans le cordon. « Gardez-la pour moi.

– Mais ce devait être votre alliance...

– *Elle le sera, répondit Pekkala. Et quand je vous retrou-verai, j'enfilerai cette bague pour ne plus jamais l'enlever.* »

La foule fluait et refluait, comme un champ de blé battu par le vent.

La plupart des fuyards avaient emporté d'immenses malles, des jeux de valises assorties et même des oiseaux en cage. Les porteurs, épuisés, ployaient sous la charge, reconnais-sables à leurs petites toques et à leur uniforme bleu marine, avec une bande rouge courant comme un filet de sang sur le côté du pantalon. Il y avait tant de monde qu'on ne pouvait bouger sans bousculer ses voisins. L'un après l'autre, les passagers abandonnèrent leurs bagages et se pressèrent vers les wagons, brandissant bien haut leurs billets. Leurs cris couvraient le rugissement haletant de la locomotive à vapeur, qui montait en pression. Tout là-haut, sous la verrière du toit, des perles de condensation constellaient les vitres sales et retombaient en une pluie noire sur les passagers.

Un chef de train se pencha à la porte d'un wagon, sifflet calé entre les dents. Il poussa trois sifflements suraigus.

« C'est le signal des deux minutes, expliqua Pekkala. Le train n'attendra pas. Il faut partir, Ilya. »

La panique s'empara de la foule.

« Je pourrais attendre le prochain », plaida-t-elle.

Des mains, elle agrippait un unique sac taillé dans une épaisse toile aux motifs colorés, qui contenait des livres, quelques photographies et des affaires de rechange.

« Il n'y aura peut-être pas de prochain train. Je vous en prie. Vous devez partir maintenant.

– *Mais comment me retrouverez-vous ? » s'inquiéta-t-elle.*

Il eut un sourire fugace et tendit le bras pour lui caresser les cheveux.

« Ne vous tracassez pas, répondit-il. C'est ma spécialité.

– *Comment saurai-je où vous êtes ?*

– *Je serai là où est le tsar.*

– *Je devrais rester avec vous...*

– Non. Certainement pas. C'est trop dangereux, à présent. Quand le calme sera rétabli, je viendrai vous chercher, et je vous ramènerai avec moi.

– Et si le calme ne revenait pas ?

– Alors je quitterais cet endroit et je vous retrouverais. Restez à Paris si vous le pouvez, mais où que vous soyez, je vous retrouverai. Alors, nous commencerons une nouvelle vie. D'une manière ou d'une autre, je vous promets que nous serons bientôt réunis. »

Le grondement de ceux qui ne pouvaient monter à bord avait cédé la place à un hurlement continu. Une pile de bagages trop haute chancela soudain et s'écroula. Des passagers en fourrure s'effondrèrent sur le quai. La foule se referma sur eux.

« Maintenant ! s'écria Pekkala. Avant qu'il ne soit trop tard.

– Très bien, accepta-t-elle enfin. Mais veillez à ce qu'il ne vous arrive rien...

– Ne vous inquiétez pas pour moi, répondit-il. Montez dans ce train. »

Elle disparut dans la marée humaine.

Pekkala résista à la cohue. Il suivit du regard sa tête, qui dépassait de la foule. Juste avant d'atteindre le wagon, elle se retourna et lui fit signe. Il lui répondit. Puis il la perdit de vue quand une vague de gens s'abattit sur lui et le dépassa, poursuivant la rumeur selon laquelle un autre train était arrivé à la gare de Finlande, sur l'autre rive de la Neva.

Il fut emporté malgré lui et se retrouva dans la rue.

Pekkala contourna la gare en courant et, d'une rue qui donnait sur la perspective Nevski, il regarda le train s'éloigner. Les gens se penchaient par les fenêtres ouvertes, saluant du bras ceux qu'ils avaient laissés derrière, sur le quai. Le convoi prit de la vitesse. Puis, soudain, les rails furent déserts, et l'on n'entendit plus que le cliquetis cadencé des roues qui s'estompa peu à peu.

Ce train fut le dernier à quitter la ville.

Le lendemain, les rouges incendiaient la gare.

«Que vouliez-vous me dire, Katamidze?

– Je sais où ils sont, répondit-il. Les corps des Romanov.

– Oui. Nous les avons trouvés.»

Il préférait, pour le moment, ne pas évoquer le cas d'Alexeï.

«Et vous avez trouvé mon appareil photo? poursuivit Katamidze.

– Un appareil? Non. Il n'y avait pas d'appareil photo dans la mine.

– Pas dans la mine! Dans la cave de la maison Ipatiev...»

Pekkala sentit soudain son visage s'engourdir.

«Vous étiez dans la maison Ipatiev?»

Katamidze acquiesça du chef.

«Oh, oui. Je suis photographe, ajouta-t-il, comme si cela avait tout expliqué. Le seul photographe de la ville.

– Mais pourquoi vous êtes-vous retrouvé dans cette cave?» interrogea Pekkala.

À en croire Anton, c'était l'endroit où les corps des gardes avaient été découverts. Pekkala s'efforçait de parler d'une voix calme, même si son cœur s'était emballé.

«Pour faire leur portrait! s'écria Katamidze. On m'a appelé. J'ai le téléphone. Nous ne sommes pas nombreux à l'avoir, en ville.

– Qui vous a appelé?

– Un officier de la Sécurité intérieure, la Tcheka. Ce sont eux qui surveillaient le tsar et sa famille. L'officier a dit qu'ils voulaient que je fasse un portrait officiel, pour prouver au reste du pays que les Romanov étaient bien traités. Il m'a dit que le portrait serait publié dans la presse...

– Vous a-t-il dit son nom ?

– Non. Je ne le lui ai pas demandé. Il m'a simplement dit qu'il était de la Tcheka.

– Saviez-vous que le tsar résidait dans la maison Ipatiev ?

– Bien sûr ! Personne ne les avait vus, mais tout le monde savait qu'ils étaient là. On ne peut pas garder un tel secret. Les gardes ont construit une grande palissade autour de la maison, et ils ont peint les vitres pour qu'on ne puisse pas voir à l'intérieur. Après, ils ont abattu la clôture et, tout le temps que les Romanov étaient là, on ne pouvait même pas s'arrêter pour jeter un coup d'œil à la maison sans que les soldats vous mettent en joue... Seuls les gardes rouges avaient le droit d'entrer et de sortir de la maison. Et puis j'ai reçu cet appel ! Un portrait du tsar... Imaginez un peu. Je photographiais des vaches de concours et des fermiers, qui me payaient avec des pommes parce qu'ils n'avaient pas assez d'argent pour acheter une photographie, et d'un seul coup, je me retrouve à faire le portrait des Romanov. Ça aurait lancé ma carrière... J'envisageais déjà de doubler mes tarifs. L'officier m'a dit de venir immédiatement, mais la nuit était tombée. J'ai demandé si cela ne pouvait pas attendre jusqu'au matin. Il a répondu qu'il avait reçu des ordres de Moscou. Vous savez comment sont ces gens... Il n'y a pas moyen de leur demander quoi que ce soit, mais quand ils veulent quelque chose, il faut que ce soit fait dans la seconde ! Il m'a expliqué qu'ils avaient vidé une salle à la cave et que l'endroit serait parfait pour photographier la famille du tsar. Par chance, je savais que les Ipatiev avaient l'électricité et que je pourrais donc utiliser mes projecteurs de studio. J'ai à peine eu le temps de rassembler mes affaires. Il faut tout un tas de choses. Un trépied. Des pellicules. Je venais de recevoir un nouvel appareil. Commandé à Moscou. Cela faisait tout juste un mois que je l'avais. J'aimerais bien le récupérer.

– Que s'est-il passé quand vous êtes arrivé à la maison Ipatiev ? »

Katamidze gonfla les joues, avant de souffler bruyamment.

« Eh bien, en chemin, j'ai failli me faire renverser. Un de leurs camions a déboulé à fond de train. Ils en avaient deux, vous savez. Je portais tout mon matériel. J'ai à peine eu le temps de me pousser. Un miracle que rien n'ait été cassé...

– Où se trouvait l'autre camion ?

– Dans la cour, derrière la maison. Je ne pouvais pas le voir, parce que les murs de la cour étaient hauts, mais j'ai entendu le moteur qui tournait. J'ai senti les gaz d'échappement. Quand j'ai frappé à la porte, deux gardes de la Tcheka sont venus ouvrir. Ils avaient tous les deux leur fusil à la main. Ils avaient l'air très nerveux. Ils m'ont dit de m'en aller, mais quand je leur ai expliqué que j'étais le photographe et que c'était l'un de leurs officiers qui m'avait fait venir pour un portrait, ils m'ont laissé entrer.

– Qu'avez-vous vu, à l'intérieur ? »

Katamidze haussa les épaules.

« J'étais déjà entré dans cette maison. J'avais fait des portraits de la famille Ipatiev. Pas grand-chose n'avait changé, sauf qu'il y avait moins de meubles au rez-de-chaussée. Je n'ai pas eu l'occasion de monter à l'étage. C'est là que résidaient les Romanov. Il y a un escalier à droite de la porte d'entrée, et un grand séjour sur la gauche...

– Avez-vous vu les Romanov ?

– Pas tout de suite », répondit Katamidze.

Et, dans le silence qui suivit, ses lèvres continuèrent de dessiner ces mots. Tout de suite. Tout de suite. Tout de suite.

« Je les entendais, à l'étage. Des voix assourdies. Ils passaient de la musique, aussi, sur un gramophone. Mozart, le *Concerto K. 331*. J'ai joué ce morceau, quand je prenais des cours de piano... »

Mozart avait été l'un des compositeurs préférés de la tsarine. Pekkala se souvint de la manière dont elle penchait la tête en l'écoutant. Elle joignait le pouce et l'index de sa main droite en forme de O, dessinant des mouettes dans le vide, comme si elle avait dirigé l'orchestre.

« J'ai descendu tout mon matériel à la cave, poursuivit Katamidze. Puis j'ai apporté quelques chaises de la salle à manger. J'ai installé mon éclairage, et le trépied. J'étais en train de vérifier que la pellicule était bien enclenchée quand j'ai entendu du bruit derrière moi, et une femme est apparue au pied de l'escalier. C'était la princesse Maria. Je l'avais vue sur des photographies. Comme je ne savais pas quoi faire, je suis tombé à genoux. Alors, elle s'est moquée de moi et m'a ordonné de me relever. Elle m'a expliqué qu'on l'avait prévenue, pour le portrait. Elle voulait savoir si tout était prêt. J'ai répondu que oui. J'ai ajouté qu'ils pouvaient venir tout de suite. Puis elle est remontée.

– Qu'avez-vous fait, ensuite ?

– Ce que j'ai fait ? J'ai vérifié l'appareil une bonne vingtaine de fois pour m'assurer qu'il fonctionnait, et je les ai entendus descendre l'escalier sans bruit, comme des souris. Ils sont entrés dans la pièce, les uns après les autres. Je les ai salués chacun d'une révérence, et ils m'ont répondu d'un mouvement de tête. J'ai cru que mon cœur allait s'arrêter !

« J'ai fait asseoir le tsar et la tsarine sur les chaises du milieu, puis les deux enfants les plus jeunes, Anastasia et Alexeï, de part et d'autre. Les trois filles aînées se tenaient debout derrière eux.

– Comment les avez-vous trouvés ? demanda Pekkala. Vous ont-ils paru agités ?

– Pas agités, non. Je ne dirais pas cela.

– Vous ont-ils parlé ? »

Katamidze secoua la tête.

« Uniquement pour me demander s'ils devaient bouger, ou si la pose qu'ils avaient prise convenait. J'ai à peine pu leur répondre, tant j'étais impressionné.

– Continuez, reprit Pekkala. Que s'est-il passé, ensuite ?

– Je venais de prendre la première photo... J'avais prévu d'en faire plusieurs. Alors j'ai entendu quelqu'un frapper à la porte de la maison, celle par laquelle j'étais entré. Il y a eu une discussion. Je ne distinguais pas ce qu'ils disaient. Et aussitôt après, j'ai entendu des cris. C'est à ce moment-là que le tsar a commencé à montrer des signes de nervosité. Et l'instant suivant, des coups de fusil ont retenti. Un! Puis deux! J'ai cessé de compter. Une bataille avait éclaté, là-haut. L'une des princesses s'est mise à hurler, j'ignore laquelle. J'ai entendu le tsarévitch Alexeï demander à son père si quelqu'un venait pour les sauver. Le tsar leur a dit de rester calmes. Il s'est levé de sa chaise et s'est dirigé vers la porte, qu'il a verrouillée. J'étais pétrifié. Il s'est tourné vers moi et m'a demandé si j'avais une idée de ce qui était en train de se passer. Je ne pouvais même pas parler. Il a dû voir que je ne savais rien. Puis le tsar m'a dit: "Ne leur montrez pas que vous avez peur..."

– Et ensuite?

– Des bruits de pas, dans l'escalier. Quelqu'un s'est arrêté de l'autre côté de la porte. Puis il l'a enfoncée. Un autre garde de la Tcheka est entré dans la pièce.

– Un autre?

– Oui, je n'avais jamais vu cet homme. J'ai d'abord cru qu'il était venu nous annoncer que nous étions de nouveau en sécurité...

– Un homme seul? Pourriez-vous le décrire?»

Katamidze plissa le front, rassemblant ses souvenirs.

«Il n'était ni grand ni petit. Il avait le torse étroit, n'était pas large d'épaules.

– Et son visage?

– Il avait une de ces casquettes que portent les officiers, le genre dont la visière recouvre les yeux. Je ne l'ai pas très bien vu. Il avait un revolver dans chaque main.»

Pekkala hocha la tête.

«Et ensuite?

– Le tsar a dit à l'homme de me laisser partir, poursuivit Katamidze. Au début, j'ai cru qu'il ne le ferait pas, mais finalement il m'a dit de m'en aller. Pendant que je m'éloignais en titubant, j'ai entendu l'homme s'adresser au tsar.

– De quoi parlaient-ils ?

– Je n'ai pas compris. Ils s'exprimaient à voix basse.

– Avez-vous entendu le tsar l'appeler par son nom ? »

Katamidze leva les yeux vers l'ampoule, au plafond, grinçant des dents dans ses efforts pour se rappeler.

« Le tsar a prononcé un mot quand l'homme est entré dans la salle. C'était peut-être un nom. Je m'en suis souvenu pendant un moment, puis ça m'est sorti de la tête.

– Essayez encore, Katamidze. Essayez de vous rappeler. »

Katamidze éclata de rire.

« Après avoir si longtemps essayé d'oublier... »

Il secoua la tête.

« Non. Je ne m'en souviens plus. Après, je me rappelle que le tsar et le garde ont commencé à se disputer. Puis les revolvers ont tiré. Il y a eu des cris. La pièce s'est remplie de fumée.

– Pourquoi ne vous êtes-vous pas enfui ? » s'étonna Pekkala.

Katamidze secoua de nouveau la tête.

« J'étais tellement pétrifié que mes jambes refusaient de monter les marches. Je suis resté planté là, à regarder. Je n'arrivais pas à en croire mes yeux.

– Et ensuite, qu'avez-vous fait ?

– La fusillade a cessé d'un seul coup. La porte était entrebâillée. J'ai aperçu le garde qui rechargeait ses armes. Des corps se tordaient de douleur sur le sol. J'ai entendu des grognements. Le bras d'une femme a émergé de la fumée. J'ai vu Alexeï. Il était encore assis sur sa chaise. Il avait les mains levées, de part et d'autre de sa poitrine. Il regardait droit devant lui. Une fois ses revolvers chargés, le garde est passé d'une personne à l'autre. »

Il se tut soudain, bouche bée, incapable de trouver les mots.

« L'avez-vous vu tirer sur Alexeï ?

– Je l'ai vu abattre la tsarine », bafouilla Katamidze.

Pekkala tressaillit, comme si l'éclat de cette détonation avait résonné dans la cellule.

« Mais Alexeï ? Que lui est-il arrivé ?

– Je ne sais pas. Je ne vois pas comment l'un d'eux aurait pu survivre... J'ai fini par reprendre mes esprits, et je me suis enfui. Dans les escaliers. J'ai passé la porte. Et en sortant de la maison, je suis tombé sur les deux gardes qui m'avaient laissé entrer. Ils avaient été abattus tous les deux, et gisaient par terre. Il y avait du sang partout. J'en ai conclu qu'ils étaient morts, je ne me suis pas arrêté pour vérifier. Je ne saisis pas : si la Tcheka était censée garder les Romanov, pourquoi un de ses membres aurait-il assassiné le tsar et même deux de ses propres hommes ?

– Que s'est-il passé ensuite, Katamidze ?

– Je me suis enfui dans la nuit, répondit-il, et j'ai couru tant que j'ai pu. Je suis d'abord passé chez moi, mais j'ai pris conscience qu'ils ne tarderaient pas à venir me chercher, que ce soit le tueur ou les gens qui penseraient que j'avais commis ces crimes. Alors je suis parti. J'ai couru. Dans les bois qui entourent la ville, j'ai une petite cabane, ce qu'on appelle ici une *zemlyanka*. »

Pekkala repensa à sa propre cahute, au fin fond de la forêt de Krasnagolyana, qui n'était plus désormais qu'une silhouette de cendres et de clous rouillés.

« Je savais que, là-bas, je serais en sécurité, poursuivit Katamidze. Du moins, pour un moment. Je courais depuis près d'une heure quand je suis passé devant l'ancienne mine, aux abords de la ville. C'est un mauvais endroit. Dans l'ancienne langue de la région, on l'appelle *Tunug Koriak*, ce qui veut dire : "là où les oiseaux ne chantent plus". Les gens d'ici n'y mettent jamais les pieds. Ceux qui travaillaient dans cette mine ont dû être amenés d'ailleurs. Ils sont tous tombés malades. La plupart sont morts.

– C'était une mine de quoi ?

– De radium. Le truc qu'on utilise dans les montres et les boussoles. Ça brille dans le noir. La poussière est toxique.

– Qu'avez-vous vu à la mine ? demanda Pekkala.

– L'un des camions de la Tcheka, répondit Katamidze. Et l'homme qui avait tué les Romanov. Il avait déchargé les cadavres au bord du puits de mine. Il les jetait dedans, l'un après l'autre.

– Vous êtes sûr que c'était le même homme ? »

Katamidze fit oui de la tête.

« Les phares du camion étaient allumés. Quand il a traversé le faisceau, je l'ai reconnu.

– Mais vous êtes sûr qu'il a jeté tous les corps ?

– Quand je suis arrivé à la mine, le camion était déjà là. J'ignore combien de corps il a jetés.

– Il vous a vu ?

– Non. Il faisait noir. Je me suis caché derrière le vieux bâtiment où avaient vécu les mineurs. J'ai attendu qu'il remonte dans le camion et reparte. Puis je me suis remis en route. J'ai atteint ma cabane, et j'y suis resté terré pendant quelque temps. Mais je ne m'y sentais pas en sécurité. J'ai changé d'endroit, encore et encore... En chemin, j'ai lu dans le journal que les Romanov avaient été exécutés sur ordre de Moscou. C'était la version officielle. Mais ce n'est pas ce que j'avais vu. Après avoir lu ça, j'ai compris que je savais quelque chose que je n'étais pas censé savoir. À qui faire confiance, dans ces conditions ? Je n'ai plus arrêté de bouger, avant de terminer à Vodovenko...

– Comment vous êtes-vous retrouvé ici, Katamidze ?

– J'ai vécu dans les rues de Moscou, puis dans les égouts de la ville... Des égoutiers m'ont retrouvé dans un tunnel. J'ignore combien de temps j'étais resté là-dessous. C'était le seul endroit où je me sentais en sécurité. Vous savez ce que ça fait, inspecteur, de ne jamais se sentir en sécurité, nulle part ?

– Oui, répondit Pekkala. Je sais ce que ça fait. »

Le 2 mars 1917, alors que les émeutes faisaient rage dans les rues de Petrograd et que, sur le front, les soldats s'étaient soulevés contre leurs officiers, le tsar dut renoncer à son pouvoir de souverain absolu de la Russie.

Une semaine plus tard, tandis que des négociations étaient en cours pour obtenir l'exil des Romanov en Grande-Bretagne, le tsar et sa famille furent assignés en résidence surveillée au domaine de Tsarskoïe Selo.

Le général Kornilov, commandant révolutionnaire du district de Petrograd, informa les membres du personnel de Tsarskoïe Selo qu'ils avaient vingt-quatre heures pour quitter les lieux. Ceux qui décideraient de rester seraient placés dans les mêmes conditions de détention que la famille impériale.

La plupart partirent immédiatement. Pekkala choisit de rester.

Le tsar lui avait prêté une maisonnette en périphérie du domaine, non loin de l'enclos à chevaux que l'on surnommait la «Maison de retraite». C'est là que Pekkala avait attendu, avec un sentiment d'impuissance croissant, la suite des événements. La confusion qui régnait à l'extérieur des grilles du domaine était aggravée par le fait que personne ne semblait prendre les choses en main à l'intérieur même du palais.

Les seules instructions que Pekkala avait reçues, le jour de l'abdication du tsar, étaient d'attendre de nouveaux ordres. Dans cette période d'incertitude, ce qui posait le plus problème à Pekkala, c'étaient les tâches quotidiennes, qu'il avait

jusque-là accomplies naturellement, sans même y penser.
Des gestes aussi simples que faire bouillir l'eau pour le thé,
faire son lit ou laver ses habits étaient soudain devenus d'une
complexité abyssale. Dans cette oisiveté forcée, il s'était laissé
ronger par l'anxiété, tentant d'imaginer quels événements
pouvaient bien se dérouler en dehors de son petit monde, qui
rétrécissait à vue d'œil.

Pekkala demeurait sans nouvelles du tsar. Il se contentait
de récolter chaque jour des commérages épars, quand il se
rendait aux cuisines pour aller chercher ses rations. Il apprit
que des négociations avaient lieu pour exiler les Romanov en
Grande-Bretagne. Ils devaient s'y rendre par bateau, escortés
par un bâtiment de la Royal Navy, en partant du port arctique
de Mourmansk. Le tsar s'était d'abord opposé à un tel voyage,
car ses enfants se remettaient à peine de la rougeole. La tsa-
rine, craignant les effets d'un long périple en mer, avait exigé
de ne voyager par bateau que jusqu'au Danemark.

À cause des hordes d'ouvriers en armes qui venaient quoti-
diennement devant les grilles du domaine impérial huer les
Romanov, Pekkala savait que si ces derniers étaient contraints
à l'exil, il faudrait les évacuer clandestinement. Comme
personne ne l'avait prévenu de tels plans d'évasion, Pekkala
en conclut qu'on avait décidé de l'abandonner ici, et qu'il lui
faudrait se débrouiller seul.

Cependant, il apprit bientôt que les Britanniques avaient
renoncé à offrir l'exil aux Romanov. Désormais, jusqu'au
jour où le Comité révolutionnaire déciderait de leur sort, les
Romanov se retrouvaient donc pris au piège sur leur propre
domaine.

Pour le bien de leurs enfants, le tsar et la tsarine s'effor-
çaient de mener une existence aussi normale que possible.
Le précepteur d'Alexeï, Pierre Gilliard – que les Romanov
appelaient Zhilik –, qui avait lui aussi choisi de rester, conti-
nuait de lui donner son cours de français quotidien. Le tsar se
chargeait des leçons d'histoire et de géographie.

Pekkala croisait toujours dans les cuisines les gardes venus se réchauffer après leurs longues patrouilles à pied autour du domaine. Tous le connaissaient, et Pekkala ne pouvait s'empêcher d'être surpris par leur absence d'hostilité à son égard. Contrairement aux professeurs et aux domestiques qui étaient restés, Pekkala n'était pas considéré comme un proche des Romanov. Sa décision était à leurs yeux un mystère. En privé, ils l'encourageaient à s'enfuir et lui proposaient même de l'aider à se glisser dehors entre deux patrouilles.

Les gardes eux-mêmes semblaient ne pas avoir d'instructions précises quant à la manière de traiter les Romanov. Un jour, ils avaient confisqué le fusil factice d'Alexeï ; puis ils le lui avaient rendu. Une autre fois, ils avaient interdit aux Romanov de se baigner dans l'étang de Lamski ; puis cette interdiction avait été levée. En l'absence d'ordres précis, ils dissimulaient de moins en moins leur animosité envers les Romanov. Un jour, tandis que le tsar se promenait à bicyclette autour de son domaine, un garde avait enfoncé sa baïonnette dans les rayons et envoyé le souverain rouler dans la poussière.

Quand il apprit la nouvelle, Pekkala comprit que la vie des Romanov serait tôt ou tard menacée. Bientôt, ils ne seraient pas plus en sécurité à l'intérieur de leur domaine qu'ils ne l'étaient au-dehors. S'ils ne partaient pas au plus vite, ils ne partiraient jamais, et sa propre vie serait engloutie en même temps que la leur.

« J'aimerais vous poser une dernière question », déclara Pekkala.

Katamidze fronça les sourcils.

« Pourquoi parler maintenant ? Après toutes ces années ?

– Pendant longtemps, répondit Katamidze, je savais que la seule manière pour moi de rester en vie, c'était que les gens pensent que j'étais fou. Et l'on finit par ne plus croire un seul mot de ce que je disais. Le problème, inspecteur, c'est que, quand on reste ici trop longtemps, on devient vraiment fou. Je voulais raconter ce qui s'est passé avant de cesser d'y croire moi-même...

– Vous n'avez pas peur que l'homme qui a tué le tsar retrouve votre trace ?

– Je veux qu'il me trouve, murmura Katamidze. J'en ai assez de vivre dans la peur. »

Il était déjà tard quand ils atteignirent Sverdlovsk.

Les pneus de l'Emka rebondissaient et grondaient sur les pavés de la grand-rue. Luisante de rosée, la route ressemblait à la mue d'un serpent gigantesque.

Une rangée d'arbres tracée au cordeau bordait la route, formant une barrière entre la partie de la chaussée dévolue aux chevaux et aux voitures, et celle réservée aux piétons. Par-delà l'allée piétonnière se dressaient de vastes maisons, bien entretenues, avec des jardins clos aux palissades blanches, leurs volets verrouillés pour la nuit.

Les instructions d'Anton étaient de présenter leurs papiers au chef de la police locale dès leur arrivée, mais le commissariat était fermé et ils décidèrent d'attendre jusqu'au matin.

Seule la taverne était ouverte, une salle au plafond bas, avec des bancs alignés devant les murs blanchis à la chaux, bancs sur lesquels étaient assis des hommes vieux et barbus, affalés contre la paroi. De grandes tasses de cuivre à deux anses passaient de main en main. Certains fumaient la pipe, le visage rougi par l'éclat des fourneaux qui laissaient s'échapper des cobras de fumée. Ils suivirent des yeux l'Emka, le regard aiguisé par la suspicion.

Guidé par Anton, Kirov tourna dans une cour à l'arrière d'une vaste demeure à deux étages. De hauts murs de pierre délimitaient la cour, la dissimulant aux regards extérieurs. La maison montrait des signes d'abandon, et Pekkala comprit du premier coup d'œil que personne ne vivait là. Autour des châssis des fenêtres, la peinture était écaillée, et les mauvaises herbes avaient envahi les gouttières. Les murs de la cour avaient jadis été enduits de mortier et peints, mais des pans entiers s'étaient détachés, dévoilant la pierre nue. Une impression de vide hostile émanait de ces lieux.

« Où sommes-nous ? s'inquiéta Kirov en descendant de voiture.

– À la maison Ipatiev, répondit Anton. Celle qu'on surnommait la "Maison à destination spéciale". »

Sortant une clé de sa poche, Anton ouvrit la porte de la cuisine et les trois hommes entrèrent. Anton chercha à tâtons l'interrupteur électrique et l'actionna, mais les lampes au-dessus de sa tête, couvertes de poussière, restèrent éteintes. Plusieurs lampes tempête étaient suspendues à un clou, près de la porte. Kirov les remplit avec un bidon de pétrole rapporté de la voiture. Ils prirent chacun une lanterne et traversèrent la cuisine, évitant les chaises branlantes renversées sur le sol. Ils débouchèrent sur un couloir avec un plancher de bois aux lattes étroites et un plafond très haut, d'où pendaient les

vestiges d'un lustre de cristal. Leurs ombres s'étiraient, mena-
çantes, sur les murs du couloir. Face à eux se trouvait la porte
d'entrée, qui donnait sur la rue, et, à gauche, l'escalier menant
à l'étage avec sa rampe encrassée de poussière. Sur leur droite,
une immense cheminée de pierre dominait la salle de séjour.

Pekkala aspira une bouffée de cet air confiné.

«Pourquoi plus personne ne vit-il ici?

– La maison a été condamnée dès que les Romanov ont
disparu. Nikolaï Ipatiev, l'ancien propriétaire, est parti à Vienne
et n'en est jamais revenu.

– Regardez, intervint Kirov en désignant des impacts de
balles sur le papier peint. Tirons-nous d'ici. Allons à l'hôtel.

– Quel hôtel?» demanda Anton.

Kirov cligna des yeux.

«Celui où nous résiderons le temps de mener cette enquête.

– Nous résiderons ici», rétorqua Anton.

Kirov écarquilla les yeux.

«Oh, non. Pas ici...»

Anton haussa les épaules.

«Mais cet endroit est vide! s'exclama Kirov.

– Il ne le sera plus si nous nous y installons.

– Ce que je veux dire, c'est qu'il n'y a aucun mobilier!»

Kirov désigna la salle de séjour.

«Regardez!»

Sur l'un des côtés de la salle déserte, de hautes fenêtres
ouvraient sur la rue. Les rideaux d'un velours épais, vert foncé,
n'étaient pas seulement fermés, ils étaient agrafés ensemble de
telle manière qu'il était impossible de les ouvrir.

Kirov supplia ses compagnons.

«Il y a forcément un hôtel en ville, avec de bons lits...

– Il y en a un, répondit Anton. Mais il n'est pas inclus dans
le budget.

– Que voulez-vous dire? insista Kirov. Ne pouvez-vous pas
agiter ces ordres de mission et obtenir n'importe quoi?

– Les ordres stipulent que nous devons établir notre quartier général dans cette maison...

– Il y a peut-être des lits à l'étage, suggéra Pekkala.

– Oui, acquiesça Kirov. Je vais vérifier. »

Il monta les marches quatre à quatre, la lanterne se balançant au bout de son bras, traînant derrière lui des ombres sinueuses semblables à des serpents.

« Il n'y a pas de lits, marmonna Anton.

– Où sont-ils passés ? demanda Pekkala.

– Ils ont été volés, répliqua Anton. Comme tout le reste. Quand la famille Ipatiev a déménagé, on les a autorisés à emporter une partie de leurs biens – les photographies, et tout ça. Le temps que les Romanov arrivent, il ne restait plus que le strict minimum. Lorsque nous avons quitté la ville, les bonnes gens de Sverdlovk se sont précipités pour piller la maison avant l'arrivée des blancs. En débarquant ici, ces derniers n'ont probablement rien trouvé qui vaille la peine d'être volé. »

Kirov piétinait lourdement le plancher, à l'étage. Les lames craquaient sous son poids, tandis qu'il inspectait les chambres. Ses jurons résonnaient dans toute la maison.

« Où se trouve la cave ? interrogea Pekkala.

– Par là », répondit Anton.

Empoignant une lanterne, il guida Pekkala à travers la cuisine, jusqu'à une porte jaune pâle, souillée d'empreintes de doigts graisseuses tout autour de sa vieille poignée de cuivre.

Anton ouvrit la porte.

Un escalier de bois plongeait dans le noir.

« C'est en bas que nous avons retrouvé les gardes », expliqua Anton.

Ils descendirent au sous-sol. Sur leur gauche, au pied de l'escalier, ils découvrirent la réserve de charbon. Une trappe était aménagée dans le plafond pour déverser le charbon du rez-de-chaussée. Il ne restait plus que de la poussière, entassée dans les coins. Seules quelques pépites de houille étaient éparpillées sur le sol. À l'évidence, même le charbon avait été volé. Sur leur droite se trouvait une pièce qui aurait dû être fermée par une double porte, mais les deux battants étaient ouverts, dévoilant un espace de quatre pas sur dix, sous un plafond bas et voûté. Les murs portaient encore des fragments de papier blanc et rosâtre. Sur les bandes roses, Pekkala repéra un dessin répétitif qui faisait penser à une tortue stylisée. Ces pièces servaient au stockage des habits, durant les saisons où ils n'étaient pas portés.

L'endroit, qui avait dû être méticuleusement tenu autrefois, était désormais dévasté. Des bandes entières de papier peint avaient été arrachées, dévoilant un entrelacs de plâtre, de terre et de pierre, dont la majeure partie s'était effondrée sur le sol. Les murs étaient criblés d'impacts de balles. D'immenses taches de sang séché maculaient le plancher, formant avec les miettes d'enduit des croûtes semblables à des boucliers brun foncé jonchant un champ de bataille antique. Des traînées sanglantes semblaient suspendues dans les airs, et ce n'est qu'en se concentrant à l'extrême que Pekkala constata qu'elles avaient, en fait, éclaboussé les murs.

« D'après ce que m'a raconté Katamidze, expliqua-t-il, les gardes ont été tués au rez-de-chaussée et traînés jusqu'ici, probablement pour induire en erreur les enquêteurs quant à l'origine de tout ce sang.

– Si tu le dis... », répliqua Anton.

Il jetait autour de lui des regards anxieux. Les impacts de balles sur les murs ressemblaient à des yeux en train de les observer.

Pekkala repéra des douilles de balles noyées dans la poussière. Il se pencha pour en ramasser une et la fit tourner entre ses doigts. Il en dépoussiéra la base avec son pouce et découvrit un petit creux au centre, là où le percuteur du revolver était venu frapper l'amorce de la munition. Les références inscrites autour de la base étaient en russe, datées de 1918, ce qui indiquait que la balle était neuve quand on l'avait utilisée. Rassemblant une poignée d'autres douilles, Pekkala remarqua qu'elles provenaient toutes du même fabricant et portaient la même date.

« Cela fait un moment que je voulais te parler... », déclara Anton.

Pekkala se tourna vers son frère, figé comme une statue, lanterne tendue au-dessus de sa tête pour éclairer la pièce.

« À quel propos ? »

Anton jeta un coup d'œil par-dessus son épaule pour s'assurer que Kirov n'était pas dans les environs.

« À propos de cette chose que tu appelles un conte de fées...

– Le trésor du tsar, tu veux dire ? »

Anton fit oui de la tête.

« Nous savons toi et moi qu'il existe.

– Oh, il existe..., approuva Pekkala. Je ne dirai pas le contraire. Le conte de fées, c'est de croire que je sais où il se trouve. »

Anton contenait mal son agacement.

« Le tsar n'avait aucun secret pour toi. Tu es sans doute la seule personne au monde en qui il avait pleine confiance. Il t'a forcément confié où il avait caché son or...

– Même si je savais où il se trouve, rétorqua Pekkala, il ne me viendrait pas à l'idée de me l'approprier, précisément en raison de cette confiance qu'il plaçait en moi... »

Anton agrippa son frère par le bras.

« Le tsar est mort ! Son sang est répandu par terre, sous tes pieds. Ta loyauté doit désormais s'appliquer aux vivants.

– Si Alexeï est vivant, cet or lui appartient.

– Avec tout ce que ta loyauté t'aura coûté, ne crois-tu pas que tu en mérites aussi une partie ?

– Le seul or dont j'aie besoin, c'est celui que le dentiste met sur mes dents.

– Et Ilya, alors ? Ne mérite-t-elle rien ? »

La mention de son nom fit tressaillir Pekkala.

« Laisse-la en dehors de tout ça, gronda-t-il.

– Ne me dis pas que tu l'as oubliée, répliqua Anton.

– Bien sûr que non. Je pense à elle tout le temps.

– Mais tu te dis peut-être qu'elle, elle t'a oublié ? »

Pekkala haussa les épaules. Il semblait souffrir, comme si ses omoplates étaient soudain devenues trop lourdes pour sa colonne vertébrale.

« Tu l'as bien attendue, non ? poursuivit Anton. Mais alors qui es-tu, pour dire qu'elle ne t'a pas attendu ? Elle aussi, elle a payé le prix de sa loyauté, mais sa loyauté n'allait pas au tsar... Elle t'était destinée. Et tu lui dois bien, le jour où tu la retrouveras, de faire en sorte qu'elle ne finisse pas à la rue, comme une mendiante... »

Pekkala sentit la tête lui tourner. Les motifs du papier peint se mirent à danser sous ses yeux, et il eut l'impression que les taches brun mat du plancher étincelaient à nouveau de l'éclat du sang frais.

C'était au mois de mars 1917.

Pekkala entendit quelqu'un frapper à la porte de sa maisonnette, sur le domaine de Tsarskoïe Selo, où il restait cloîtré depuis des mois.

Quand Pekkala ouvrit la porte, à sa grande stupéfaction, il tomba nez à nez avec le tsar en personne. Même s'ils étaient tous deux prisonniers en ces lieux, jamais l'empereur n'était venu lui rendre visite. Dans l'équilibre particulier de leurs deux vies, et malgré ces temps incertains, l'intimité de Pekkala était plus sacrée encore que celle du tsar.

Le tsar avait beaucoup vieilli au cours des deux derniers mois. La peau sous ses yeux s'était flétrie. Ses joues avaient perdu leurs couleurs. Il portait une tunique bleu ardoise avec des boutons de cuivre dépouillés, et son col droit fermé jusqu'en haut lui comprimait la gorge.

« Puis-je entrer ? demanda-t-il.

– Oui », répondit Pekkala.

Le tsar patienta quelques instants.

« Peut-être pourriez-vous me laisser passer, dans ce cas... »

Pekkala manqua de trébucher en se poussant sur le côté.

« Je ne peux pas rester longtemps, déclara le tsar. Ils m'ont placé sous surveillance permanente. Je dois rentrer avant qu'ils ne remarquent mon absence. »

Debout sous le plafond bas de la salle de séjour, il jeta un regard aux murs jaune pâle, remarqua la modeste cheminée et la chaise posée devant. Ses yeux parcoururent toute la salle, avant de se fixer enfin sur Pekkala.

« Je vous demande pardon de ne pas vous avoir contacté plus tôt, mais la vérité, c'est que moins vous serez vu en ma compagnie, mieux cela vaudra pour vous. J'ai eu vent d'une rumeur selon laquelle nous allons être emmenés ailleurs, ma famille et moi, au cours des deux prochains mois.

– Où irez-vous ?

– J'ai entendu quelqu'un évoquer la Sibérie. Au moins, la famille ne sera pas séparée. Cela fait partie de l'accord. »
Il souffla lourdement. « Les choses commencent à mal tourner. J'ai été obligé d'envoyer un message au major Kolchak. Vous vous souvenez de lui, n'est-ce pas ?

– Oui, Excellence. Votre assurance-vie...

– Exactement. Et dans ce même souci de prendre soin de ce qui m'est cher, poursuivit le tsar dans un sourire sans conviction, mon cher ami, je veux que vous partiez d'ici. »

Il plongea la main dans sa poche et en sortit un portefeuille de cuir.

« Voici les papiers pour votre voyage.

– Les papiers ?

– Des faux, bien sûr. Pièce d'identité. Billets de train. Un peu d'argent. Ils acceptent toujours la vraie monnaie, pour le moment. Les bolcheviks n'ont pas encore eu le temps d'imprimer la leur.

– Mais, Excellence, je ne peux pas accepter...

– Pekkala, si notre amitié signifie quelque chose pour vous, ne me forcez pas à endosser la responsabilité de votre mort. Dès que nous aurons quitté Tsarskoïe Selo, ils se feront un plaisir de rafler tous ceux qui resteront. Et alors, je ne pourrai pas davantage me porter garant de leur sécurité que de la mienne. Quand ils se rendront compte de votre disparition, Pekkala, ils vous traqueront. Plus vous aurez d'avance sur eux, mieux cela vaudra. Vous n'ignorez pas qu'ils ont condamné toutes les issues, hormis le portail principal et l'entrée des

cuisines, mais il y a un passage près du pavillon Lamskoï qui n'est que partiellement bloqué. S'il est trop étroit pour les véhicules, un homme seul peut s'y faufiler. Une voiture vous y attendra. Elle vous emportera le plus loin possible en direction de la frontière finlandaise. Plus aucun train ne vient jusqu'au centre-ville, mais certains circulent encore dans les faubourgs. Avec un peu de chance, vous pourrez prendre un des trains qui partent pour Helsinki. »

Le tsar lui tendit le portefeuille de cuir.

« Prenez-le, Pekkala. »

En proie à une grande confusion, Pekkala prit le portefeuille dans la main du tsar.

« Ah... une dernière chose... », ajouta le tsar.

Fouillant dans la poche de sa tunique, il en tira l'exemplaire du Kalevala *que Pekkala lui avait prêté quelques mois auparavant.*

« Vous pensiez peut-être que j'avais oublié... » Il plaça l'ouvrage entre les mains de Pekkala. « Cela m'a beaucoup plu, Pekkala. Vous devriez vous y replonger.

– Mais, Excellence... » Pekkala posa le livre sur la table. « ... j'en connais toutes les histoires par cœur.

– Faites-moi confiance, Pekkala. »

Le tsar ramassa le livre et le tapota doucement contre la poitrine de Pekkala.

Pekkala fixait le tsar sans comprendre.

« Très bien, Excellence. »

D'entendre le tsar divaguer ainsi, Pekkala sentit les larmes lui monter aux yeux. Il comprit qu'il n'y avait plus rien à faire.

« Quand dois-je partir ? demanda-t-il.

– Immédiatement ! »

Le tsar se dirigea vers la porte restée ouverte et pointa du doigt l'immensité du parc Alexandre, en direction du pavillon Lamskoï.

« Il est grand temps que vous vous installiez avec votre chère institutrice. Où est-elle, en ce moment ?

– À *Paris, Excellence.*

– *Savez-vous où elle se trouve exactement ?*

– *Non, mais je saurai la retrouver.*

– *Je n'en doute pas. Vous avez été formé pour cela, après tout. J'aimerais tant venir avec vous, Pekkala. »*

Ils savaient l'un comme l'autre à quel point c'était impossible.

« Maintenant partez, reprit le tsar. Pendant qu'il en est encore temps. »

N'ayant pas la force de résister, Pekkala s'élança à travers le parc. Avant de s'enfoncer dans les bois, il jeta un dernier regard à sa maisonnette.

Le tsar était toujours là-bas, à le regarder s'éloigner. Il leva une main en signe d'adieu.

À cet instant, Pekkala sentit mourir une part de son être, comme si les ténèbres s'étaient refermées sur lui.

« Tu pourrais simplement nous y emmener, insista Anton. Nous ne sommes pas obligés de tout prendre...

– Assez, l'interrompit Pekkala.

– Kirov n'a même pas besoin de le savoir.

– Assez ! »

Anton se tut.

Les ombres oscillaient dans la lumière vacillante de la flamme.

« Pour la dernière fois, Anton : je ne sais pas où il se trouve. »

Anton pivota sur ses talons et s'engagea dans l'escalier.

« Anton ! » s'écria Pekkala pour le faire revenir.

Mais Anton poursuivit son chemin.

Comprenant qu'il était inutile de le rattraper, Pekkala se replongea dans l'examen des douilles poussiéreuses posées dans le creux de sa main. Elles étaient toutes de calibre 7,62 mm et provenaient d'un Nagant M1895. Ce modèle de revolver avait un canon d'apparence malingre, une crosse en forme de banane et un chien massif, semblable à un pouce replié sur lui-même. Malgré son aspect un peu gauche, le Nagant était une véritable œuvre d'art, dont la beauté ne transparaissait que lorsqu'on s'en servait. Il tenait parfaitement en main, son équilibre était impeccable et, pour une arme de poing, il était d'une grande précision.

C'était la forme si particulière de ces douilles qui lui avait fourni l'identité du revolver. Dans la plupart des munitions, la balle proprement dite était fixée à l'extrémité de la douille, mais dans le cas du Nagant, la balle venait se nicher à l'intérieur même du cylindre de cuivre, de telle sorte qu'une poche de gaz se formait quand on tirait, décuplant la puissance du revolver. Ce qui offrait en outre au Nagant l'avantage de pouvoir être utilisé avec un silencieux. Le revolver équipé d'un silencieux était devenu l'arme de prédilection des assassins, et Pekkala avait souvent retrouvé des Nagant sur les lieux de crimes, abandonnés près des victimes, avec leur gros silencieux en forme de cigare vissé sur le canon.

Le fracas des détonations dans un espace aussi confiné avait dû être assourdissant, pensa Pekkala. Il essaya d'imaginer l'état de la pièce quand la fusillade avait enfin cessé. La fumée, le plâtre déchiqueté. La poussière absorbant le sang. « Quelle boucherie... », murmura-t-il.

Pekkala regagna le rez-de-chaussée et passa au crible le reste de la maison. D'autres éclats de balles étaient visibles dans la cage d'escalier, indiquant que les gardes n'étaient pas tombés sans combattre. L'étage, où les Romanov avaient résidé, comportait quatre chambres, deux grandes et deux petites, ainsi que deux bureaux. L'un de ces bureaux, dont les murs étaient recouverts d'un papier peint vert sombre, avec des étagères de livres, avait à l'évidence été occupé par un homme. L'autre, avec ses murs pêche, contenait un banc matelassé, sur lequel la femme de la maison aurait très bien pu s'asseoir pour regarder les gens qui passaient dans la rue. Le banc, renversé, gisait toujours sur le plancher. L'un de ses pieds avait volé en éclats sous l'impact d'une balle. Un miroir ovale était accroché au mur, de travers, et il ne restait plus sur son cadre qu'une dent de requin miroitante, tout le reste s'étant effondré sur le sol. Des toiles d'araignées étaient accrochées au lustre, au-dessus de sa tête. Des traces de blanc de chaux étaient encore visibles sur les vitres des fenêtres. Les blancs ont dû les nettoyer quand ils ont occupé les lieux, en conclut Pekkala.

Ayant visité toute la maison, Pekkala se planta sur le palier, suivant des yeux la ligne brillante comme du mercure de la rampe polie, jusqu'au rez-de-chaussée. Il essaya d'imaginer le tsar debout au même endroit. Il se rappela la manière dont il se figeait parfois au beau milieu d'une phrase, ou comment il remontait à grands pas les longs corridors du palais d'Hiver. Il restait alors totalement immobile, comme un homme qui aurait entendu au loin une musique, et s'efforcerait d'identifier le morceau. En descendant l'escalier, Pekkala se souvint de ses années au fond de la forêt, où il avait vu des cerfs, avec leurs bois pareils à des éclairs zébrés jaillissant du crâne, se figer de la même manière, attendant qu'un danger se précise.

À présent, les trois hommes étaient assis, épuisés et le regard vide, autour de la table de bois brut de la cuisine. Il n'y avait d'autre bruit que le raclement de leurs cuillers au fond des boîtes de conserve. Ils n'avaient ni assiettes ni fourchettes. Anton s'était contenté d'ouvrir une demi-douzaine de conserves de légumes et de rations de viande, et de les poser au milieu de la table. Dès qu'un homme n'en pouvait plus de manger des tranches de carottes, il reposait la boîte sur la table et empoignait une conserve de betterave râpée. Ils buvaient l'eau du puits de la cour, versée dans un vase au rebord ébréché qu'ils avaient trouvé par terre dans l'une des chambres, à l'étage.

Kirov fut le premier à craquer. Il repoussa de la main sa boîte de viande et se redressa contre le mur.

« Combien de temps encore me faudra-t-il supporter ça ? »

Il sortit de sa poche la pomme que Pekkala lui avait offerte. Il la posa délicatement sur la table. Le morceau de bois peint en rouge semblait briller de l'intérieur.

« Rien que de la regarder, ça me fait saliver », déclara Kirov.

Il replongea la main dans sa poche et en tira sa pipe.

« Pour arranger le tout, je suis presque à court de tabac...

– Voyons, Kirov, répliqua Anton. Qu'est-il arrivé à notre Petit Homme si joyeux ? »

Il prit sa propre blague à tabac ventrue, en cuir, et en examina le contenu. La senteur d'humus du tabac frais traversa la table.

« Ma propre réserve ne se porte pas trop mal...

– Vous m'en prêteriez ? implora Kirov.

– Vous n'avez qu'à en trouver vous-même... »

Anton inspira une bouffée d'air, prêt à continuer, mais sa phrase fut interrompue par un bruit, comme un caillou jeté sur la vitre.

Les trois hommes bondirent sur leurs pieds.

« Bon Dieu, qu'est-ce que c'était ? » s'écria Anton.

La pipe de Kirov tomba de sa bouche.

Le bruit se répéta, plus fort cette fois. Anton dégaina son revolver.

« Il y a quelqu'un à la porte », déclara Pekkala.

Le mystérieux visiteur avait jugé plus sûr de passer par-derrière, pour ne pas risquer d'être vu à l'avant de la maison.

Pekkala se dirigea vers la porte. Les deux autres attendaient près de la table.

Quand Pekkala réapparut, il était accompagné d'un vieil homme avec une grosse bedaine et une démarche chaloupée qui le faisait basculer comme le bras d'un métronome. De ses petits yeux noisette, il dévisagea Anton, suspicieux.

« Je vous présente Evgueny Maïakovsky », annonça Pekkala.

Le vieux les salua d'un hochement de tête.

« Il dit qu'il a des informations, poursuivit Pekkala.

– Je me souviens de vous, dit Anton.

– Moi aussi, je me souviens de vous. »

Maïakovsky fit demi-tour pour s'en aller.

« Je ferais sans doute mieux de partir, marmonna-t-il.

– Pas si vite. »

Anton dressa une main devant lui.

«Pourquoi ne restez-vous pas un peu? » Il tira une chaise et en tapota le siège. «Mettez-vous à l'aise.»

À contrecœur, Maïakovsky vint s'asseoir, des filets de sueur se formant déjà sur ses joues couperosées.

«Comment se fait-il que vous vous connaissiez? s'étonna Pekkala.

— Oh, il nous a déjà fait son petit cirque, expliqua Anton. Le jour où la Tcheka est arrivée en ville, il s'est pointé avec des informations à vendre. Il prétendait qu'il pourrait nous être utile...

— L'a-t-il été? demanda Kirov.

— Nous ne lui en avons pas laissé le temps, répliqua Anton.

— Ils m'ont cassé le nez, intervint Maïakovsky. Ce n'était pas très civilisé.

— Si vous cherchez la civilisation, rétorqua Anton, vous avez frappé à la mauvaise porte...

— Quand j'ai vu de la lumière ici, reprit Maïakovsky, je n'ai pas pensé que c'était vous...» Il repoussa sa chaise. «Je ne faisais que passer.

— Personne ne vous fera de mal, cette fois», le rassura Pekkala.

Maïakovsky le toisa du regard.

«Vraiment?

— Je vous en donne ma parole.

— J'ai quelque chose qui va vous intéresser», expliqua Maïakovsky en tapotant sur sa tempe un gros doigt boudiné.

«De quoi s'agit-il? interrogea Pekkala.

— Quand les blancs sont arrivés, ils ont mis en place une commission d'enquête. Ils ne croyaient pas que les Romanov avaient survécu. Tout ce qui leur importait, c'était de veiller à ce que les rouges endossent la responsabilité du crime. Ensuite, quand les rouges sont revenus, ils ont mené leur propre enquête. Comme les blancs, ils étaient persuadés que tous les Romanov avaient été assassinés. La différence, c'était que les rouges ne voulaient entendre qu'une chose : que les

gardes de la maison Ipatiev avaient agi de leur propre chef...
Visiblement, tout le monde voulait que les Romanov soient
morts, mais personne ne voulait être responsable de leur assassinat. Et puis, bien sûr, il y a ce qui s'est vraiment passé...

– C'est-à-dire ?... » demanda Pekkala.

Maïakovsky frappa délicatement ses mains l'une contre
l'autre.

« Eh bien, c'est justement cette partie-là que je comptais
vous vendre...

– Nous n'avons pas d'argent pour acheter des informations,
intervint Anton.

– Vous pourriez échanger..., rétorqua Maïakovsky, murmurant presque.

– Échanger quoi ? » s'exclama Kirov.

Maïakovsky se passa la langue sur les lèvres.

« C'est une bien belle pipe que vous fumez là...

– Quoi ? » Kirov se raidit brusquement. « Vous ne l'aurez
pas !

– Donnez-lui la pipe, ordonna Pekkala.

– Pardon ?

– Sûr, j'aimerais bien avoir cette pipe..., approuva
Maïakovsky.

– Eh bien, vous ne l'aurez pas ! hurla Kirov. Je dois déjà
dormir par terre. Vous ne pouvez pas en plus me demander de...

– Donnez-lui la pipe, répéta Pekkala. Et écoutons ce que cet
homme a à nous dire. »

Kirov s'en remit à Anton.

« Il ne peut pas me demander ça !

– Il vient de le faire, objecta Anton.

– Personne ne sait ce que je sais », avança Maïakovsky.

Le regard de Kirov se posa sur Anton, puis sur Pekkala.

« Salopards. » Les deux hommes le dévisageaient, impas-
sibles. « C'est absolument scandaleux ! » protesta Kirov.

Maïakovsky tendit la main pour réclamer la pipe.

Anton croisa les bras et éclata de rire lorsque Kirov la lui remit.

«Toi, passe-lui ton tabac», ajouta Pekkala, désignant du chef la blague de cuir, sur la table.

Le rire expira dans la gorge d'Anton.

«Mon tabac?

– Oui.»

Kirov donna un grand coup de poing sur le bois.

«Donnez-lui votre tabac.»

Le vieux Maïakovsky tendit la main et remua les doigts sous le nez d'Anton.

«J'espère que c'est du sérieux...» Anton ramassa la blague à tabac et la lança au vieux. «Sinon, je vais encore être obligé de vous arranger le portrait.»

Sous le regard impatient des trois hommes, Maïakovsky bourra la pipe et l'alluma avec une allumette poussiéreuse qu'il avait tirée de la poche de son gilet et raclée contre la semelle de sa chaussure. Il tira sur la pipe avec satisfaction pendant une longue minute. Alors, il se mit à parler.

«J'ai lu dans les journaux que les Romanov étaient morts.

– Tout le monde a lu ça! s'impatienta Kirov. Le monde entier l'a lu.

– Vous avez raison.» Maïakovsky hocha la tête. «Mais ce n'est pas la vérité.»

Anton ouvrit la bouche, bien décidé à le faire taire. Pekkala leva brusquement la main pour le rappeler à l'ordre. Anton se rassit au fond de sa chaise en râlant.

«Maïakovsky, reprit Pekkala, qu'est-ce qui vous fait penser qu'ils ne sont pas morts?

– J'ai tout vu! J'habite juste en face, de l'autre côté de la rue.

– Très bien. Racontez-nous donc ce qui s'est passé...

– La nuit où les Romanov ont été délivrés, un tas de gardes de la Tcheka ont débarqué en courant dans la cour de la maison

Ipatiev. Ils avaient deux camions dans la cour, les gardes se sont entassés dans un des deux et ils sont repartis aussitôt.

– Nous venions juste de recevoir un appel, expliqua Anton. Nous avions l'ordre d'installer un barrage routier. Les blancs étaient sur le point de passer à l'offensive. Du moins, c'est ce qu'on nous avait dit...

– Bref, quelques minutes à peine après le départ du camion, ce maudit idiot de Katamidze s'est présenté à la porte d'entrée de cette maison. C'est celui qu'ils ont enfermé à Vodovenko. Je ne suis pas surpris qu'il ait fini là-bas. Ah, ça se prend pour un artiste ! Eh bien, je l'ai vu, son art... Des femmes nues. Il y a un autre nom pour ça ! Et ses photographies coûtaient une fortune, en plus...

– Maïakovsky ! le coupa Pekkala. Que s'est-il passé quand le photographe est arrivé à la maison ?

– Les gardes l'ont laissé entrer et, quelques minutes après, un officier de la Tcheka a frappé à la porte. Les gardes l'ont fait entrer aussi. Et puis la fusillade a éclaté.

– Qu'est-ce que vous avez vu, à ce moment-là ?

– Une bataille rangée.

– Attendez un peu..., intervint Anton. Il y avait une grande palissade tout autour du bâtiment. Hormis la porte principale et l'entrée de la cour, toute la maison était cachée. Comment avez-vous pu voir quoi que ce soit ?

– Je vous l'ai déjà dit, j'habite juste en face, répliqua Maïakovsky. Il y a une lucarne, dans mon grenier. De là-haut, je pouvais voir par-dessus la palissade.

– Mais les fenêtres avaient été peintes, insista Anton. On les avait même condamnées à la colle.

– J'ai vu les éclairs des coups de feu se déplacer d'une salle à l'autre. Quand la fusillade a cessé, la porte d'entrée s'est ouverte brusquement, et j'ai vu Katamidze se sauver en courant. Il a disparu dans la nuit...

– Pensez-vous que Katamidze était impliqué dans cette bataille ? » demanda Pekkala.

Maïakovsky éclata de rire.

« Si vous donniez un revolver à Katamidze, il ne saurait même pas de quel côté sortent les balles. Il ne se serait jamais approché d'un flingue, sauf peut-être pour le prendre en photo. Si vous le croyez assez courageux pour attaquer la maison Ipatiev et délivrer le tsar, c'est que vous ne le connaissez pas...

– Que s'est-il passé ensuite ?

– Vingt minutes plus tard, à peu près, le deuxième camion de la Tcheka a quitté la cour et il est parti à l'opposé du premier. C'étaient les Romanov. Ils prenaient la fuite, avec l'homme qui était venu les délivrer. Juste après, le premier camion est revenu. Ceux de la Tcheka ont compris qu'ils s'étaient fait berner... Alors, ç'a été la pagaille monstre ! Les gardes avaient été tués. J'ai entendu un des hommes crier que les Romanov s'étaient échappés...

– Comment savez-vous que les gardes ont été tués ? s'étonna Pekkala.

– J'ai vu leurs cadavres quand on les a déposés dans la cour, le lendemain. Je n'ai pas vu les corps des Romanov. C'est comme ça que j'ai compris qu'ils s'étaient échappés. Voilà la vérité, contrairement à ce que racontent les journaux. »

Pendant un long moment, un grand silence s'abattit sur la pièce, rompu seulement par les sifflements étouffés de Maïakovsky qui tirait sur sa pipe.

« L'homme qui s'est présenté à la porte..., intervint Kirov. Vous avez pu voir son visage ? »

Pekkala lui lança un regard furieux.

Le visage de Kirov rougit subitement. « Ce que je voulais dire, c'est... »

Anton l'interrompit. « Oui, que vouliez-vous dire au juste, Petit Homme ? Je n'avais pas compris que vous dirigiez l'enquête, à présent... »

Maïakovsky suivait des yeux l'échange, comme un spectateur de tennis.

« C'est bon... » Pekkala hocha la tête en direction de Kirov. « Continuez. »

Anton leva les bras au ciel.

« Là, nous progressons vraiment... »

Kirov s'éclaircit la voix.

« Pourriez-vous nous décrire cet homme, Maïakovsky ?

– Il me tournait le dos. Il faisait nuit. »

Maïakovsky dégagea un morceau de nourriture coincé entre deux dents.

« Je ne sais pas qui c'était. Mais je vais vous dire qui, à en croire ce qu'ils disent, a délivré le tsar.

– Qui ça, "ils" ? interrogea Pekkala.

– Ils ! » Maïakovsky haussa les épaules. « Ils n'ont pas vraiment de nom. Ils ont des voix. Chacun la sienne. Ils se réunissent tous ensemble, et c'est comme ça qu'on sait ce qu'ils disent.

– Très bien, répondit Kirov. Et ils disent que c'est qui ?

– Un homme célèbre. Un homme que j'aurais aimé rencontrer.

– Et de qui s'agit-il, au juste ?

– L'inspecteur Pekkala, répondit Maïakovsky. L'Œil d'Émeraude en personne. »

Les trois hommes, qui s'étaient penchés pour l'écouter, se redressèrent alors sur leurs chaises en laissant échapper un soupir.

« Qu'est-ce qu'il y a ? s'étonna Maïakovsky.

– Ce qu'il y a, rétorqua Kirov, c'est que l'Œil d'Émeraude est assis juste en face de vous... »

Il fit un geste vague en direction de Pekkala.

Maïakovsky ôta la pipe de sa bouche et en pointa la tige vers Pekkala.

« Eh bien, vous êtes vraiment partout... »

Moins de vingt-quatre heures après avoir fait ses adieux au tsar, Pekkala fut arrêté par un détachement de la police ferroviaire de la garde rouge, dans la minuscule gare de Vainikkala. La situation aux abords de la frontière demeurait extrêmement confuse. Certaines gares étaient tenues par les Finlandais, tandis que d'autres, pourtant situées plus à l'ouest, avaient été placées sous contrôle russe. Vainikkala en faisait partie.

C'est en pleine nuit que les gardes rouges étaient montés à bord du train. Leurs uniformes étaient taillés dans une laine noire et grossière, avec un col rouge cerise, et ils portaient sur le bras droit un brassard rouge improvisé, sur lequel on avait tracé l'emblème du marteau et de la charrue, qui céderait bientôt la place au marteau et à la faucille symbolisant l'Union soviétique. Les soldats portaient des chapeaux noirs à bord court, assortis à leurs uniformes, avec une grosse étoile rouge cousue sur le devant.

Les faux papiers de Pekkala l'identifiaient comme obstétricien. Ils avaient été imprimés pour lui par les services de l'Okhrana depuis un certain temps déjà, sur ordre du tsar. Il n'avait appris leur existence que deux jours auparavant, quand le souverain était venu le voir pour lui ordonner de quitter le pays. Les documents étaient parfaits, avec les photographies et les timbres réglementaires, et des signatures manuscrites sur les différents sauf-conduits. Ils ne furent pas la raison de son arrestation.

Sibérie, 1929

Pekkala commit l'erreur de lever la tête et de regarder dans les yeux l'un des trois gardes qui remontaient l'étroite allée du wagon. La neige était en train de fondre sur leurs épaules, et des perles de condensation se formaient sur leurs armes. Celui qui marchait en tête s'était pris le pied dans la poignée d'un sac enfoncé sous un siège, trois rangées devant Pekkala. Il trébucha et posa un genou à terre, jurant à pleins poumons. Les passagers du wagon tressaillirent sous le torrent d'obscénités. Le garde releva brusquement la tête, furieux, honteux d'être tombé. La première personne qu'il vit fut Pekkala, qui eut le malheur, à cet instant précis, de croiser son regard.

« Venez », marmonna le garde en le forçant à se lever.

La première bouffée d'air froid que respira Pekkala en descendant du train lui donna l'impression d'avoir du poivre plein les bronches.

Une douzaine de personnes, des hommes pour la plupart mais aussi quelques femmes, avaient été forcées de descendre du train. Ils se tenaient sur le quai, blottis les uns contre les autres. Le nom de la gare était à peine visible sous sa couche de givre pareille à un bloc de corail. La locomotive piaffait et s'ébrouait, prête à repartir à l'assaut de la nuit, en direction d'Helsinki.

Pekkala évalua mentalement la situation. Il savait que ces hommes n'étaient probablement que d'anciens soldats, pas le genre de professionnels capables de confectionner des faux papiers, ou sachant quelles questions poser pour confondre un homme qui n'était pas celui qu'il prétendait. La moindre question bien choisie au sujet de l'obstétrique aurait suffi à faire tomber son masque. Il n'avait pas eu le temps de se documenter sur sa nouvelle profession.

Pekkala portait son Webley, l'étui plaqué contre la poitrine. Il aurait facilement pu abattre l'unique homme qui les surveillait et s'enfuir dans l'obscurité pendant que les autres gardes continuaient leur visite du train. Mais un seul coup d'œil à la forêt épaisse et couverte de neige qui encerclait la gare lui fit comprendre qu'il n'irait pas bien loin. Même s'ils ne parvenaient pas à le reprendre, il mourrait certainement de froid. Il n'y avait rien à faire, hormis espérer que les gardes avaient satisfait leur curiosité et leur besoin de se sentir importants. Alors, tout le monde pourrait gentiment remonter dans le train.

Son plan était de rendre visite à ses parents, puis de continuer via Stockholm jusqu'à Copenhague. De là, il descendrait vers Paris, où il partirait à la recherche d'Ilya.

Les autres gardes redescendirent du train. Les passagers restés à bord dégageaient des ronds dans la buée des vitres, pour observer la scène.

Le garde qui avait trébuché passa en revue les détenus, examinant leurs papiers. Il était trop grand pour sa veste, dont les manches s'arrêtaient bien au-dessus des poignets. Une cigarette allumée était calée au coin de ses lèvres, et quand il parlait, on aurait dit que les nerfs de son visage étaient endommagés.

« Très bien, déclara-t-il à l'un des hommes. Vous pouvez y aller. »

L'homme courut jusqu'au train, sans même se retourner.

Deux femmes qui se trouvaient avant Pekkala, et que l'on n'avait pas autorisées à remonter, sanglotaient dans la lumière éblouissante des projecteurs du quai. La neige avait commencé à tomber, et les ombres immenses des flocons traversaient le quai gelé tels des nuages sombres.

Le garde arriva à la hauteur de Pekkala.

« Docteur, remarqua-t-il.

— Oui, monsieur, répondit Pekkala, en gardant la tête basse.

— Comment s'appelle cet os ? » interrogea l'homme.

Alors, Pekkala sut qu'il était pris au piège. Non pas qu'il fût incapable de nommer les os du corps humain. Grâce à la formation qu'il avait suivie auprès de Bandelaïev, et aux années passées à regarder le tableau des parties du corps humain qui était accroché dans la chambre mortuaire de son père, les os n'avaient guère de secrets pour lui. La raison pour laquelle il se savait piégé, c'est que s'il venait à croiser le regard du garde, il n'y avait aucune chance qu'on le laisse repartir. Exactement comme s'il s'était trouvé face à un chien. Pour le garde, c'était devenu un jeu.

« Cet os-là », insista l'homme en claquant des doigts pour attirer son attention.

Pekkala contemplait ses pieds. Des flocons de neige se posaient sur ses bottes.

Le train poussa un sifflement impatient.

Une bouffée de cigarette lui balaya le visage.

« Réponds-moi, abruti », grommela le garde.

Alors Pekkala n'eut pas d'autre choix que de relever la tête.

Le garde lui sourit, la cigarette presque entièrement consumée, de telle sorte que la braise lui frôlait les lèvres. Il leva la main, agitant les doigts en une parodie d'au revoir.

Leurs regards se croisèrent.

Quand le train repartit, seuls Pekkala et l'une des femmes restèrent sur le quai. Pekkala était menotté à un banc. Les gardes traînèrent la femme jusqu'à la salle d'attente attenante au hall de la gare.

Pekkala l'entendit crier.

Une demi-heure plus tard, la femme prit la fuite, nue, sur le quai.

La neige avait cessé de tomber. Une lune pleine brillait à travers des lambeaux mouvants de nuages. Les flocons ne fondaient plus sur le manteau de Pekkala. Au contraire, ils se coagulaient sur lui comme une fourrure d'ours blanc. Il ne sentait plus ses mains. Le métal des menottes était si froid qu'il semblait lui brûler la peau. Ses orteils étaient devenus aussi durs que des balles clouées dans la chair tendre de ses pieds.

La femme atteignit le rebord du quai. Ses pieds dérapaient sur la neige fondue. L'espace d'un instant, elle se tourna vers Pekkala. Son visage se tordait dans la même expression de terreur qu'il avait surprise un jour dans les yeux d'un vieux cheval effondré au bord de la route. Son propriétaire avait sorti son long poignard puukko *et s'apprêtait à lui trancher la gorge. Assis près de l'animal, il aiguisait sa lame sur la petite pierre posée sur ses genoux. Le cheval ne le quittait pas du regard, les yeux dévorés par la peur.*

La femme sauta du quai et tomba lourdement sur les rails, un mètre en contrebas. Puis elle se redressa et se mit à courir le long de la voie, en direction d'Helsinki.

Les gardes ressortirent sur le quai d'un pas traînant. L'un d'eux tamponnait des doigts sa lèvre ensanglantée. Ils inspectaient les alentours en riant, embarrassés.

« Hé ! » L'un des gardes donna un coup de pied dans la jambe de Pekkala. « Où est-elle passée ? »

Avant qu'il n'ait pu répondre, le meneur des gardes repéra la femme. Elle courait toujours. Son dos blanc étincelait sous la lune comme un bloc d'albâtre. Des bouffées d'air soyeuses voletaient au-dessus de son crâne.

Le garde dégaina un revolver. C'était un Mauser « Broomhandle », calibre 9 mm, dont l'étui de bois pouvait se convertir en crosse, transformant ainsi le revolver en fusil. Le garde décrocha l'étui et le fixa à la base du revolver. Puis il cala la crosse au creux de son épaule et dirigea son canon vers la femme, sur les rails. L'arme laissa échapper un claquement sec. Une douille sauta en l'air et ricocha sur le quai, tournoyant comme une toupie avant de s'immobiliser contre le pied de Pekkala. La bouche du cylindre relâcha une volute de fumée.

Les autres gardes s'étaient massés au bord du quai, scrutant l'obscurité.

« Elle court toujours », déclara l'un d'eux.

Le meneur du détachement la mit en joue une seconde fois et appuya sur la détente. L'odeur âcre de la cordite envahit l'air glacial.

« Raté », commenta un garde.

Le meneur se tourna vers lui. « Alors laissez-moi de l'espace ! »

Les autres se trouvaient à plus de trois pas de lui, mais ils lui obéirent et reculèrent maladroitement.

En se penchant, Pekkala distinguait vaguement la femme, qui courait toujours, le corps scintillant entre les rails comme la flamme d'une bougie.

Le meneur épaula de nouveau son arme et tira deux balles, coup sur coup. La flamme qu'avait été la femme sembla vaciller un instant, avant de s'éteindre. Le meneur posa le bout de la crosse au creux de son coude, pointant le canon vers le ciel.

« On va la chercher ? demanda l'un des gardes.

– Laissez-la geler, rétorqua le chef. Au matin, elle ne sera plus là.

– Comment ça ?

– Il y a un autre train qui passe, avant l'aube. Quand il lui roulera dessus, elle se fracassera comme un morceau de verre. »

Le lendemain matin, un garde enfonça un sac de tissu noir sur la tête de Pekkala. Quand le train en provenance d'Helsinki arriva, on le poussa à travers le quai, aveugle et suffoquant. Des mains calleuses le hissèrent à bord, et il voyagea à même le sol dans le froid du compartiment à bagages, menotté à un moteur de tracteur, jusqu'à la gare de Petrograd.

Pekkala raccompagna Maïakovsky jusqu'à la porte.

« Et si les Romanov se trouvaient dans ce camion ?... »

Maïakovsky se retourna sur le seuil.

« Je vous l'ai dit : ils s'y trouvaient.

– Mais s'ils étaient morts quand le camion les a emportés ?

– Écoutez. Tout le monde ici savait que quand les hommes de la Tcheka sont arrivés, la seule raison de leur présence était de s'assurer que les Romanov seraient bien morts avant que les blancs n'entrent dans la ville. C'est pour cela qu'ils ont renvoyé les miliciens locaux qui surveillaient la maison Ipatiev. Moscou voulait être absolument certain que si les blancs approchaient, la Tcheka procéderait comme prévu à leur exécution, au lieu de s'enfuir – ce que les miliciens auraient sans doute fait. Si une personne de l'extérieur voulait que les Romanov soient tués, elle n'avait qu'à attendre que les blancs se pointent. Une personne pénétrant de force dans cette maison et risquant sa vie dans une fusillade avec ses gardes était forcément quelqu'un qui voulait sauver la famille du tsar, et non pas la tuer. »

Après le départ de Maïakovsky, les trois hommes se rassirent autour de la table.

« Pourquoi l'avez-vous laissé continuer, demanda Kirov, alors que vous saviez que ce qu'il racontait n'était qu'un tissu de mensonges ?

– Pour une fois, renchérit Anton, je partage l'avis du Petit Homme. Et le pire, c'est qu'il s'en est tiré indemne...

– Maïakovsky ne pensait pas mentir, rétorqua Pekkala. Il était convaincu que la seule raison pour laquelle toi et les autres agents de la Tcheka aviez remplacé la milice, c'était de pouvoir assassiner la famille.

– Nous avons remplacé les miliciens, répliqua Anton, parce qu'ils volaient les Romanov. Le tsar était gardé par une bande de petits délinquants ! Ce n'était pas très professionnel. On ne pouvait plus leur faire confiance pour quoi que ce soit.

– Mais tu comprends bien à quel point votre arrivée pouvait paraître suspecte, de l'extérieur. C'est pour cela que Maïakovsky croyait dur comme fer à ce qu'il racontait. Il est important de savoir comment les gens ont pu percevoir un crime, même si l'on sait que ce n'est pas la vérité.

– Que ce soit vrai ou pas... »

Anton ramassa la pomme de bois et la lança à Pekkala.

« Tu parles comme ceux qui nous ont donné ça.

– À la différence près, objecta Pekkala, que nous sommes ici pour résoudre un crime, pas pour le commettre. »

Anton leva les bras au ciel.

« Eh bien vas-y, mène cette enquête comme bon te semble ! Moi, je vais à la taverne voir s'ils veulent bien me donner un peu de tabac, puisque c'est ma seule chance d'en trouver... »

Il sortit en claquant la porte.

Kirov et Pekkala retournèrent au séjour et allumèrent un feu. Ils allèrent chercher les chaises de la cuisine et s'assirent devant le foyer, mains tendues vers les flammes, des couvertures sur les épaules.

De la poche de son manteau, Pekkala sortit le vieux livre qu'il avait emporté. Tandis qu'il lisait, l'expression de son visage se fit lointaine. Ses traits se défroissèrent.

« Qu'est-ce que c'est ? demanda Kirov.

– Le *Kalevala*, murmura Pekkala, tout en poursuivant sa lecture.

– Le quoi ? »

Pekkala grommela et posa le livre sur ses genoux.

« C'est un recueil d'histoires, expliqua-t-il.

– Quel genre d'histoires ?

– Des légendes.

– Je ne connais aucune légende, répliqua Kirov.

– C'est comme les histoires de fantômes. On n'est pas forcé d'y croire, mais on ne peut pas s'empêcher de penser qu'elles contiennent une part de vérité.

– Vous croyez aux fantômes, Pekkala ?

– Pourquoi me demandez-vous cela, Kirov ?

– Parce que je viens juste d'en voir un. »

Pekkala se raidit sur sa chaise.

« Quoi ? »

Kirov haussa les épaules, embarrassé.

« Pendant que j'allumais le feu, quelqu'un a regardé par la fenêtre. »

Il pointa du doigt les rideaux dans un coin de la pièce, près de la cheminée. De l'endroit où étaient assis les deux hommes, on apercevait un petit bout de vitre qui n'était pas occulté par le velours. À travers, on voyait la rue. Les silhouettes des branches d'arbres s'agitaient comme d'étranges créatures aquatiques à la lueur de la lune.

« Probablement un ivrogne qui rentrait de la taverne et qui a voulu voir pourquoi il y avait de la lumière ici, commenta Pekkala. Les gens sont curieux par nature. »

Visiblement gêné, Kirov grattait ses joues rougissantes.

« C'est juste que... bon... ça peut paraître...

– Eh bien, Kirov ? Crachez le morceau, que je puisse me remettre à lire.

– C'est juste que j'aurais juré que l'homme qui regardait par la fenêtre était le tsar. Cette barbe... ces yeux tristes. Je n'ai vu que des photographies, bien sûr. Et puis il faisait noir. » Il souffla lentement. « Ce n'était peut-être que mon imagination... »

Pekkala bondit sur ses pieds et traversa la pièce. Il ouvrit la porte d'entrée de la maison. La brise nocturne pénétra en le frôlant, remplaçant l'air confiné qui s'était accumulé dans la maison Ipatiev. Pendant un long moment, il resta planté là, scrutant les volets fermés des maisons, de l'autre côté de la rue, guettant le moindre signe qui aurait pu trahir une présence étrangère. Pekkala ne vit personne, mais il avait la sensation que quelqu'un l'observait.

Quand Pekkala finit par rentrer dans la salle de séjour, il trouva Kirov accroupi devant le feu, en train d'y jeter les morceaux d'une chaise brisée.

Pekkala vint se rasseoir.

Les flammes crachotaient en dévorant les éclats de bois.

«Je vous l'avais dit, déclara Kirov. C'était peut-être mon imagination.

– Peut-être», répondit Pekkala.

Pekkala se redressa brusquement sur sa chaise, secouant le voile de sommeil qui enveloppait son esprit. Un fracas de verre brisé l'avait réveillé. Anton n'était pas là. Sa couverture était toujours pliée sur le rebord de la cheminée.

Kirov était déjà debout, cheveux ébouriffés. «Ça venait de par là...», déclara-t-il en désignant la cuisine. Puis il se dirigea vers l'autre pièce et alluma une lanterne.

Pekkala repoussa sa couverture et se frotta le visage. Ce n'est sans doute qu'Anton, pensa-t-il. Il s'est retrouvé enfermé dehors et a brisé une vitre pour rentrer.

«Maudits gosses!» s'écria Kirov.

Pekkala se leva. Il sortit le Webley de son étui, au cas où. Les jambes raides, il se traîna jusqu'à la cuisine. La première chose qu'il vit, ce fut la fenêtre cassée au-dessus de l'évier. Des éclats de verre étaient éparpillés sur le sol.

Kirov colla son visage à la vitre brisée.

«Allez! hurla-t-il dans la nuit. Dégagez!

– Qu'est-ce qu'ils ont lancé? demanda Pekkala.

– Un morceau de pied de table», répondit Kirov.

Le souffle de Pekkala resta coincé au fond de sa gorge. Dans la main de Kirov se trouvait une grenade à manche allemande ; un cylindre métallique peint en gris, comme une petite boîte de soupe, fixé sur un bâton de bois un peu plus court qu'un avant-bras, qui permettait de lancer plus loin.

« Quoi ? » s'exclama Kirov. Son regard se posa sur Pekkala, puis sur le bâton dans sa main. Soudain, il comprit. « Oh, mon Dieu », murmura-t-il.

Pekkala lui arracha la grenade des mains et la jeta par la fenêtre, brisant un autre carreau. Puis il empoigna Kirov par la chemise et le força à se coucher. La grenade cliqueta dans la cour. Des éclats de verre tintèrent mélodiquement sur les pavés. Pekkala se couvrit les oreilles de ses mains, bouche ouverte pour égaliser la pression, attendant le rugissement de l'explosion. Il savait que si les hommes dehors étaient des professionnels, ils se rueraient dans la maison juste après la déflagration. Pekkala se serra contre le mur, pour éviter d'être blessé quand les fenêtres et la porte exploseraient. Ces grenades avaient un retardateur de sept secondes. C'est Vassiliev lui-même qui le lui avait appris. Il attendit, comptant les secondes, mais il n'y eut pas d'explosion. Une fois assuré que la grenade avait fait long feu, Pekkala se releva et jeta un coup d'œil à l'extérieur. La lune faisait miroiter les éclats de verre et le pare-brise de l'Emka, divisant la cour en formes géométriques de lumière bleuâtre et en ombres noires anguleuses, parfaitement ciselées.

Il poussa Kirov du bout de l'orteil.

« Allons-y », ordonna-t-il.

Prudemment, les deux hommes sortirent dans la cour. Les étoiles scintillaient dans le ciel. Le portail était ouvert. Ils l'avaient fermé avant d'aller se coucher.

« Devrions-nous les poursuivre ? » demanda Kirov.

Pekkala secoua la tête.

« Quand ils comprendront que la grenade n'a pas explosé, ils risquent de revenir. Il est plus sûr de les attendre ici. »

Tandis que Kirov rentrait chercher son arme, Pekkala repéra la grenade, au pied de la remise. En s'approchant, il aperçut par terre, près de l'engin, ce qui ressemblait à un petit bouton blanc. En y regardant de plus près, il se rendit compte que le bouton était en fait une petite bille, avec un trou percé au milieu. On avait passé un fil dans cette bille, dont l'autre extrémité disparaissait dans le manche creux de la grenade. Le dispositif avait dû être recouvert d'un couvercle métallique, qui avait été dévissé avant que la grenade ne soit lancée. Cette bille de porcelaine et le fil étaient disposés à l'intérieur du manche, et il fallait tirer dessus pour actionner le détonateur. Celui qui avait lancé la grenade avait dévissé le bouchon, mais omis d'actionner le cordon.

« Ce n'était peut-être qu'un avertissement », suggéra Kirov, quand Pekkala lui eut expliqué pourquoi la grenade n'avait pas sauté.

Pekkala soupesa l'engin, frappant doucement le détonateur métallique sur la paume de sa main.

Tandis que Kirov montait la garde dans l'entrée de la maison, Pekkala resta dans la cuisine. Lumières éteintes, il était assis avec le Webley et la grenade posés devant lui. De minuscules débris de verre étaient éparpillés sur la table. À travers les vitres brisées, il scruta l'obscurité jusqu'à ce que ses yeux commencent à fatiguer, et que les ombres se mettent à danser devant lui comme pour le narguer.

Anton rentra à l'aube. Il se rendit aussitôt à la pompe de la cour, dont la manivelle aux courbes gracieuses portait une vieille couche de peinture rouge, couleur baie de houx. Aux endroits où la peinture avait été enlevée, on apercevait le métal oxydé. Quand Anton actionna la pompe, un grincement de métal résonna dans l'air, aussi aigu qu'un cri d'oiseau. Quelques secondes plus tard, une explosion sans forme, argentée, jaillit de la bouche de la pompe, et Anton pencha son visage sous le flot. Quand il releva la tête, un plumet d'argent se courba par-dessus son épaule. De ses deux mains, il lissa ses cheveux vers l'arrière, les yeux clos, bouche ouverte, le menton dégoulinant.

À cet instant, Pekkala se rendit compte qu'il avait déjà vu cette pompe. C'était sur une photographie, dans un numéro du journal *Pravda* qu'on lui avait laissé avec ses rations pour l'hiver, au bout de la piste forestière de Krasnagolyana. Le tsar et son fils Alexeï coupaient du bois avec une grande scie passe-partout, dont chacun tenait une extrémité. On apercevait sur le côté un tas de bûches. La pompe se trouvait en arrière-plan. Le cliché avait été pris durant la captivité des Romanov en ces lieux. Le tsar portait une veste militaire toute simple, semblable sans doute à celle de ses geôliers. Alexeï était engoncé dans un épais manteau et une toque de fourrure, emmitouflé contre un froid glacial auquel son père semblait insensible. Quand Pekkala avait découvert ce cliché, le journal datait de si longtemps que le tsar était déjà mort depuis plus d'une année.

Pekkala repensa au visage que Kirov avait entrevu à la fenêtre. Après tout, pensa-t-il, peut-être cet endroit est-il vraiment hanté.

Anton entra dans la cuisine. Ses yeux étaient injectés de sang, et leur blanc avait tourné au jaune maladif. Il avait une ecchymose sur la joue, d'un violet presque noir à l'endroit où la pommette pressait la peau.

«Que t'est-il arrivé ? demanda Pekkala.

– Disons que Maïakovsky n'est pas le seul en ville à se souvenir de moi...

– Nous avons eu un autre visiteur, cette nuit», poursuivit Pekkala.

Il posa la grenade sur la table. Anton poussa un sifflement étouffé et s'approcha pour l'examiner.

«Elle a fait long feu ?

– Ils n'ont pas tiré le cordon.

– Ce n'est pas le genre de chose qu'on oublie par erreur...

– Alors c'était une mise en garde, conclut Pekkala. Et la prochaine fois, nous n'aurons pas autant de chance.

– Je dois présenter mes papiers au commissariat avant que tu puisses officiellement commencer ton enquête, ajouta

Anton. Tu n'as qu'à m'accompagner, on verra s'ils savent quelque chose. »

Alexandre Kropotkine, chef de la police de Sverdlovsk, était un homme trapu, large d'épaules, dont le visage épais était surmonté d'une chevelure blonde dont il rabattait les mèches sur son front.

Tandis que Pekkala et Anton patientaient debout, Kropotkine était assis derrière son bureau à feuilleter les documents qu'Anton lui avait présentés. Il parcourut la dernière page, plissa les yeux en découvrant la signature et jeta les papiers sur le bureau.

« Pourquoi prenez-vous cette peine ? demanda-t-il.

– Que voulez-vous dire ? » s'étonna Anton.

Kropotkine tapota les ordres de son gros index.

« Le camarade Staline a signé ces papiers. Vous pouvez faire tout ce qui vous chante. Vous n'avez pas besoin de ma permission.

– C'est une question de courtoisie », répondit Anton.

Kropotkine se redressa sur sa chaise, posant les avant-bras sur le bureau. Ses yeux se fixèrent sur Pekkala.

« L'Œil d'Émeraude. J'avais entendu dire que vous étiez mort.

– Vous n'êtes pas le seul.

– J'ai également entendu dire qu'on ne pouvait pas vous acheter, et vous voilà ici, à travailler pour eux... » Il désigna Anton d'un geste du menton.

« On ne m'a pas acheté, répliqua Pekkala.

– Corrompu, alors. Ou menacé. Peu importe. Quelle qu'en soit la raison, vous travaillez pour eux, maintenant. »

Ces mots le touchèrent en plein cœur, mais Pekkala préféra ne pas répondre. L'attention de Kropotkine se reporta alors sur Anton.

« Votre tête m'est familière... Vous faisiez partie des gardes de la Tcheka, n'est-ce pas ?

– Peut-être, rétorqua Anton.

– Il n'y a pas de peut-être. Je n'oublie jamais un visage, et je vous ai vu à la taverne tout le temps que vous étiez ici. Combien de fois ai-je vu des hommes de la Tcheka venir vous chercher quand vous étiez trop soûl pour marcher ? À en juger d'après votre tête, soit vous avez des ecchymoses chroniques, soit vous n'avez pas perdu de temps pour reprendre vos vieilles habitudes... Et maintenant vous venez dans mon bureau me parler de courtoisie ? Allez au diable, messieurs. Ça vous va, comme courtoisie ?

– Pourquoi montez-vous sur vos grands chevaux ? demanda Anton.

– Vous voulez le savoir ? Très bien, je vais vous le dire. Cette ville était un bel endroit tranquille jusqu'à ce que vous et les vôtres ameniez les Romanov ici. Depuis ce jour, rien n'a plus jamais été comme avant. » Il esquissa un revolver avec son pouce et son index et se le colla sur la tempe. « Mort. Exécution. Meurtre. Faites votre choix... Chaque fois que les choses commencent à se calmer, l'un d'entre vous débarque et remet le feu aux poudres... Personne ne veut de vous ici, mais je ne peux pas vous mettre dehors. » Il indiqua la porte d'un geste du menton. « Alors faites votre boulot et fichez-nous la paix. »

Pekkala sortit la grenade de la grande poche intérieure de son manteau et la posa sur le bureau. Kropotkine contempla l'engin.

« C'est quoi, ça ? Un cadeau ?

– Quelqu'un l'a lancée à travers notre fenêtre, cette nuit, répliqua Pekkala. Mais il a oublié de tirer la ficelle.

– Elle est allemande », précisa Anton.

Kropotkine tendit le bras pour empoigner la grenade.

« Non, elle est autrichienne. Les grenades à manche allemandes avaient des fixations sur le cylindre pour qu'on les accroche à la ceinture. Juste là. » Il tapota du doigt la boîte de soupe grise qui contenait les explosifs. « Et les autrichiennes n'en avaient pas.

– Vous avez fait la guerre ? interrogea Pekkala.

– Oui. Et à force de recevoir ce genre de machins sur la tête, on apprend à bien les connaître.

– Nous espérions que vous sauriez nous dire d'où elle vient...

– Les blancs utilisaient ce modèle, répondit Kropotkine. La plupart des hommes qui ont attaqué Sverdlovsk avaient fait partie de l'armée autrichienne avant de rallier notre camp. Bon nombre d'entre eux se servaient encore d'équipements autrichiens...

– Vous pensez qu'il pourrait s'agir de quelqu'un qui s'est battu du côté des blancs ? » demanda Pekkala.

Kropotkine fit non de la tête.

« L'homme qui vous a lancé ça n'était pas avec les blancs.

– Alors vous ne savez pas qui a pu la lancer ? »

Les yeux de Kropotkine se plissèrent.

« Oh, je sais exactement qui vous l'a lancée. Il n'y a qu'un seul homme à la fois assez cinglé pour vous jeter un de ces trucs, et assez stupide pour oublier d'actionner le cordon. Il s'appelle Nekrasov. Il faisait partie des miliciens qui gardaient les Romanov quand la Tcheka a débarqué et l'a jeté dehors. Je présume qu'il a la rancune tenace. Dès qu'il a vu de la lumière dans la maison Ipatiev, il a dû deviner que vous étiez revenus...

– Mais pourquoi aurait-il fait ça ?

– Vous feriez mieux de le lui demander vous-mêmes. »

Kropotkine attrapa son stylo et griffonna une adresse sur un bloc-notes, déchira la feuille et la leur tendit.

« Vous le trouverez là. »

Anton lui arracha la feuille des mains.

« Ne le prenez pas mal, ajouta Kropotkine en éclatant de rire. Il essaie de tuer tout le monde. Simplement, il n'est pas très doué pour ça. Si Nekrasov ne vous avait pas jeté au moins une bombe avant que vous ne repartiez, ça n'aurait pas valu la peine de venir... »

Quand ils ressortirent dans la rue, Anton commenta : « Au moins, je ne suis pas la seule personne que tout le monde déteste, dans le coin », avant d'ajouter : « Veux-tu que je t'accompagne chez Nekrasov ?

– Je m'en sortirai tout seul, répondit Pekkala. Tu as l'air d'avoir besoin de sommeil. »

Anton acquiesça du chef, les yeux éblouis par le soleil matinal.

« Je ne dirai pas le contraire. »

La porte s'entrouvrit. De la pénombre, à l'intérieur de la maison, un homme dévisageait Pekkala.

« Que voulez-vous ?

– Nekrasov ? »

La porte s'ouvrit en grand, dévoilant un individu aux cheveux gris et ondulés, avec une barbe de deux jours.

« Qui le demande ?

– Je m'appelle Pekkala. »

Sur ces mots, il frappa Nekrasov en pleine mâchoire.

Quand Nekrasov se réveilla, il était allongé dans une brouette, les mains attachées à la roue, dans son dos. Pekkala était assis sur une caisse de bois vert sombre, avec des poignées en corde, portant l'aigle à deux têtes des Habsbourg, symbole de l'armée austro-hongroise. Au-dessous, en lettres jaunes, on lisait les mots *Granaten* et *Achtung-Explosiven*.

Nekrasov vivait dans une minuscule chaumière, derrière une palissade blanche. À l'intérieur, le plafond était si bas que Pekkala avait été obligé de se courber et de slalomer entre les bouquets séchés de sauge, de romarin et de basilic suspendus aux poutres. Il les repoussa de la main, et des parfums aromatiques se répandirent dans l'air.

Les mains crochetées sous les aisselles de Nekrasov, Pekkala l'avait traîné à travers une pièce où un banc à l'ancienne était posé contre le mur – de ceux qui avaient jadis servi de lits dans ces maisonnettes sans étage. Une couverture bleue et un oreiller rouge crasseux étaient soigneusement pliés sur le banc, indiquant que ce dernier remplissait encore sa fonction originelle. Au pied, Pekkala avait trouvé la caisse de grenades, qui contenait encore dix-sept de ses trente engins, enveloppés chacun d'une feuille brune de papier paraffiné. Quand il souleva le couvercle, l'odeur de pâte d'amandes des explosifs lui sauta au visage.

Dans le petit jardin, Pekkala découvrit une véritable jungle de haricots d'Espagne, de tomates et de courges. Le seul espace dégagé était une allée traversant le milieu du jardin, et qui était juste assez large pour laisser passer une brouette.

Il avait plu toute la nuit et, à présent, la chaleur du soleil décapait l'humidité. L'air était lourd dans les poumons de Pekkala. En attendant que Nekrasov reprenne ses esprits, il s'était préparé un sandwich au fromage dans la cuisine, dont il était en train de faire son petit déjeuner.

Les yeux de Nekrasov s'ouvrirent en palpitant. Gonflés, ils jetèrent un regard circulaire et tombèrent sur Pekkala.

« C'était quoi votre nom, déjà ?

– Pekkala », répondit-il en terminant sa bouchée.

Nekrasov se débattit quelques instants.

« Vous auriez au moins pu m'attacher sur une chaise...

– Une brouette, c'est tout aussi bien.

– Je vois que vous avez découvert mes grenades.

– Elles n'étaient pas dures à trouver...

– Les blancs les ont laissées en repartant. Comment avez-vous fait pour me retrouver si vite ?

– Le chef de la police m'a parlé de vous.

– Kropotkine ! » Nekrasov se pencha par-dessus le rebord de la brouette et cracha par terre. « Il me doit de l'argent. »

Pekkala brandit la grenade.

« Auriez-vous l'amabilité de m'expliquer pourquoi vous avez jeté ça par la fenêtre, la nuit dernière ?

– Parce que les gens comme vous me rendent malade...

– De quels gens parlez-vous ?

– La Tcheka. La Guépéou ou l'OGPU, quel que soit le nom que vous vous donnez maintenant...

– Je ne fais pas partie de ces gens, déclara Pekkala.

– Qui d'autre irait s'installer dans cette maison ? Et puis, j'ai vu l'un de vos hommes entrer à la taverne hier. Je l'ai reconnu. C'est l'un de ces salopards de la Tcheka qui gardaient les Romanov quand ils ont disparu. Commissaire de malheur, ayez au moins la décence de me dire la vérité...

– Je ne suis pas commissaire. Je suis un enquêteur. J'ai été engagé par le Bureau des opérations spéciales. »

Nekrasov aboya de rire.

« Comment s'appelait-il, la semaine dernière ? Et comment s'appellera-t-il dans une semaine ? Vous êtes tous pareils. Vous n'arrêtez pas de jouer avec les mots, au point qu'ils ne veulent plus rien dire. »

Pekkala hocha la tête, résigné.

« J'ai beaucoup apprécié notre petite conversation », dit-il. Puis il se leva et se dirigea vers la porte.

« Où allez-vous comme ça ? s'écria Nekrasov. Vous ne pouvez pas me laisser là !

– Je suis sûr que quelqu'un finira par passer... un jour ou l'autre. Même si je n'ai pas l'impression que vous receviez beaucoup de visiteurs. Et d'après ce que Kropotkine disait de vous, il est peu probable que ceux qui viendront vous voir aient envie de vous libérer de sitôt...

– Ça m'est égal. Qu'ils aillent au diable, et vous aussi !

– Kropotkine et vous avez le même vocabulaire...

– Kropotkine ! » Il cracha de nouveau par terre. « C'est sur lui que vous devriez enquêter. Les blancs l'ont bien traité quand ils ont débarqué en ville. Ils ne l'ont pas tabassé, comme ils l'ont fait avec tous les autres. Et quand les rouges sont revenus, ils en ont fait le chef de la police. Il jouait sur les deux tableaux, si vous voulez mon avis. Et un homme qui joue sur les deux tableaux est capable de tout... »

Pekkala scruta le ciel brumeux, les yeux plissés.

« On dirait que la journée va être chaude.

– Ça m'est égal, rétorqua Nekrasov.

– Ce n'est pas à vous que je pense, mais à ces grenades... »
Pekkala désigna la caisse.

« Que voulez-vous dire ? s'inquiéta Nekrasov, en fixant
l'inscription *Achtung-Explosiven*.

– Cette caisse date de 1916. Ces grenades ont donc
treize ans. Un soldat comme vous doit savoir que la dynamite
devient très instable lorsqu'elle n'est pas stockée dans les
bonnes conditions.

– Je les ai stockées comme il faut ! Je les ai mises au pied
de mon lit !

– Oui, mais avant...

– Je les ai trouvées dans les bois. »

Sa voix se faisait plus sourde au fil de ses paroles.

Pekkala leva de nouveau les yeux vers le ciel bleu aux
nuages vaporeux.

« Eh bien, au revoir. » Il fit volte-face. « Allez au diable.

– Décidément... »

Pekkala marcha vers la porte.

« Attendez ! hurla Nekrasov. C'est bon. Je suis désolé de
vous avoir lancé une grenade.

– Ah, si on m'avait donné un rouble chaque fois que j'ai
entendu ça... » Pekkala marqua une pause et se tourna vers
Nekrasov. « ... je n'aurais qu'un seul rouble.

– Bon, que voulez-vous de plus ?

– Vous pourriez répondre à quelques questions.

– Quel genre de questions ? »

Pekkala revint sur ses pas et se rassit sur la caisse.

« Est-il vrai que vous faisiez partie des miliciens qui
gardaient la maison Ipatiev ?

– Oui, et je suis d'ailleurs le seul qui soit toujours vivant...

– Qu'est-il arrivé aux autres ?

– Nous étions douze, au départ. Quand les blancs sont
arrivés, on nous a confié la défense d'un pont à l'entrée de

la ville. Nous avons renversé une charrette pour bloquer le passage et nous nous sommes mis à couvert. Mais ça n'a pas suffi à arrêter les blancs. Ils ont amené un obusier de montagne autrichien. Puis ils ont tiré deux fois sur nous en trajectoire tendue, à moins de cent mètres de distance. D'aussi près, on n'a même pas le temps d'entendre la détonation. Le premier tir a tué la moitié des hommes avec lesquels je me trouvais. Le second a frappé la charrette en plein milieu. Cela, je ne m'en souviens plus. La seule chose que je me rappelle, c'est que quand je me suis réveillé, j'étais allongé dans le fossé, au bord de la route. J'étais nu, à l'exception de mes bottes et d'une manche de chemise. Tout le reste avait été emporté par le souffle de l'explosion. L'une des roues de la charrette était accrochée à une branche, de l'autre côté de la route. Il y avait des corps partout. Ils étaient en feu. Les blancs m'avaient laissé pour mort et avaient poursuivi leur avancée. J'étais le seul survivant des hommes qu'on avait envoyés défendre ce pont.

– Nekrasov, je comprends que vous puissiez haïr les blancs, mais je ne saisis pas pourquoi vous en voulez à la Tcheka. Après tout, ils n'ont fait que vous remplacer pour surveiller les Romanov...

– Ah bon, c'est tout ce qu'ils ont fait ? »

Il lutta pour se libérer, mais ses liens étaient trop serrés, et il renonça.

« Les hommes de la Tcheka nous ont humiliés ! Ils ont raconté que nous volions le tsar.

– Le voliez-vous ?

– Rien que des bricoles, protesta-t-il. Il y a un couvent, en ville, et les nonnes apportaient des paniers de vivres. Le tsar leur offrait des livres, en retour. Nous avons chipé quelques pommes de terre. Vous pouvez demander aux nonnes, si elles n'ont pas toutes disparu. Ils ferment le couvent. On efface Dieu ! Que dites-vous de ça ?

– C'est tout ce que vous avez pris ? Quelques pommes de terre ?

– Je ne sais pas. » Le visage de Nekrasov avait soudain rougi. « Parfois, un stylo à encre disparaissait. Ou alors un paquet de cartes fantaisie... Des bricoles, je vous dis ! Personne n'est mort de faim. Personne n'est même allé se coucher le ventre vide. Nous avions l'ordre de les traiter comme des prisonniers. Nous n'avions pas le droit de leur parler. Ni même de les regarder, quand nous pouvions faire autrement. La seule chose qui importait, c'était que les Romanov soient bien gardés. Personne ne s'évadait. Personne n'entrait dans cette maison. Nous devions veiller sur eux jusqu'au jour où le tsar pourrait être jugé, et c'est exactement ce que nous avons fait.

– Et que serait-il advenu du reste de la famille ?

– Je l'ignore. Personne n'a jamais parlé de les juger. Ce qui est sûr, en tout cas, c'est qu'il n'avait jamais été question de les tuer ! Et puis ces hommes de la Tcheka débarquent et ils font tout un drame de quelques pommes de terre volées... Ils nous mettent à la porte et là, que se passe-t-il ? Plus de procès ! Au lieu de ça, toute la famille se fait assassiner. Ensuite, quand ces gardes de la Tcheka ont fini de canarder des femmes et des gosses sans défense, ils quittent la ville à toutes jambes et nous laissent lutter seuls contre trente mille blancs qui ont des canons et... » Il donna un coup de pied dans la caisse. « ... tellement de grenades qu'ils peuvent se permettre d'en abandonner des caisses entières dans les bois. C'est pour ça que je les déteste. Parce que nous avons fait notre travail, et pas eux. »

Pekkala contourna la brouette et détacha de la roue les bras de Nekrasov. L'homme ne se leva pas. Il restait allongé, se massant les poignets à l'endroit où la corde avait creusé la peau.

« Dans une ville comme la nôtre, expliqua-t-il, la vie d'un homme peut se résumer à un unique instant. À une chose qu'il a dite ou faite. On ne se souviendra que de ça. Et personne ne se souvient de nous en train de défendre ce pont jusqu'à ce que les autres nous taillent en pièces à coups d'obus. La seule chose dont on se souvienne, c'est de deux ou trois pommes de terre volées... »

Du bout de sa botte, Pekkala souleva le couvercle de la caisse et remit la grenade intacte à l'intérieur.

« Pourquoi n'avez-vous pas actionné le détonateur ? demanda-t-il.

– J'étais ivre.

– Non, vous ne l'étiez pas. J'ai fouillé la maison pendant que vous étiez évanoui, et je n'y ai pas trouvé le moindre dé à coudre d'alcool. Vous n'étiez pas soûl, Nekrasov. »

Pekkala tendit la main pour l'aider à se relever.

« Je suis fou, reprit Nekrasov.

– Ça, je n'y crois pas non plus. »

Nekrasov soupira.

« Peut-être que je ne suis pas du genre à massacrer quelqu'un dans son sommeil...

– Et le tsar, alors ?

– J'ai tué des gens à la guerre, mais c'était différent. Un homme désarmé. Des femmes. Des enfants. Les hommes qui étaient avec moi, pareil. S'il fallait vraiment abattre les Romanov, alors c'est aussi bien que la Tcheka ait pris notre place...

– Donc vous pensez que c'est la Tcheka qui a assassiné le tsar ? »

Nekrasov haussa les épaules.

« Qui d'autre aurait pu le faire ? »

Quand Pekkala rentra à la maison Ipatiev, Anton était assis sur le perron de derrière, un bloc de pierre usé par les pas innombrables de ceux qui avaient vécu et travaillé là avant que l'édifice ne soit figé dans le temps. Il dévorait le contenu d'une poêle à frire à grands coups de cuiller en bois.

Kirov apparut sur le seuil de la cuisine, les manches retroussées.

« Avez-vous retrouvé le vieux milicien ?

– Oui, répondit Pekkala.

– L'avez-vous placé en état d'arrestation ?

– Non.

– Pourquoi ? s'indigna Kirov. Il a tenté de nous tuer, cette nuit !

– S'il avait voulu nous tuer, nous serions déjà morts.

– N'empêche, j'estime que vous auriez dû l'arrêter. C'est une question de principe !

– C'est vraiment de cela que le monde a besoin, ironisa Anton. Un gamin, un flingue et des principes...

– A-t-il avoué le meurtre du tsar ? demanda Kirov.

– Non.

– Quelle surprise..., marmonna Anton.

– Ce n'étaient pas les Romanov qu'il détestait, précisa Pekkala. C'était toi et tes amis de la Tcheka.

– Eh bien, il n'a qu'à rejoindre tous les autres, déclara Anton. La milice. Les blancs. Les Romanov. Ce chef de la police, Kropotkine. Même ces nonnes, au couvent, nous détestaient...

– En fait, reprit Pekkala, il est persuadé que la Tcheka est responsable de la mort des Romanov... »

Kirov siffla entre ses dents.

« La Tcheka pense que les miliciens ont tué le tsar. Les miliciens pensent que c'est la Tcheka qui l'a fait. Et Maïakovsky pense qu'ils ont survécu !

– Eh bien, remarqua Pekkala. Nous pouvons déjà écarter l'hypothèse de la survie...

– Et celle de la Tcheka ? s'exclama Anton. Tu ne crois tout de même pas que nous ayons quoi que ce soit à voir là-dedans ? »

Pekkala haussa les épaules.

Anton agita la cuiller en bois sous son nez.

« Tu me considères comme un suspect ? »

Sentant qu'une nouvelle bagarre était sur le point d'éclater entre les deux frères, Kirov tenta de changer de sujet.

« N'avez-vous pas autre chose à dire ? demanda-t-il à Anton.

– Je me suis déjà excusé, répliqua Anton en écopant une autre bouchée au fond de la poêle.

– Des excuses publiques ! C'est ce dont nous étions convenus. »

Anton ronchonna. Il posa la poêle sur les pavés et laissa la cuiller retomber avec fracas sur le fond noirci.

« Je m'excuse de vous avoir traité de cuisinier. Vous êtes un chef. Un grand chef.

– Voilà, approuva Kirov. Était-ce donc si difficile ? »

Anton respira entre ses dents et ne répondit rien.

« Qu'est-ce que vous avez préparé ? demanda Pekkala en regardant la poêle.

– Poulet sauce groseilles ! annonça Kirov, tel un chef devant ses clients.

– Où avez-vous déniché les ingrédients ? s'étonna Pekkala.

– C'est Maïakovsky, notre nouvel ami, répondit Kirov.

– Notre *seul* ami, vous voulez dire, intervint Anton.

– Il dit qu'il peut nous procurer tout ce que nous voulons », ajouta Kirov.

Anton lui lança un regard par-dessus son épaule.

« Attendez un peu... Avec quoi l'avez-vous payé ? C'est moi qui ai notre réserve d'argent liquide.

– Ça n'a pas eu l'air de vous inquiéter pendant que vous mangiez ce plat, je me trompe ? rétorqua Kirov. Disons qu'il nous reste juste assez de coupons d'essence pour rentrer pratiquement jusqu'à Moscou...

– Bon Dieu ! hurla Anton. Nous aurions aussi vite fait de mettre sa maison à sac et de prendre tout ce dont nous avons besoin !

– Nous pourrions, remarqua Pekkala, mais j'ai l'impression qu'il en sait plus que ce qu'il a bien voulu nous dire. Tôt ou tard, il reviendra nous voir avec d'autres informations.

– Nous n'avons pas le temps pour ce tôt ou tard, cingla Anton.

– Bâcler une enquête...» Pekkala se pencha pour passer le doigt dans la sauce, au fond de la poêle. «... c'est comme bâcler un plat...» Il goûta la sauce et ferma les yeux. «C'est délicieux, murmura-t-il. Et puis, si vous m'aidez, les choses iront beaucoup plus vite...

– J'aide déjà, rectifia Anton.

– En faisant quoi, au juste? demanda Pekkala. À part manger la nourriture?

– Moi, je vous aiderai, proposa Kirov avec enthousiasme.

– Vous, contentez-vous de faire la cuisine, grommela Anton.

– Plus nous interrogerons de gens, poursuivit Pekkala, plus vite nous progresserons.»

Kirov donna un petit coup de pied dans le dos d'Anton.

«Vous avez envie de retourner ouvrir des lettres?

– Très bien!» Anton laissa échapper un râle de colère. «Qu'attends-tu de moi?»

Après avoir assigné à chacun une partie de la ville, Pekkala expliqua qu'ils devaient faire du porte-à-porte et en apprendre le plus possible sur la nuit où les Romanov avaient disparu.

«Nous ne pouvons pas faire ça! s'emporta Anton. Officiellement, les Romanov ont été exécutés sur ordre du gouvernement. Si le bruit se répand que nous recherchons l'assassin du tsar et de sa famille...

– Vous n'avez pas besoin de leur dire ça. Contentez-vous de leur expliquer qu'il y a eu de nouveaux développements, sans plus de précisions. La plupart de ces gens seront trop occupés par les questions que vous leur poserez pour s'en poser eux-mêmes. Demandez-leur s'ils ont remarqué la présence d'étrangers en ville au moment de la disparition des Romanov. Si l'on a retrouvé des corps depuis. Si quelqu'un d'étranger à cette ville a enterré une victime dans l'urgence, il est peu probable que les habitants ne s'en soient pas rendu compte...

– Il s'est écoulé des années depuis cette fameuse nuit, remarqua Anton. S'ils ont gardé leurs secrets pendant si longtemps, qu'est-ce qui te fait croire qu'ils vont nous les confier maintenant?

– Les secrets sont de plus en plus lourds à porter, répondit Pekkala. Avec le temps, leur poids devient un fardeau insoutenable. Interrogez les gens qui travaillent dehors – les facteurs, les bûcherons, les paysans. S'il s'est passé quoi que ce soit dans les jours qui ont précédé la disparition de la famille du tsar, ce sont ces gens-là qui auront le plus de chances de l'avoir remarqué. Vous pourriez aussi vous rendre à la taverne...

– La taverne?» s'exclama Anton.

Kirov roula de gros yeux.

«D'un seul coup, il a envie de participer...

– C'est l'endroit où les gens sont le plus susceptibles de livrer leurs secrets, reprit Pekkala. Il faudra juste veiller à rester assez sobre pour pouvoir écouter ce qu'ils ont à vous dire...

– Évidemment, répliqua Anton. Pour qui me prends-tu?»

Pekkala ne répondit rien. Il contemplait la poêle.

«Il en reste? demanda-t-il.

– Un peu.»

Anton lui tendit le récipient.

Pekkala s'assit à côté de son frère sur le perron de pierre. Il ne restait plus de poulet, mais en raclant les bords du récipient avec la cuiller en bois, il rassembla un peu de sauce et la dernière groseille, d'un vert jade translucide, que son frère, rassasié, n'avait pas réussi à avaler. La sauce au beurre, encore chaude, parsemée de persil haché et épaissie avec des miettes de pain frites, craquait sous ses dents. Il savoura la douceur sucrée des oignons et le goût de terre des carottes mijotées. Puis il cala la groseille sur sa langue et l'écrasa lentement contre son palais, jusqu'à ce que son enveloppe arrondie et ferme cède comme dans un soupir, lui inondant la bouche d'un jus chaud et acide. La salive jaillit de sous sa langue et le souvenir des longs hivers dans sa cabane de la forêt de Krasnagolyana, lorsqu'il n'avait eu que des pommes de terre bouillies et du sel à manger pendant des semaines entières, lui arracha un soupir. Il se souvint du silence de ces nuits, si absolu qu'il pouvait percevoir ce grésillement étouffé qu'il ne parvenait à détecter qu'en l'absence de tout autre bruit. Souvent, dans la forêt, il l'avait entendu, et parfois même, au cœur de l'hiver, il lui avait paru assourdissant. Enfant, déjà, il l'avait remarqué. Son père lui avait expliqué qu'il s'agissait du bruit de son sang irriguant le corps. C'est ce silence, plus que n'importe quelle clôture de barbelés, qui avait été sa prison, en Sibérie. Même si le corps de Pekkala avait quitté cette prison, son esprit y demeurait captif. Il avait fallu attendre cet instant, où des goûts oubliés inondaient ses sens de décharges étranges, pour que Pekkala émerge lentement de ses années de bagne.

Après son arrestation à la gare de Vainikkala, Pekkala fut transféré à la prison Butyrka de Petrograd. Le Webley et son exemplaire du Kalevala furent remis aux autorités. On lui fit signer un énorme registre, épais de plusieurs milliers de pages. Une plaque d'acier recouvrait la feuille, hormis l'espace où il devait écrire son nom. Ensuite, les gardes le conduisirent jusqu'à une pièce où ils lui ordonnèrent de se déshabiller, avant d'emporter ses vêtements.

Laissé seul, Pekkala tourna en rond dans cette pièce haute de plafond, qui mesurait quatre pas sur trois. Sur les murs, un soubassement était peint en brun jusqu'au niveau de la poitrine. Au-dessus, tout était blanc. La lumière provenait d'une seule ampoule insérée dans le mur au-dessus de la porte, et recouverte d'un grillage. La pièce ne contenait ni lit, ni chaise, ni aucun autre meuble, de telle sorte que quand Pekkala en eut assez de piétiner, il dut s'asseoir par terre en s'adossant au mur, les genoux repliés contre son torse nu. Plusieurs fois par heure, le judas de la porte coulissait et il devinait une paire d'yeux qui l'observait.

C'est au moment où il patientait, nu, dans la cellule, que les gardiens de la prison, en fouillant ses habits, découvrirent l'œil d'émeraude sous le revers de sa veste.

Au cours des semaines qui suivirent, lors des rares intervalles où son esprit était assez clair pour réfléchir, Pekkala se demanda souvent pourquoi il n'avait pas jeté l'insigne qui avait trahi son identité. Par simple vanité, peut-être. À moins *qu'il n'ait imaginé retrouver un jour ses anciennes fonctions. Peut-être était-ce dû au fait que l'insigne était devenu avec le temps une part de son être et qu'il ne pouvait pas plus s'en séparer que de son foie, ses reins ou son cœur. Mais il existait une autre hypothèse, qui était qu'une partie de lui-même n'avait pas voulu s'échapper – cette partie qui savait que son destin était devenu tellement indissociable de celui du tsar que même sa liberté ne pourrait rompre un tel lien.*

Dès que les gardiens de la prison Butyrka comprirent qu'ils avaient capturé l'Œil d'Émeraude, Pekkala fut emmené à l'écart des autres prisonniers, dans un endroit qu'on surnommait la Cheminée.

Ils le conduisirent à sa cellule et le poussèrent à l'intérieur. Pekkala trébucha sur la marche qui menait à un espace guère plus grand qu'un placard. La porte se referma en claquant. Il essaya de se lever, mais le plafond était trop bas. Des parois peintes en noir se dressaient au-dessus de lui. Plus basses au fond de la cellule, elles montaient en ligne courbe jusqu'en haut de la porte. L'espace était si étriqué qu'il ne pouvait pas s'allonger, ni se tenir debout sans se plier en deux. L'ampoule grillagée projetait une lumière éblouissante, si près de son visage qu'il en percevait la chaleur. Une vague de claustrophobie s'abattit sur lui. Il ouvrit la bouche malgré lui et eut un haut-le-cœur.

Après quelques minutes à peine, il était à bout et frappa la porte à coups de poing, exigeant qu'on le laisse sortir.

Le judas s'ouvrit.

« Le prisonnier doit garder le silence, déclara une voix.

– Je vous en prie, implora Pekkala. J'étouffe là-dedans. »

L'œilleton se referma dans un déclic.

Pekkala ne tarda pas à avoir des crampes dans le dos, à force de se courber. Il se laissa glisser le long du mur, les genoux appuyés contre la porte. Cela le soulagea pendant quelques minutes, mais alors, les crampes s'emparèrent de ses genoux. Il découvrit bientôt qu'aucune position ne lui permettait d'être à l'aise. Les élans de claustrophobie revenaient, lancinants. Il manquait d'air. La chaleur de l'ampoule s'abattait par vagues sur sa nuque, et la sueur ruisselait sur son visage.

Pekkala s'était résigné à mourir. Avant cela, il savait qu'on le torturerait. Une fois parvenu à cette conclusion, une étrange sensation de légèreté envahit son corps, comme si son esprit avait déjà entamé une lente migration pour s'en dégager.

Il était prêt.

Les trois hommes se déployèrent dans la ville.

Kirov était chargé des maisons situées sur la grand-rue. Il vérifia qu'il restait des pages libres dans son bloc-notes, tailla soigneusement deux crayons. Il se peigna et, même, il se lava les dents.

Anton vint le rejoindre tandis qu'il se rasait devant le rétroviseur fixé sur l'aile de la voiture.

«Où allez-vous? demanda Kirov.

– À la taverne, répondit Anton. C'est l'endroit où les gens dévoilent tous leurs secrets. Pourquoi aller les débusquer chez eux, alors que, là-bas, ils viendront à moi?»

Pekkala décida de creuser l'histoire de Nekrasov, selon laquelle les miliciens avaient volé dans les paniers de vivres livrés par les sœurs du couvent de Sverdlovsk. Il voulait savoir si les nonnes avaient bien vu les Romanov durant leur captivité. Peut-être même avaient-elles pu parler à la famille. Si tel était le cas, elles auraient été les seules personnes, hormis les miliciens et les hommes de la Tcheka, à l'avoir fait.

Pour se rendre au couvent, il fallait traverser les faubourgs de la ville. Bien décidé à interroger en chemin autant de personnes que possible, il frappa à plusieurs portes avant que quelqu'un daigne enfin lui ouvrir. Les propriétaires étaient là, mais ils refusaient de lui parler. Il aperçut un vieux couple, assis sur des chaises dans la pénombre d'une pièce, qui se dévisageait en clignant des yeux, tandis que les coups de poing de Pekkala sur leur porte résonnaient dans toute la maison.

Le vieux couple n'esquissa pas un geste. Leurs doigts fragiles, posés sur les accoudoirs, pendaient comme des lianes fanées.

Enfin, une porte s'ouvrit. Un homme mince et sec, le visage grêlé et envahi par une barbe blanche négligée, demanda à Pekkala s'il venait pour acheter du sang.

« Du sang ? s'étonna Pekkala.

— Celui du cochon », précisa l'homme.

Alors, Pekkala distingua un gargouillement suraigu, derrière la maison, qui montait et redescendait comme une respiration.

« Faut leur trancher la gorge, poursuivit l'homme. Faut les saigner à mort, sinon la viande n'a pas bon goût. Parfois, ça prend du temps. Je récupère le sang dans des seaux. J'ai cru que c'était ça que vous vouliez... »

Pekkala expliqua la raison de sa visite.

L'homme n'eut pas l'air surpris.

« Je savais que vous viendriez chercher la vérité, un jour ou l'autre...

— De quelle vérité parlez-vous ?

— Du fait que les Romanov n'ont pas été tués comme l'ont dit les journaux. J'ai aperçu l'un d'eux, la nuit d'après, alors qu'ils étaient censés avoir été exécutés...

— Lequel avez-vous vu ? »

Il sentit une boule se former dans sa poitrine, espérant que la piste mènerait à Alexeï.

« L'une des filles », répondit le vieux.

Pour Pekkala, le monde s'écroula. Comme Maïakovsky, cet homme avait fini par se convaincre lui-même d'une chose que Pekkala savait fausse. Cela, il était incapable de le comprendre.

« Vous ne me croyez pas, hein ? remarqua l'homme.

— Je ne crois pas que vous mentiez.

— Ce n'est pas grave. Les blancs non plus ne m'ont pas cru. L'un de leurs officiers est venu chez moi, juste après qu'ils eurent chassé les rouges de la ville. Je lui ai raconté ce que j'avais vu et il a répondu aussitôt que j'avais dû rêver. Il m'a dit de n'en parler à personne, si je ne voulais pas avoir d'ennuis. Et quand je l'ai entendu me menacer de la sorte, ça m'a renforcé dans la certitude que j'avais bien vu l'une des filles du tsar.

– Où se trouvait-elle, quand vous l'avez vue ?

– Au dépôt de trains, à Perm. C'est la prochaine gare après Sverdlovsk, sur la ligne du Transsibérien. J'étais coupleur, là-bas.

– Coupleur ? »

L'homme serra ses deux poings et les colla l'un contre l'autre.

« Le boulot du coupleur consiste à s'assurer que les bons wagons sont accrochés aux bonnes locomotives. Autrement, une cargaison qui a fait tout le chemin depuis Moscou risque de repartir là d'où elle vient, au lieu de continuer vers Vladivostok. La nuit qui a suivi la disparition des Romanov, j'étais en train d'accrocher un jeu de wagons à un train en partance pour l'est. Les blancs n'avaient pas encore débarqué. Nous tentions de vider le dépôt avant leur arrivée. Des trains passaient jour et nuit, à n'importe quelle heure, sans respecter l'horaire habituel. Les trains de nuit sont en général des convois de marchandises, mais celui-là avait un wagon de passagers – le seul de tout le train. Des rideaux noirs étaient tirés derrière les fenêtres, et il y avait un garde à chaque extrémité de la voiture, avec un fusil et une baïonnette. C'est là que je l'ai vue...

– Vous êtes monté à bord ?

– Vous plaisantez, ou quoi ? Ces salopards avec leurs poignards m'auraient embroché !

– Mais vous disiez qu'il y avait des rideaux aux fenêtres... Comment avez-vous pu la voir ?

– Je marchais sur les rails, au pied du wagon, pour inspecter les roues comme on est censé le faire, quand l'un des gardes saute sur le ballast. Il pointe son fusil sur moi et me demande ce que je fais là. Alors je lui réponds que je suis coupleur, et il me crie d'aller me faire voir ailleurs. Lui non plus ne savait pas ce qu'était un coupleur, alors je lui fais : "Très bien, je vais me faire voir ailleurs et quand la locomotive démarrera, vous resterez bloqué sur la voie de garage." Et j'ajoute : "Si vous voulez partir avec le reste du convoi, vous feriez mieux de me laisser faire mon boulot."

– C'est ce qu'il a fait ?

– Il est remonté dans le train et je l'ai entendu hurler sur un autre type qui était venu aux nouvelles... Vous comprenez, ceux qui se trouvaient dans ce train voulaient que personne n'en descende, et ils voulaient aussi que personne n'y monte. Mais quand j'ai fait demi-tour pour accrocher le wagon, l'un des rideaux a bougé... » Il imita le geste d'ouvrir un rideau. « ... et j'ai vu le visage d'une femme, qui me regardait.

– Vous l'avez reconnue ?

– Évidemment ! C'était Olga, la fille aînée. Toute renfrognée, comme sur les photographies. Elle me regarde droit dans les yeux, puis le rideau se referme.

– Vous êtes certain qu'il s'agissait d'Olga ? insista Pekkala.

– Oh oui..., répondit l'homme en hochant la tête. Aucun doute là-dessus. »

Une femme apparut au coin de la maison, tenant un long couteau dans une main et un seau rempli de sang dans l'autre. Derrière elle marchait une fillette portant une robe jaune pissenlit, pieds nus. Avec son menton minuscule, ses grands yeux inquisiteurs et son nez guère plus gros que la jointure du petit doigt de Pekkala, elle ressemblait davantage à une poupée qu'à un être humain. La femme posa le seau par terre. « Voilà », déclara-t-elle. De la vapeur se dégageait du sang.

« Il n'est pas venu pour ça », expliqua l'homme.

La femme grommela :

« Je l'ai apporté de là-bas.

– Eh bien, tu peux le remporter, répliqua l'homme.

– Vous êtes sûr que vous n'en voulez pas ? insista la femme. C'est très nourrissant. Regardez ma fille. Elle est la santé même, et elle en boit. »

La fillette sourit à Pekkala, en s'agrippant d'une main à la robe de sa mère.

«Non, merci», répondit-il.

Il regarda le sang, qui se balançait dans le seau.

«Il est venu écouter mon histoire, précisa l'homme. Celle de la princesse, dans le train...

– Et ce n'est pas tout, ajouta la femme. Tu lui as parlé de la fille qu'on a retrouvée dans les bois?

– Je ne lui en ai pas parlé, répondit l'homme, agacé que sa femme tente ainsi de lui voler la vedette. Parce que je ne l'ai pas vue de mes propres yeux...»

La femme ne lui prêta aucune attention. Elle posa le couteau en travers du seau. Le sang avait séché sur la lame.

«On a vu une jeune fille errer dans la forêt, là-bas, près de Chelyabinsk. Elle était blessée. Elle avait un bandage sur la tête. Comme ça...»

Laissant traîner ses doigts comme des herbes dans le torrent, elle traça un chemin à travers ses cheveux gris souris.

«Quel âge avait-elle? À quoi ressemblait-elle?

– Eh bien, ce n'était plus une enfant. Mais pas encore une femme, non plus. Elle avait les cheveux bruns. Des bûcherons ont essayé de lui parler, mais elle s'est enfuie. Et puis elle est allée chez des gens, mais ils l'ont aussitôt remise à la Tcheka. On ne l'a plus jamais revue. C'était l'une des filles du milieu. Tatiana, ou peut-être Maria. Elle avait échappé aux rouges, mais ils l'ont rattrapée. Elle était presque libre. C'est si triste. Terriblement triste.»

Une expression traversa son visage, que Pekkala avait déjà vue bien des fois. Les yeux de la femme s'étaient mis à briller, en évoquant la tragédie. Quand elle répéta les mots «Terriblement triste», ses joues rougirent d'un plaisir quasi sexuel.

«Qui vous l'a raconté?

– Une femme de Chelyabinsk. Elle nous achetait des produits. Elle est tombée amoureuse d'un officier blanc. Quand les blancs sont partis, elle les a suivis.»

La femme désigna de nouveau le seau.

« Vous êtes vraiment sûr que vous n'en voulez pas un peu ? »

En repartant, Pekkala se retourna une fois pour les regarder. Les parents avaient disparu, mais la fillette en robe jaune était restée sur le perron. Pekkala lui fit un signe de la main. La fillette lui rendit son adieu, puis poussa un petit rire et courut se cacher derrière la maison.

À cet instant, une menace diffuse se déploya comme une paire d'ailes dans son cerveau, comme si cette enfant n'avait pas vraiment été une enfant. Comme si quelque chose avait essayé de le mettre en garde dans une langue dénuée de mots.

Le couvent, blanc et austère, était juché au sommet d'une colline abrupte, en périphérie de la ville. Les feuilles des peupliers alignés au bord de la route bruissaient dans une brise que Pekkala ne sentait pas. À mi-chemin du sommet, il ôta son lourd manteau noir et le cala sous son bras. La sueur dégoulinait dans ses yeux, et il l'épongea avec la manche de sa chemise. Son cœur martelait rageusement ses côtes.

De hautes grilles noires encerclaient le couvent. Le gravier de la cour, couleur de sable clair, frémissait sous le soleil de l'après-midi. Au pied du perron, un groupe d'hommes chargeait des caisses dans un camion.

Le portail était ouvert et Pekkala entra, le gravier craquant sous ses pas. Grimpant les marches du couvent, il dut se pousser pour laisser passer deux hommes qui portaient un piano. Le hall était jonché de caisses, qui donnaient l'impression que l'édifice entier était en train d'être vidé. Pekkala se demanda s'il n'était pas arrivé trop tard. Il s'arrêta, une sueur soudain froide sur le visage.

« Vous venez pour le piano ? » interrogea une voix de femme.

Pekkala regarda autour de lui. D'abord, il n'aperçut personne. La femme s'éclaircit la voix. Pekkala leva les yeux et découvrit une nonne qui se tenait debout, en habit bleu et blanc, sur un balcon surplombant le hall. Le visage de la sœur était encadré, tel un portrait, par le tissu blanc et empesé de sa coiffe.

« Vous arrivez trop tard, reprit-elle. Le piano vient de partir. »

À l'écouter, on aurait pu croire que l'instrument se déplaçait par lui-même.

« Non, répondit Pekkala. Je ne suis pas là pour le piano.

– Ah. »

La nonne descendit l'escalier.

« Dans ce cas, qu'êtes-vous donc venu nous voler aujourd'hui ? »

Tandis que Pekkala l'assurait qu'il n'était pas venu dévaliser le couvent, la nonne entreprit d'inspecter le bois grossier des caisses, cognant dessus avec les jointures de son poing comme pour en vérifier la solidité. Au début, il n'obtint guère plus que son nom, sœur Ania, et même cette information-là, elle parut la lui donner à contrecœur. Elle ramassa un inventaire, l'examina et le reposa. Puis elle marcha entre les caisses, obligeant Pekkala à la suivre tout en poursuivant ses explications.

« Pekkala, remarqua sœur Ania. D'où vient ce nom ?

– Je suis né en Finlande, mais cela fait longtemps que j'en suis parti.

– Je ne suis jamais allée en Finlande, mais votre nom m'est familier...

– J'étais plus connu sous un autre nom. »

La nonne, qui était entrée dans un petit salon et s'apprêtait à refermer la porte au visage de Pekkala, s'interrompit soudain.

« Ah, vous avez changé de nom... J'ai cru comprendre que c'était la mode, ces temps-ci. Pour faire comme votre cher camarade Staline, j'imagine.

– Ou comme vous, d'ailleurs, sœur Ania...

– Quel est votre autre nom ? »

Pekkala souleva le revers de sa veste.

« L'Œil d'Émeraude. »

Lentement, la porte se rouvrit. Les traits de la nonne avaient perdu leur dureté.

«Cela fait du bien, dit-elle, de savoir que par les temps qui courent, nos prières finissent quand même parfois par être exaucées...»

Ils s'assirent sur des chaises branlantes, qui formaient l'unique mobilier de la pièce dont les murs étaient nus, à l'exception de quelques photographies encadrées. Des portraits de nonnes, coloriés à la main, sur lesquels les joues des religieuses devenaient deux boules roses et leurs lèvres étaient grossièrement surlignées. Seul le bleu de leur habit était correctement rendu. L'artiste avait tenté de colorier les yeux mais, loin d'ajouter de la vie aux portraits, il n'avait réussi qu'à leur donner l'air apeuré.

«Notre couvent va être temporairement fermé, reprit sœur Ania.

– Temporairement?

– Nos croyances, à l'heure actuelle, ne sont plus compatibles avec le pouvoir en place, selon le Bureau central du Soviet de l'Oural.

– C'est ce que j'ai cru comprendre.

– Le plus surprenant, ce n'est pas qu'ils nous fassent subir cela, inspecteur. Non, ce qui me stupéfie vraiment, c'est qu'ils aient attendu si longtemps pour le faire...»

Sœur Ania se tenait bien droite sur sa chaise, les mains posées sur les genoux. Elle avait l'air à la fois sûre d'elle et mal à l'aise.

«Toutes les autres sœurs ont été renvoyées. Moi, je dois rester ici pour prendre soin de ce bâtiment vide. La plupart de nos biens vont être entreposés ailleurs. Où, je l'ignore. Combien de temps, je n'en sais rien. Et pourquoi, c'est un grand mystère... Ce couvent devrait être soit supprimé, soit conservé. Au lieu de quoi, on nous maintient dans une sorte de mouvement suspendu, comme des insectes piégés dans l'ambre. Mais mon petit doigt me dit que vous n'êtes pas venu ici pour enquêter sur cette injustice-là...

– Non, je le regrette.

– Alors je présume que votre enquête a quelque chose à voir avec les Romanov.

– C'est exact.

– Évidemment. Après tout, quelle autre raison aurait pu vous amener dans ce bout du monde ?

– Pour vous dire la vérité, je suis contraint par les circonstances...

– Nous sommes tous contraints par les circonstances, l'interrompit sœur Ania. Je vais vous épargner la peine de me cuisiner avec vos techniques d'interrogatoire...

– Sœur Ania, ce n'est pas ce que je... »

Sa main se détacha de son genou, puis se reposa doucement.

« Cela fait longtemps que j'attends de pouvoir raconter ce que je sais à une personne digne de confiance. Il parlait de vous, vous savez, dans les rares moments où nous pouvions discuter. "Si seulement Pekkala était là", disait-il. »

Pekkala se sentit soudain opprimé, comme si des chaînes s'étaient resserrées autour de son cou.

« Croyait-il vraiment que j'aurais pu faire quoi que ce soit, alors qu'il était emprisonné et surveillé par des gardiens en armes ?

– Oh, non, répondit sœur Ania. Mais je crois que son monde avait plus de sens quand vous en faisiez partie...

– J'aurais dû rester, murmura Pekkala, plus pour lui-même que pour son interlocutrice.

– Alors pourquoi ne l'avez-vous pas fait ?

– Il m'a ordonné de partir.

– Dans ce cas, vous n'avez pas de regrets à avoir. »

Elle marqua une pause.

Pekkala hocha la tête, les chaînes si pesantes sur ses épaules qu'il avait de la peine à respirer.

« En écoutant le tsar parler de vous, j'ai compris qu'il avait créé, à travers l'Œil d'Émeraude, une image de lui-même tel qu'il aurait aimé être, mais ne serait jamais.

– C'est-à-dire ?

– Un homme qui n'avait aucun besoin de choses dont le tsar avait compris, lui, qu'il ne pouvait se passer.

– Oui, concéda Pekkala. Il y a une part de vrai là-dedans. »

Sœur Ania soupira lourdement.

« Enfin, ça n'a plus d'importance maintenant, sauf pour les vieux croyants que nous sommes... Le tsar n'est plus, et vous entendrez bien des histoires, dans cette ville, au sujet de la nuit où les Romanov ont disparu.

– J'en ai déjà entendu plusieurs.

– Il y a presque autant de versions que d'habitants à Sverdlovsk. Je ne peux pas vous garantir la véracité de toutes ces histoires, mais ce que je peux vous affirmer, c'est que les Romanov avaient de bonnes raisons de croire qu'on allait venir les délivrer...

– Les délivrer ? Les blancs, vous voulez dire ?

– Non. Le tsar savait que dès que les blancs approcheraient de la ville, les rouges l'exécuteraient, lui et toute sa famille. L'opération de sauvetage devait se dérouler avant. Un plan avait été élaboré.

– Puis-je vous demander comment vous l'avez su ?

– Je leur apportais des messages.

– Que vous aviez écrits ?

– Oh, non. Je ne faisais que les transmettre...

– Mais alors, de qui venaient-ils ?

– Un ancien officier de l'armée du tsar m'a demandé un jour de faire passer un message aux Romanov. C'était au tout début de leur captivité à la maison Ipatiev, quand ils étaient encore gardés par les miliciens. L'officier m'a confié qu'un groupe de soldats loyalistes était prêt à prendre d'assaut la maison et à emmener toute la famille en lieu sûr.

– Vous avez accepté ? »

Elle acquiesça d'un brusque mouvement de tête.

« Oui.

– J'en déduis que votre loyauté allait aussi au tsar...

– Disons que l'arrêté d'expulsion signé par le Soviet de l'Oural ne fut pas vraiment une surprise. J'ai proposé de délivrer moi-même ces messages, afin que personne d'autre, au couvent, n'en ait connaissance.

– Comment étaient-ils transmis ?

– Enroulés et dissimulés à l'intérieur des bouchons de liège qui servaient à fermer les bouteilles de lait.

– Comment le tsar y répondait-il ? Ses messages étaient également cachés dans les bouchons ?

– Non. Il était impossible de récupérer les messages sans abîmer le liège. Le tsar a inventé une autre méthode, extrêmement ingénieuse. Il utilisait des livres. Il nous les offrait comme cadeaux, puis je les remettais à l'officier.

– Ces livres contenaient des messages ?

– Les gardiens de la milice n'en ont trouvé aucun... Même moi, je ne savais pas vraiment comment il faisait passer ses messages. Il n'y avait pas le moindre bout de papier glissé à l'intérieur, pas de notes griffonnées dans la marge. C'est seulement après la disparition des Romanov que l'officier m'a expliqué la manière dont les messages avaient été dissimulés...

– Qui était ?

– Le tsar se servait d'une aiguille, répondit-elle en poinçonnant le vide devant elle. Il faisait de minuscules trous sous certaines lettres, lesquelles formaient des mots. Il commençait toujours à la page dix...

– Et cet officier vous a-t-il confié quoi que ce soit sur le contenu de ces messages ?

– Oh, oui. Il a même proposé de m'emmener avec lui une fois que les Romanov auraient été délivrés. Mais il n'en a pas eu l'occasion...

– Pourquoi ?

– Le tsar a d'abord répondu qu'il acceptait d'être secouru, mais à la condition que toute sa famille puisse l'accompagner dans sa fuite. Alexeï était souffrant. Le tsar craignait que le garçon ne soit trop faible pour entreprendre un long voyage.

Et il voulait absolument éviter toute effusion de sang, même parmi les miliciens qui le surveillaient.

– Qu'est-ce qui l'a fait changer d'avis ?

– Peu après que les miliciens locaux ont été remplacés par le détachement de la Tcheka, le tsar a envoyé un message ordonnant à l'officier d'annuler l'opération.

– Pourquoi le tsar aurait-il fait cela, alors qu'il s'agissait de son unique chance d'être sauvé ?

– Ça, je suis incapable de vous le dire, répondit sœur Ania. L'officier m'a simplement expliqué qu'il serait trop dangereux pour moi de le savoir, dans la mesure où il n'était plus en mesure d'assurer ma sécurité...

– Avez-vous revu cet officier par la suite ?

– Oh, oui. Nous sommes restés amis, lui et moi.

– Sœur Ania, déclara Pekkala, je dois absolument rencontrer cet homme, quel qu'il soit. »

Elle le dévisagea.

« Si cet officier était présent à mes côtés, il me reprocherait d'en avoir déjà trop dit...

– Je ne suis pas ici pour chercher un homme qui a tenté de sauver le tsar, répliqua Pekkala. Je suis venu chercher celui qui lui a tiré une balle en pleine poitrine. »

Les lèvres de la nonne se mirent à trembler.

« Alors c'était donc vrai, ce que racontaient les journaux ?

– Oui, confirma Pekkala. Le tsar est mort. »

Elle poussa un long soupir.

« Ils sont encore nombreux à croire qu'il est vivant...

– Il est possible, en revanche, qu'un des enfants ait survécu. »

Sœur Ania écarquilla les yeux.

« Possible ? Qu'entendez-vous par là ? Je vous en prie, inspecteur, dites-moi : l'un d'eux *est-il* toujours vivant ?

– C'est justement là l'objet de mon enquête, sœur Ania. Et c'est pour ça que je suis venu vous voir aujourd'hui...

– Lequel ? insista-t-elle. Quel enfant ?

– Alexeï. »

Elle avait de la peine à contenir son émotion.

« Pauvre enfant... Il avait déjà tellement souffert.

– C'est vrai. »

Soudain, elle se pencha vers lui.

« Mais vous, inspecteur Pekkala, qu'en pensez-vous ?

– Mon enquête n'est pas terminée.

– Non ! » Elle fit claquer sa main sur son genou. « Quel est votre sentiment ? Pensez-vous qu'il soit vivant, ou non ?

– Je crois que c'est possible, oui, répondit Pekkala, murmurant presque. Et s'il y a une chance que le tsarévitch soit vivant, je crois aussi que votre officier pourrait m'aider à le retrouver.

– Vous le trouverez au commissariat, déclara sœur Ania.

– Il est incarcéré ?

– Bien au contraire. Il dirige l'endroit. C'est l'officier Kropotkine.

– Kropotkine... Alors ce ne sera pas ma première conversation avec le chef de la police...

– C'est aussi bien, remarqua sœur Ania. Avec lui, la première impression n'est jamais très bonne... »

Elle raccompagna Pekkala jusqu'à la porte.

En passant devant les caisses contenant les biens du couvent, Pekkala se demanda dans quel entrepôt obscur on allait les enfermer, s'ils reverraient jamais la lumière du jour, quel souvenir on garderait de leurs propriétaires, et quels mensonges commodes on inventerait à leur propos.

Avant de quitter l'ombre fraîche du bâtiment pour s'engager sur le gravier éblouissant de la cour, sœur Ania posa une main sur l'épaule de Pekkala.

« Si le tsarévitch est vivant, promettez-moi de vous assurer qu'aucun mal ne lui sera fait. Il a déjà suffisamment souffert pour des crimes qu'il n'avait pas commis...

– Je vous en donne ma parole », répondit Pekkala.

Ils descendirent en plein soleil.

« Croyez-vous aux miracles, inspecteur Pekkala ?

– Ce n'est pas dans ma nature.

– Alors c'est peut-être le moment de changer... »

Une vieille bicyclette était posée contre la façade du couvent, le cuir de sa selle craquelé et sa peinture noire recouverte d'une couche de poussière. Le bois du guidon était poli par l'usure, et les pneus presque lisses. Malgré son grand âge, l'engin n'en possédait pas moins la dignité particulière des objets qui ont accompagné leur propriétaire tout au long d'une vie.

Pekkala contempla, par-delà les grilles du couvent, la longue marche qui l'attendait pour rentrer à Sverdlovsk. La route était écrasée sous un ciel bleu intense. Les ombres impressionnistes des peupliers semblaient n'offrir qu'une protection dérisoire.

Il regarda la bicyclette, imaginant la brise fraîche qui le caresserait en dévalant la colline en roue libre, au lieu de marcher péniblement en plein cagnard.

Sœur Ania avait suivi son regard.

« Prenez-la, offrit-elle. Sinon, ces hommes l'emporteront. D'ici à ce qu'on la ressorte de l'entrepôt, cette bicyclette sera une véritable antiquité, si elle n'en est pas déjà une ! Si elle peut vous faciliter un tant soit peu la tâche, je vous en prie, prenez-la tout de suite et n'en parlons plus. »

Pekkala enfourcha le vélo. La vieille selle en cuir n'était pas aussi confortable qu'il aurait aimé.

« Allez-y, reprit sœur Ania. Voyons voir comment vous vous en sortez. Je ne voudrais pas que, par ma faute, vous vous brisiez le cou... »

Il décrivit un cercle sur l'allée de gravier. Cela faisait des années qu'il n'avait pas fait de vélo, et la roue avant oscillait dans ses efforts pour ne pas perdre l'équilibre.

« J'ai peut-être fait une erreur..., commenta la nonne.

– Pas du tout », la rassura Pekkala, en s'arrêtant tant bien que mal à sa hauteur.

Elle tendit le bras.

Pekkala prit sa petite main rose dans la sienne.

Le contact de sa peau frappa Pekkala comme une décharge électrique. Il y avait des années qu'il n'avait pas tenu la main d'une femme.

«Nous avons besoin de vous, déclara sœur Ania. Ne nous abandonnez plus jamais.»

Pekkala ouvrit la bouche, mais aucun son n'en sortit. Il était trop bouleversé pour parler.

Sœur Ania serra sa main dans la sienne, puis la libéra. Elle fit volte-face et disparut à l'intérieur.

Loin en contrebas, au pied de la colline, la route se séparait en deux. La partie droite de la fourche menait directement en ville. La route de gauche longeait un étang envahi par les herbes, puis traversait l'océan vert pâle des champs d'orge.

Aussitôt franchi le portail, le chemin plongea brusquement. Dès lors, Pekkala se laissa propulser par la gravitation, sans le moindre coup de pédales. Ses yeux commencèrent à pleurer. Il n'entendait plus que le vent dans ses oreilles, semblable au rugissement d'une torchère. Soudain, Pekkala partit d'un grand éclat de rire, qui le prit lui-même totalement par surprise.

Quand la bicyclette eut atteint une vitesse si grande qu'il sentait vibrer la roue arrière, il tendit les doigts, les referma sur le métal nu des poignées de frein, qu'il écrasa légèrement. Mais le vélo ne ralentit pas. Baissant les yeux, Pekkala aperçut les vieux tampons de caoutchouc des freins en train de se désagréger au contact de la jante.

Il riait toujours, sans savoir pourquoi. Il ne pouvait se retenir.

Il écrasa plus fort les poignées de frein, et la bicyclette perdit momentanément de la vitesse. Puis les deux tampons se décrochèrent complètement. Il se pencha en arrière pour regarder les autres freins, et constata que leur câble était arraché, les rendant inutilisables.

Son rire se changea en un mugissement et le vent s'engouffra dans sa bouche.

Les roues bourdonnaient à présent. Pekkala luttait pour rester sur la selle, tandis que les arbres défilaient, floutés par la vitesse, dans un sifflement sourd au passage de chaque tronc.

Quand il atteignit le pied de la colline, Pekkala était en survie. Il se pencha pour tourner à gauche, agrippé au guidon de bois. La route s'aplanit peu à peu. Il redressa le guidon. Tout semblait fonctionner. Pekkala s'accordait un instant d'autosatisfaction silencieuse quand un grand craquement retentit dans son dos. L'arrière de la bicyclette s'affaissa. Pekkala dériva vers la gauche et traversa les herbes hautes qui poussaient sur le bas-côté. L'espace d'un instant, il eut l'impression de voler, comme si les roues tournoyant dans le vide l'avaient emporté vers le ciel. La seconde d'après, enguirlandé de boutons d'or, de marguerites et des tresses de fleurs bleues de la vesce à épis, Pekkala passa par-dessus le guidon et tomba dans le lac.

Pendant une seconde, il demeura allongé, le visage dans l'eau. Les arbres qu'il avait frôlés pendant sa folle descente tremblotaient encore derrière ses yeux fermés. Puis il se releva, les deux pieds plantés dans la vase. De minuscules herbes aquatiques restèrent accrochées à son manteau, tels de verts confettis. La vase remuée se diffusa dans l'onde autour de lui.

Comme il se frayait un chemin vers la terre ferme en poussant sa bicyclette, épuisé par le poids de ses vêtements gorgés d'eau, une image de son enfance lui revint – une image d'Anton et lui tirant des luges et ployant sous le fardeau de leurs habits d'hiver. Ils dévalaient en luge une colline pentue, qui n'était fréquentée qu'en été, lorsque les bûcherons traînaient les fûts de bois et les envoyaient rouler jusqu'en bas, jusqu'à une rivière sur laquelle on les faisait ensuite flotter pour les acheminer à la scierie de la ville. En hiver, Anton et lui avaient la colline pour eux seuls. C'était avant que tout ne change entre les deux frères – avant le four crématoire, avant qu'Anton ne rejoigne le régiment finlandais. Depuis lors, le gouffre entre eux n'avait cessé de s'élargir. Les poumons en feu, Pekkala se

demanda s'ils retrouveraient un jour leur complicité d'autrefois. Il faudrait un miracle, pensa-t-il. Peut-être sœur Ania
a-t-elle raison. Il est peut-être temps de commencer à croire.

« Il pleut ? » s'étonna l'officier Kropotkine, toujours assis
derrière son bureau, comme s'il n'avait pas bougé de là depuis
leur premier entretien. Il se retourna sur sa chaise et jeta un
coup d'œil au ciel bleu, dehors, à travers la fenêtre.

« Non, répondit Pekkala. Il ne pleut pas. »

Kropotkine se tourna vers lui.

« Alors, comment se fait-il que vous soyez en train d'inon-
der mon bureau ?

– J'ai fait un détour par la mare aux canards...

– Vous explorez vraiment toutes les pistes, pas vrai ? »

Pekkala sortit son bloc-notes. Il l'ouvrit. Un filet d'eau se
déversa sur le plancher.

« J'ai quelques questions à vous poser. »

Au fur et à mesure que Pekkala lui rapportait les détails
de sa conversation avec sœur Ania, le visage de Kropotkine se
fit de plus en plus rouge, jusqu'au moment où, n'y tenant plus,
il bondit de sa chaise en hurlant :

« Assez ! Si toutes les fiancées du Christ sont aussi bavardes
que sœur Ania, j'espère pour lui que Jésus est devenu sourd en
vieillissant ! Dans quel genre de pétrin m'a-t-elle mis ?

– Aucun.

– Et qu'est-ce que vous voulez savoir ?

– Pourquoi le tsar vous a-t-il informé qu'il ne désirait plus
s'échapper ?

– Ce n'est pas ce qu'il a dit, rectifia Kropotkine. Il m'a
simplement ordonné de ne pas tenter de le délivrer...

– Pourquoi croyez-vous qu'il ait fait ça ?

– Il a peut-être eu vent de ce qui était arrivé à son frère, le
grand-duc Mikhaïl, qui se trouvait emprisonné dans une autre
ville du pays...

– Il a été abattu en tentant de s'évader, n'est-ce pas ?

– Pas exactement, rétorqua Kropotkine. Apparemment, Mikhaïl avait établi des contacts avec un groupe d'hommes qui prétendaient être toujours fidèles au tsar. Mikhaïl a suivi leurs instructions et, quelques semaines à peine avant l'exécution du tsar, il a fauché compagnie à ses gardiens. Ce qu'il ne savait pas, c'est que les hommes qui avaient juré de le sauver étaient en réalité des agents de la Tcheka. Ils lui avaient tendu un piège. Dès qu'il s'est enfui, ils l'ont descendu. » Kropotkine haussa les épaules. « Après ça, le tsar ne nous faisait peut-être plus confiance... Comment lui en vouloir, d'ailleurs ? Pourtant, je n'aurais pas hésité à sacrifier ma vie pour le sauver... Si nous avions réussi, qui sait ? ce pays n'en serait peut-être pas là aujourd'hui...

– J'ai parlé à plusieurs personnes qui croient qu'un ou plusieurs enfants du tsar ont survécu...

– Ce qui s'exprime à travers ces histoires, répliqua Kropotkine, c'est le sentiment de culpabilité collectif de cette ville. Il était sans doute possible de croire le tsar et la tsarine coupables des crimes dont les accusaient les politiciens de Moscou, mais aucune personne saine d'esprit n'aurait pu se laisser convaincre que les enfants méritaient de mourir. Ils ont sans doute été gâtés. On les a protégés des réalités du monde. Mais ce n'était pas leur faute, et ça ne constitue pas un crime. Certains ici détestaient le tsar bien avant qu'il n'arrive à Sverdlovsk, mais les gens détestent toujours celui qui possède plus qu'eux, et il est plus facile de haïr une chose à distance. Mais quand le tsar est arrivé avec sa famille, ils ont bien été obligés de le considérer comme un être humain comme les autres. Pour être capable de tuer une famille sans défense, la haine ne suffit pas. Voilà pourquoi, dans les histoires qu'on vous a racontées, les enfants avaient la vie sauve...

– Donc, vous ne pensez pas qu'il puisse y avoir des survivants ?

– Si c'était le cas, répondit Kropotkine, je pense que nous aurions entendu parler d'eux, depuis tout ce temps. Bien sûr, il reste une autre possibilité...

– Laquelle ?

– Que le tsar ait reçu une autre proposition pour le délivrer...

– Mais les seuls messages que le tsar ait reçus du dehors, c'étaient les vôtres...

– Je ne parle pas du dehors. Je veux parler d'une offre venue de l'intérieur même de la maison Ipatiev...

– La Tcheka, vous voulez dire ? »

Kropotkine haussa les épaules.

« Ils ont très bien pu envisager de le tuer pendant qu'il tentait de s'enfuir, comme ils l'avaient fait avec le grand-duc Mikhaïl. »

Pekkala secoua la tête.

« Le tsar n'a pas été tué en tentant de s'évader...

– Alors, peut-être qu'un des gardes de la Tcheka avait vraiment l'intention de le délivrer.

– Pour moi, rétorqua Pekkala, cela semble presque impossible...

– Trouvez-vous vraiment incroyable que quelqu'un ait pu prendre de tels risques pour sauver le tsar ? s'étonna Kropotkine. Après tout, votre propre survie a quelque chose de miraculeux...

– La vôtre également, ajouta Pekkala. Les communistes vous ont forcément soupçonné de collaboration avec les blancs, ce qui ne les a pas empêchés de vous nommer chef de la police de Sverdlovsk...

– Les rouges avaient besoin de quelqu'un qui soit capable de maintenir la paix, expliqua Kropotkine. À l'époque, ils ne pouvaient pas se permettre d'être trop regardants. Jusqu'ici, ils n'ont pas jugé bon de se débarrasser de moi. Mais ce jour viendra. La seule manière d'avoir un futur dans ce pays, c'est de n'avoir pas de passé. Un luxe que ni vous ni moi ne possédons. Tôt ou tard, nous en paierons le prix.

– Que ferez-vous quand ils auront décidé qu'ils n'ont plus besoin de vous, Kropotkine ? »

Kropotkine haussa les épaules.

« Je changerai peut-être de métier, mais les choses auxquelles je tiens, celles pour lesquelles je serais prêt à risquer ma vie, elles, ne changeront jamais...

– Aux yeux des gens qui dirigent ce pays, cela fait de vous un homme dangereux.

– Pas aussi dangereux que vous, inspecteur Pekkala. Loin s'en faut. Je suis un homme de chair et de sang. On pourrait me faire disparaître sans laisser de traces. Mais se débarrasser de vous aujourd'hui... » Un sourire illumina son visage. « ... ce serait une sacrée paire de manches !

– Vous parlez comme si je résistais aux balles, s'amusa Pekkala. Ce qui n'est pas le cas, croyez-moi. »

Pekkala se rendit compte que Kropotkine pointait du doigt l'insigne de l'œil d'émeraude, que le revers détrempé de son manteau, en se retournant, avait rendu visible.

« Même si votre vie peut être soufflée en un instant, l'Œil d'Émeraude est désormais entré dans la légende. Il n'est pas si simple de s'en débarrasser, et la vérité, c'est qu'ils n'ont aucune envie de s'en débarrasser. Ils ont besoin de vous, Pekkala. Ils ont besoin de votre incorruptibilité légendaire – comme le tsar avant eux. La plupart des personnages légendaires possèdent le luxe d'être déjà morts, continua-t-il. Mais tant que vous vivrez, vous représenterez à leurs yeux un danger autant qu'un atout. Plus tôt vous aurez disparu, plus vite ils se sentiront en sécurité.

– Alors ils n'auront pas à attendre longtemps, lui confia Pekkala. Dès que cette affaire sera résolue, je quitte le pays pour toujours. »

Kropotkine se rassit au fond de sa chaise. Il tapota la mine d'un crayon sur l'ongle de son pouce.

« J'espère que vous dites vrai, Pekkala. Mais, de leur côté, ils feront tout leur possible pour vous garder dans ce pays, là où ils peuvent contrôler votre destinée. S'ils y parviennent, tout ce pour quoi vous vous êtes battu sera perdu, et vous et moi, dans cette guerre, nous nous retrouverons dans deux camps opposés.

– Je n'ai aucune envie de devenir votre ennemi», déclara Pekkala.

Kropotkine hocha la tête.

«Alors, pour notre bien à tous les deux, espérons que le moment venu, vous saurez faire le bon choix.»

Les jours se succédaient, et Pekkala croupissait au fond de sa cellule, attendant que les interrogatoires commencent. On lui apportait à manger une fois par jour, à travers le passe-plat situé sous le judas. Il avait droit à un bol de soupe au chou salée à l'extrême, et à une tasse de thé. Le bol et la tasse étaient d'un métal si fragile qu'il aurait pu les briser dans sa main, comme s'ils avaient été faits d'argile brut.

Une fois les plats débarrassés, deux gardiens l'escortaient jusqu'aux toilettes, l'un marchant devant lui, l'autre derrière. Seul celui qui le suivait lui adressait la parole. « Si vous faites un pas sur la gauche... Si vous faites un pas sur la droite... » Il ne terminait pas ses phrases, il n'en avait pas besoin. Il se contentait de tendre le bras et enfonçait le métal froid d'un canon de revolver dans la joue de Pekkala. Le gardien qui le précédait se mettait en route, et Pekkala sentait l'autre le pousser doucement.

Un épais tapis gris recouvrait le sol de la prison. Les chaussures des gardiens portaient une semelle de feutre. Hormis les ordres délivrés à voix basse par le personnel, un silence absolu régnait dans la prison de Butyrka. Ils le condui-saient au bout d'un corridor aveugle, enfilade de portes, jusqu'à une pièce avec un simple trou au centre du plancher, et un seau d'eau placé juste à côté. Quelques minutes plus tard, il remontait le couloir dans l'autre sens, ses pieds nus foulant sans bruit le tapis. Il rentrait en trébuchant dans sa cellule.

Il n'arrivait pas à trouver le sommeil. Il parvenait à peine à sombrer dans une sorte de demi-conscience. Ses genoux, arc-boutés contre la porte, souffraient d'un engourdissement permanent. Ses pieds avaient perdu toute sensibilité.

Il ne s'était pas préparé à une si longue attente. Elle lui rongeait les nerfs, à tel point que son esprit tout entier s'effilochait peu à peu, tels les lambeaux d'une bannière malmenée par un ouragan.

Privé de tout contact avec le monde extérieur, il perdit bientôt la conscience du temps passé derrière les barreaux.

Avec l'ongle de son pouce, Pekkala creusait une minuscule encoche dans le mur pour marquer chaque repas. Il remarqua la présence d'autres éraflures d'ongles sur la paroi, semblables aux siennes. Il y avait plusieurs séries distinctes, dont l'une comptait plus de cent marques. Cette vision le remplit d'horreur. Il savait qu'il ne tiendrait pas cent jours dans cette cellule.

Lors de ce qu'il imaginait être son vingt et unième jour à Butyrka, les gardiens escortèrent Pekkala jusqu'à une autre salle, dans laquelle il y avait deux chaises, séparées par un bureau dont le plateau était en métal.

Il était nu depuis son arrivée à la prison, mais l'un des gardiens lui tendit un pyjama beige fait d'un coton très fin, qui empestait le moisi. Le pantalon avait des cordons aux chevilles, mais pas autour de la taille. Dès lors, l'une des mains de Pekkala fut occupée en permanence à empêcher le pantalon de tomber.

Les gardiens le laissèrent seul, fermant la porte derrière eux.

Deux minutes plus tard, un officier entra dans la salle, une mallette à la main. C'était un homme de taille moyenne, dont le visage grêlé était couvert de taches de rousseur, avec des yeux vert-jaune et un épais fatras de cheveux noirs. Bien que son uniforme fût parfaitement ajusté, il semblait mal à l'aise dedans, et Pekkala en conclut qu'il ne le portait pas depuis très longtemps.

L'homme ouvrit sa mallette et en sortit le Webley de Pekkala, retrouvé sur lui le jour de son arrestation, à Vainikkala. Il le soupesa, l'examinant avec attention. Son pouce rencontra par inadvertance le bouton qui servait à charger l'arme, et le canon du revolver bascula soudain vers l'avant, dévoilant les chambres du barillet. Surpris, l'homme faillit lâcher l'arme.

Pekkala dut se retenir pour ne pas bondir en avant et empoigner le revolver avant qu'il ne tombe. L'homme le rattrapa juste à temps. Il le reposa précipitamment au fond de la mallette. Il en sortit alors l'œil d'émeraude. Posant l'insigne en équilibre sur le bout de ses doigts, il le fit basculer de droite et de gauche pour faire briller l'émeraude à la lumière de l'ampoule. «Vos ennemis vous ont surnommé "le Monstre du tsar".» Il replaça l'insigne dans sa mallette. «Mais vous n'avez pas l'air d'un monstre.» Enfin, il sortit le livre de Pekkala. Il le feuilleta, parcourant sans les comprendre les mots du Kalevala, puis il le laissa retomber où il l'avait trouvé.

Il se racla la gorge plusieurs fois avant de poursuivre : «Saviez-vous que la Finlande avait déclaré son indépendance à l'égard de la Russie? »

Pekkala l'ignorait. Cette nouvelle le bouleversa. Il se demanda ce que pouvait ressentir son père, lui qui avait toujours soutenu le tsar.

«Comme vous le voyez, reprit l'homme, grâce à ces objets trouvés en votre possession, nous savons exactement qui vous êtes, inspecteur Pekkala.»

Il parlait d'une voix si discrète qu'il en semblait presque timide.

«Géorgie, rétorqua Pekkala.

— Je vous demande pardon?

— Géorgie, répéta Pekkala. Votre accent.

— Ah, oui... Je suis originaire de Tiflis.»

Alors, Pekkala se souvint.

Sibérie, 1929

« Djougachvili, déclara-t-il. Joseph Djougachvili. Vous avez commis un vol à main armée dans une banque, en 1907, qui a fait plus de quarante victimes. »

Il avait peine à croire que cet homme, qu'il avait jadis traqué comme criminel, fût à présent assis face à lui, de l'autre côté de la table d'interrogatoire.

« C'est exact, confirma Djougachvili. Sauf que désormais, mon nom est Joseph Staline, et je n'attaque plus les banques. Je suis conseiller en chef du Commissariat au peuple.

– Et vous êtes venu me donner un conseil ?

– Oui. Tout à fait. Un conseil que, j'espère, vous suivrez. Un enquêteur avec votre expérience pourrait nous être très utile. Bon nombre de vos anciens camarades ont accepté de collaborer avec le nouveau gouvernement. Après, bien sûr, nous avoir fourni tous les détails sur leur travail... »

Il dévisagea Pekkala pendant un long moment, puis il dressa un doigt charnu, comme pour vérifier l'orientation du vent.

« Mais je crois que vous ne serez pas l'un de ces hommes...

– Je ne le serai pas, confirma Pekkala.

– On m'avait prévenu, déclara Staline. Vous comprenez donc que les choses doivent suivre un autre cours. »

Quand Pekkala rentra à la maison Ipatiev, ce soir-là, Kirov faisait bouillir des pommes de terre à la cuisine. Les vitres des fenêtres transpiraient de condensation.

Pekkala s'assit à la table, plia les bras et baissa la tête, posant le front sur ses poignets.

« Pas de troc avec Maïakovsky, aujourd'hui ?

– C'est un malin, ce Maïakovsky, répondit Kirov. Il nous donne juste assez pour aiguiser notre appétit, puis il nous laisse mourir de faim en faisant exploser les prix...

– J'imagine que ses informations aussi vont nous coûter plus cher, maintenant.

– C'est d'informations que je voulais parler, dit Kirov. Mais je sais comment m'y prendre avec les types dans son genre...

– Ah bon ? »

Kirov hocha la tête.

« Il suffit de leur offrir un cadeau.

– Pourquoi donc ?

– Parce qu'ils ne s'y attendent pas. Les hommes comme Maïakovsky n'ont pas d'amis et n'en ont pas besoin. Ils ne reçoivent pas souvent des cadeaux et, quand on leur en fait, cela les désarçonne totalement...

– Vous êtes plus roublard que vous n'en avez l'air, grommela Pekkala.

– C'est justement pour ça que mes ruses fonctionnent. »

Kirov soupira.

« Mais aujourd'hui, ma roublardise ne m'a permis de récolter en ville que quelques malheureuses pommes de terre...

– Avez-vous appris quelque chose en vous promenant ? interrogea Pekkala.

– Tout ce que j'ai appris, c'est que cette ville tout entière est devenue dingue. »

Empoignant une cuiller en bois, Kirov remua les pommes de terre dans la casserole d'eau chaude.

« Tous ceux que j'ai interrogés ou presque déclarent avoir vu l'un des Romanov vivant. Jamais la famille au complet, juste un de ses membres... Comme si le tsar, sa femme et ses enfants s'étaient enfuis dans des directions différentes, cette nuit-là. Ce qui ne les a pourtant pas empêchés de tous finir au fond de cette mine... »

Pekkala releva la tête.

« Tous, sauf un...

– Peu importe, rétorqua Kirov. Je ne crois pas qu'Alexeï ait survécu.

– Qu'est-ce qui vous fait dire ça ?

– Même si le tueur l'avait laissé s'échapper, combien de temps croyez-vous qu'il aurait pu survivre, en fuite, au beau milieu d'une révolution ? en étant hémophile ? C'est comme s'il avait été en verre. Alexeï n'avait aucune chance.

– Pourquoi Alexeï ne figure pas parmi les morts, je n'en ai pas la moindre idée, répliqua Pekkala. Mais tant qu'il n'aura pas réapparu, il faut continuer à le chercher. En outre, j'ai des raisons de penser que le tsar croyait pouvoir s'échapper de Sverdlovsk, mais pas sans une aide extérieure. Ce que j'ignore encore, c'est l'identité de celui qui était censé l'aider, et la manière dont il est mort. On lui a peut-être tendu un piège, à moins que l'opération de sauvetage n'ait tourné au fiasco. Peut-être les hommes de la Tcheka ont-ils exécuté les Romanov quand ils ont compris qu'ils étaient attaqués. À moins que l'homme qui était venu délivrer les Romanov n'ait paniqué, et préféré jeter les corps au fond de la mine plutôt que de les laisser dans la maison Ipatiev, où on les aurait découverts...

– Ainsi, poursuivit Kirov, les rouges penseraient que le tsar et sa femme étaient toujours vivants... Ils perdraient leur temps à traquer les Romanov, au lieu de poursuivre celui qui avait tenté de les sauver. »

Enveloppant d'un mouchoir le manche de la casserole, Kirov vida dans l'évier l'eau blanche comme du lait. Un nuage de vapeur s'éleva autour de lui. Il posa la casserole sur la table, puis s'assit en face de Pekkala.

« Enfin, qu'est-ce que j'en sais ? Je ne suis ici que comme un simple observateur...

– Kirov, déclara Pekkala, vous ferez un excellent détective.

– Vous ne diriez pas ça si vous saviez le peu d'informations que j'ai récoltées. Tout ce que j'ai rapporté, c'est une pile de photographies.

– Des photographies ? s'étonna Pekkala.

– C'est une vieille dame qui me les a données. Elle a dit qu'elles venaient du studio de Katamidze. Ce dernier lui en a fait cadeau, mais maintenant que Katamidze a disparu, elle a eu peur d'avoir des problèmes si elle les gardait...

– Où sont-elles ? demanda Pekkala.

– Dans la salle de séjour. J'allais les jeter au feu, vu que nous n'avons presque plus de bois à brûler... »

Avant même que Kirov n'ait terminé sa phrase, Pekkala avait quitté la pièce.

« Il s'agit essentiellement de paysages, ajouta Kirov, rien de bien important. »

Puis il haussa la voix en se tournant vers le séjour :

« Vous ne trouverez le tsar sur aucune d'elles ! »

Pekkala revint quelques instants plus tard, le poing serré sur une liasse de photographies gondolées et écornées. Il y en avait une bonne vingtaine. Des empreintes de doigts indistinctes maculaient les images, dont la plupart étaient des vues de la ville. L'église et sa flèche surmontée d'une coupole en forme d'oignon. La grand-rue, avec la maison Ipatiev à l'arrière-plan, et un cheval flou attelé à une charrette qui traversait la rue juste devant l'objectif. Il y avait un étang, avec au loin la même église. Sur l'autre rive, une femme portant une longue robe et un fichu se penchait sur les herbes pour ramasser quelque chose. Certaines photos étaient des portraits des nonnes qu'il avait vus sur le mur du couvent. Visiblement, Katamidze avait tenté de colorier ces tirages-là, avant de renoncer.

« Ce sont sûrement les rebuts de Katamidze », marmonna Pekkala.

Il se rassit et frotta ses yeux fatigués.

« Je vous avais dit qu'elles n'avaient rien d'intéressant... », répéta Kirov.

Ils piquèrent chacun une pomme de terre et se mirent à manger, gonflant les joues sous l'effet de la chaleur.

Quelques minutes plus tard, Anton entra en titubant, l'haleine chargée d'effluves de betteraves marinées et d'anchois séchés du lac Baïkal. Ces poissons qui, en séchant, s'étaient ratatinés jusqu'à ressembler à des cigares froissés, étaient suspendus à des fils au-dessus du comptoir de la taverne, leurs os minuscules semblables à des notes de musique sous la peau dure et translucide. Quand un client voulait en manger un, il n'avait qu'à tendre la main, lui tordre le corps et lui arracher la tête, laquelle demeurait accrochée au fil. Les sans-le-sou se précipitaient alors pour la décrocher et l'avaler, mâchant le cartilage au goût métallique jusqu'à ce qu'il n'en reste rien.

Anton jeta un bloc-notes sur la table.

« Tout est là-dedans », déclara-t-il.

Pekkala ramassa le carnet et le feuilleta.

« Les pages sont vierges.

– Monsieur doit être enquêteur, après tout..., persifla Anton.

– C'est ça que tu appelles nous aider ? » grommela Pekkala, peinant à contenir sa fureur.

Anton vint s'asseoir avec eux. Remarquant les photographies, il s'en saisit.

« Ooh... Des photos...

– Elles appartiennent à Katamidze, expliqua Kirov.

– Il y a des femmes nues ? » demanda Anton.

Kirov fit non de la tête.

« Je parie que c'est Maïakovsky qui les a, vu que c'est lui qui a tout, ici...

– Je t'avais demandé de ne pas boire », gronda Pekkala.

Anton laissa tomber la pile de photographies.

« Demandé ? » s'étonna-t-il. Puis il abattit sa main sur la table. « Tu m'as ordonné, oui ! On ne peut pas aller dans une taverne et ne pas boire ! J'ai fait mon boulot, selon tes propres instructions. Alors lâche-moi un peu, monsieur l'inspecteur. » Il avait craché ces derniers mots comme s'il s'était agi d'un morceau de gras. « La taverne est l'endroit où les gens racontent leurs petits secrets ! Tu l'as dit toi-même.

– Mais il faut être sobre pour les écouter ! »

Pekkala empoigna le fruit en bois posé sur la table et le jeta sur son frère.

Anton leva la main d'un geste fulgurant. La pomme vint claquer contre sa paume ouverte, et ses doigts se refermèrent dessus. Anton toisa son frère, le regard triomphant.

« As-tu offert au tsar de le délivrer ? » l'interrogea Pekkala.

Le visage d'Anton perdit aussitôt son expression jubilatoire.

« Quoi ?

– Tu m'as bien entendu, rétorqua Pekkala. Quand tu surveillais les Romanov, as-tu proposé au tsar et à sa famille de les aider à s'échapper ? »

Anton éclata de rire.

« Tu as perdu la tête, ou quoi ? Quelle raison aurais-je pu avoir de les aider ? À une certaine époque, ce que je désirais par-dessus tout, c'était une place au sein du régiment finlandais. Mais cette place, tu me l'as volée, et j'ai dû trouver d'autres arrangements, qui n'incluaient pas le tsar.

– Tu aurais pu revenir dans le régiment ! protesta Pekkala. Ils ne t'avaient pas renvoyé définitivement.

– J'étais sur le point de revenir quand j'ai appris que tu étais en route vers Petrograd pour prendre ma place. Tu pensais vraiment que j'allais accepter une telle humiliation ? Pourquoi n'es-tu pas resté à la maison et n'as-tu pas repris le commerce familial, comme l'avait prévu notre père ?

– Comme il l'avait prévu ? répliqua Pekkala. Tu ne comprends donc pas que c'est lui qui m'a envoyé prendre ta place au sein du régiment ? »

Anton se figea.

« Il t'a envoyé ?

– Après avoir reçu le télégramme qui annonçait ta suspension. Nous ne savions pas qu'elle n'était que temporaire.

– Mais pourquoi... ? bafouilla Anton. Pourquoi ne m'as-tu rien dit, à l'époque ?

– Parce que je n'arrivais pas à te retrouver. Tu avais disparu. »

Pendant un long moment, personne ne parla. Anton semblait vissé à sa chaise, trop abasourdi pour faire le moindre geste.

« Je te jure que je ne savais pas, déclara-t-il.

– Peu importe, à présent, répondit Pekkala. Il est trop tard.

– Oui, acquiesça Anton comme un homme dans un état second. Il est trop tard. »

Sur ces mots, il sortit dans la cour.

« Peut-être, remarqua Kirov, l'un des autres gardes de la Tcheka a-t-il proposé son aide au tsar. Et votre frère n'en a rien su...

– Il était trop soûl pour savoir, vous voulez dire. »

Les deux hommes se tournèrent vers Anton, dehors, le front appuyé contre le mur, le bras tendu au-dessus de lui pour ne pas perdre l'équilibre. Une parabole brillante de pisse éclaboussa les pavés. Puis il sortit de la cour et disparut.

« Il retourne à la taverne, déclara Kirov.

– C'est possible.

– Ils vont encore lui casser la gueule...

– Ça n'a pas l'air de l'embêter. »

– Quand les gens du Bureau m'ont confié cette mission, ajouta Kirov, ils m'ont prévenu que son ivrognerie risquait de poser problème...

– Il n'est pas aussi ivre qu'il veut nous le faire croire.

– Que voulez-vous dire ?

– Avez-vous remarqué comment il a attrapé cette pomme ?

– Vous avez fait ça pour tester ses réflexes ? »

Pekkala acquiesça du chef.

« S'il avait été vraiment ivre, il n'aurait jamais réagi aussi vite.

– Mais pourquoi ferait-il semblant d'être soûl ?

– Parce qu'il nous cache quelque chose, répondit Pekkala. Ce que j'ignore, c'est si cela a un rapport avec cette enquête, si c'est lié à notre passé, ou bien les deux.

– Vous voulez dire qu'on ne peut plus lui faire confiance ?

– Je ne lui ai jamais fait confiance. »

« Il y a quelque chose que nous aimerions savoir, déclara Staline. Vous finirez par nous le dire. La seule variable de cette équation, c'est ce qu'il restera de vous, physiquement et mentalement, quand vous répondrez à notre question. »

Pekkala se sentit presque soulagé que le processus s'engage enfin. Tout valait mieux que l'agonie des longues journées passées à se courber dans cette cellule-cheminée. C'était la courbe du plafond qui le terrorisait le plus, comme si la pièce avait été en train de se refermer lentement sur lui. Chaque fois qu'il y pensait, une sueur froide perlait sur son front.

« Par chance, poursuivit Staline, nous n'avons qu'une seule question à vous poser. »

Pekkala attendit.

« Voulez-vous une cigarette ? » proposa Staline.

Il sortit de la poche de son pantalon un coffret rouge et or dont le couvercle portait l'inscription « Markov ». Pekkala reconnut la marque que fumait Vassiliev.

« L'ancien directeur de l'Okhrana a eu la bonne idée de nous en laisser des réserves considérables dans son bureau.

– Où est-il, maintenant ?

– Il est mort, expliqua Staline avec désinvolture. Savez-vous ce qu'il a fait ? Quand il a appris que nous venions l'arrêter, il a bourré sa prothèse d'explosifs. Puis, dans le fourgon de police qui l'emportait vers la prison, il a déclenché sa bombe. L'essieu du fourgon a atterri sur le toit d'un immeuble de deux étages. » Staline rit doucement. « Des explosifs dans une jambe de bois ! On ne peut pas nier qu'il avait un certain humour. »

Il lui tendit la boîte de cigarettes Markov, vrillant maladroitement le poignet pour présenter les tiges blanches à Pekkala.

Pekkala secoua la tête.

Staline fit claquer le couvercle.

« Au cours des jours à venir, je vous saurai gré de ne pas oublier que la première proposition que je vous ai faite était amicale...

– Je n'oublierai pas.

– Bien sûr que non, rétorqua Staline. Votre mémoire légendaire ne le permettrait pas. C'est justement pour ça que je suis convaincu que vous serez capable de répondre à notre question...

– Que voulez-vous savoir ?

– Où sont les réserves d'or du tsar ?

– Je n'en ai aucune idée. »

Staline expira brusquement, les lèvres légèrement retroussées, comme un enfant qui apprend à siffler.

« Alors, ce qu'on m'a dit était certainement faux...

– Que vous a-t-on dit ? »

Au fil des minutes, cette étrange légèreté qui accompagnait la certitude d'une mort prochaine envahissait peu à peu le corps de Pekkala. Quand ils finiront par me tuer, pensa-t-il, il ne restera plus rien de moi pour sentir la douleur.

« On m'avait dit que le tsar avait confiance en vous, reprit Staline.

– Pour certaines choses », précisa Pekkala.

Staline eut un sourire vague.

« Dommage. »

Deux semaines plus tard, Pekkala fut tiré de sa cellule, et on l'emmena de nouveau dans la salle d'interrogatoire. Il fallut le porter, car il ne pouvait plus marcher. Passant les bras du prisonnier autour de leurs épaules, les gardiens le traînèrent sur la moquette, qui lui écorcha les orteils.

Sibérie, 1929

Les gardiens le lâchèrent, et Pekkala parcourut les derniers mètres qui le séparaient de sa chaise dans la salle d'interrogatoire. Tremblant comme un homme en proie à une forte fièvre, il s'assit, peinant à garder l'équilibre. Ses pieds boursouflés avaient doublé de taille, leurs ongles noircis par le sang qui s'était figé dessous. Il n'avait plus la force de lever les mains au-dessus des épaules, pas plus qu'il ne pouvait respirer par le nez. Entre deux souffles, il toussait violemment, les genoux rabattus contre la poitrine. Des éclairs bleus traversaient alors son champ de vision, accompagnés d'une douleur aussi vive que si l'on avait enfoncé une dague dans son cerveau.

Staline l'attendait.

« Voulez-vous une cigarette, cette fois ? » demanda-t-il de cette voix presque timide qui le caractérisait.

Pekkala ouvrit la bouche pour lui répondre, mais il se remit à tousser et parvint seulement à secouer la tête.

« Je ne sais pas où se trouve l'or, déclara-t-il, quand il eut retrouvé son souffle. Je vous dis la vérité.

– Oui, acquiesça Staline. J'en suis désormais convaincu. Voici ce que j'aimerais savoir, à présent : à qui a-t-il confié la mission de récupérer l'or ? »

Pekkala ne répondit rien.

« Cette réponse, vous la connaissez », insista Staline.

Pekkala garda le silence. Le chien noir de l'effroi dévalait les tunnels de son esprit.

« Quand nous en aurons terminé avec vous, reprit Staline, et que vous repenserez à ce qui va vous arriver maintenant, vous regretterez sans doute d'avoir une mémoire si parfaite... »

Plus tard, cette nuit-là, Pekkala était assis dans la salle de séjour, adossé au mur, les jambes dépliées sur le plancher de bois. Le *Kalevala* était posé sur ses cuisses.

Kirov entra, apportant une pile de bois pour le feu, qu'il fit tomber avec grand fracas au fond de l'âtre.

«Aucune trace d'Anton? demanda Pekkala.

– Aucune», répondit Kirov en se frottant les paumes pour se débarrasser de la poussière du bois. Il désigna le *Kalevala* d'un geste de la tête. «Vous voulez bien m'en lire un passage?

– Vous n'y comprendrez rien, sauf si vous parlez le finnois...

– Lisez quand même.

– Je doute que ce livre figure sur votre liste d'ouvrages approuvés par le parti communiste...

– Si vous ne leur dites pas, répondit Kirov, je vous promets que moi non plus.»

Pekkala haussa les épaules.

«Très bien.»

Il ouvrit le livre et commença à lire, les mots finnois roulant comme un tonnerre au fond de sa gorge et craquant comme la foudre contre son palais. Pekkala consultait souvent ce livre, mais il n'avait pas l'habitude de lire le texte à voix haute, et cela faisait des années qu'il n'avait pas eu l'occasion de parler sa langue natale. Même son frère l'avait abandonnée. En lisant, ce soir-là, elle lui paraissait à la fois étrangère et familière, comme un souvenir emprunté à la vie d'une autre personne.

Au bout d'une minute, Pekkala s'interrompit pour lever les yeux sur Kirov.

« Votre langue..., déclara ce dernier. On dirait quelqu'un en train d'arracher un clou d'une planche.

– Je vais m'efforcer d'y voir un compliment...

– Ça parlait de quoi, ce passage ? »

Le regard de Pekkala se reposa sur le livre. Il contempla les mots qui, peu à peu, se transformèrent, s'adressant à lui dans la langue que Kirov comprenait. Il raconta à Kirov les aventures de Väinämöinen, et ses tentatives pour convaincre la déesse Pohjola de descendre de l'arc-en-ciel où elle vit pour l'accompagner dans ses voyages. Avant d'accepter, Pohjola lui lance des défis impossibles, comme faire un nœud avec un œuf, trancher en deux un crin de cheval avec un couteau émoussé ou arracher à une pierre un morceau d'écorce de bouleau. En accomplissant sa dernière tâche, qui consiste à fabriquer un bateau avec des copeaux de bois, Väinämöinen s'entaille le genou d'un coup de hache. La seule chose capable d'arrêter les flots de sang est la formule magique dite de la « source de Fer ». Väinämöinen part donc en quête d'une personne qui connaisse ces mots magiques.

« Toutes les histoires sont-elles aussi étranges ? s'étonna Kirov.

– Elles sont étranges jusqu'à ce qu'on les comprenne. Et alors, c'est comme si on les avait toujours connues...

– Avez-vous lu cette histoire à Alexeï ?

– Je lui en ai lu certaines, mais pas celle-là. Entendre parler d'une telle formule magique lui aurait donné un espoir qui n'avait pas lieu d'être... »

En disant ces mots, Pekkala ne put s'empêcher de se demander si son propre espoir de retrouver Alexeï vivant n'était pas aussi utopique qu'un sortilège pour arrêter le sang.

Le lendemain, à l'aube, on frappa à la porte d'entrée.

« Maïakovsky ! grommela Kirov, en se frottant les yeux pour évacuer le sommeil. J'espère qu'il apporte des pommes de terre.

– Ce n'est pas Maïakovsky, corrigea Pekkala. Il entre toujours par la cour. »

Pekkala se leva et enjamba Anton, rentré pendant la nuit.

Ouvrant la porte, il se retrouva nez à nez avec Kropotkine. Le chef de la police portait sa veste de service bleue, dont les boutons étaient défaits. Sa casquette réglementaire manquait à l'appel et il gardait ses mains au fond de ses poches. Ses cheveux plaqués et sa mâchoire carrée lui donnaient des airs de boxer. Jamais Pekkala n'avait vu un policier à l'allure aussi négligée. Le tsar l'aurait renvoyé sur-le-champ, pensa-t-il, pour avoir osé se présenter dans cette tenue.

« Vous avez reçu un appel hier soir, annonça Kropotkine.

– De qui ?

– L'asile de Vodovenko. Katamidze dit qu'il s'est souvenu d'une chose que vous lui aviez demandée. Un nom... »

Le cœur de Pekkala se mit à battre la chamade.

« Je viens immédiatement. »

Il était sur le point de fermer la porte quand l'homme ajouta :

« Je l'ai déjà dit à votre copain de la Tcheka. Je l'ai rencontré à la taverne, hier soir. Je lui ai transmis le message, mais je me suis dit qu'il était peut-être trop soûl pour m'avoir compris. J'ai pensé qu'il valait mieux venir vous voir ce matin, pour m'assurer que vous auriez bien le message.

– Vous avez bien fait... », répondit Pekkala.

Kropotkine fit cliqueter les pièces de monnaie au fond de ses poches.

« Écoutez, Pekkala. Je sais que les choses ont mal commencé entre nous, mais si je peux faire quoi que ce soit pour vous aider, vous savez où me trouver. »

Pekkala le remercia et referma la porte.

Anton dormait encore, emmitouflé dans une couverture. Pekkala empoigna un coin de la couverture et tira d'un coup sec. Anton roula sur le plancher.

« Que se passe-t-il ?

– Katamidze ! s'emporta Pekkala. Le coup de téléphone de Vodovenko ! Pourquoi ne nous as-tu pas prévenus hier soir ? »

Anton se redressa, les yeux bouffis.

« J'allais te le dire ce matin... »

Juste au-dessus des rideaux de velours, des éclairs de soleil fusaient en diagonale à travers les fenêtres, illuminant la poussière qui tournoyait lentement dans l'air.

« Mais j'imagine que c'est déjà le matin, alors je te le dis maintenant.

– Nous devrions être sur la route depuis des heures. »

Pekkala attrapa les vêtements d'Anton, éparpillés sur le plancher, et les lui jeta au visage.

« Habille-toi. On part tout de suite. »

Kirov apparut sur le seuil de la cuisine.

« Friture de viande de l'armée au petit déjeuner ! » claironna-t-il.

Pekkala le croisa sans un mot et se rua dans la cour. Kirov le suivit du regard, et le sourire sur son visage s'évanouit peu à peu.

« Que se passe-t-il ? » Puis il se tourna vers Anton, et demanda à nouveau : « C'est quoi le problème ? »

Anton enfilait ses chaussures.

« Montez dans la voiture », répondit-il.

Dix minutes plus tard, ils étaient partis.

Mettant le cap au sud, en direction de Vodovenko, ils traversèrent une nouvelle fois le village des mensonges temporaires. La barrière du barrage routier était baissée, mais ils trouvèrent la cabane des gardes déserte et verrouillée.

Après avoir levé la barricade, ils poursuivirent leur route et se retrouvèrent bientôt sur la grand-rue. L'endroit était désert, comme si la population s'était soudain enfuie, laissant derrière elle des boutiques dont les étals croulaient sous le pain, la viande et les fruits. Toutefois, quand Pekkala descendit de voiture pour les examiner de près, il découvrit que tous ces articles étaient façonnés dans la cire.

Ils s'arrêtèrent devant la petite gare et scrutèrent les rails vides qui filaient vers l'horizon. Un balai était posé contre l'un des piliers.

Aucun des trois hommes ne parlait. La vacuité des lieux imposait le silence. Pekkala repensa aux visages qu'il avait vus la première fois qu'ils étaient passés là. Il se souvint de la crainte cachée derrière leurs masques souriants.

Ils remontèrent en voiture et continuèrent vers le sud.

Plus tard, ce jour-là, ils entrèrent dans la cour de Vodovenko, et le gardien aux cheveux roux sortit les accueillir.

« Vous arrivez trop tard », déclara-t-il.

Pekkala s'extirpa de la voiture, les hanches ankylosées de s'être tassé si longtemps dans l'espace étroit de l'Emka.

« Comment ça, nous arrivons en retard ?

– Pas en retard, corrigea l'homme. Trop tard.

– Que s'est-il passé ?

– Nous ne sommes pas très sûrs. Nous pensons que c'est un suicide. »

Les trois hommes ne prirent pas la peine de signer le registre, et le gardien ne leur demanda pas leurs armes. Ils se précipitèrent sur la porte blindée et remontèrent les couloirs jusqu'à une pièce dont le sol et les murs, jusqu'à hauteur de poitrine, étaient carrelés de blanc, comme dans une douche. Quatre grandes lampes pendaient du plafond. C'était la morgue.

Le corps de Katamidze gisait sur un plateau d'acier, à moitié recouvert d'un drap de coton. Ses hanches, ses paupières et le bout de son nez avaient pris une teinte bleu marbré, mais la peau du reste du corps était aussi pâle que le carrelage sur les murs. Ses pieds, tournés vers la porte, dépassaient du drap. Un disque de métal, sur lequel un numéro avait été gravé, était accroché par un fil de fer au gros orteil de son pied droit. Les ongles avaient viré au jaune, comme les écailles d'un poisson mort.

Anton s'appuya contre le mur près de la porte, les yeux rivés au sol. Kirov emboîta le pas de Pekkala, trop curieux pour être impressionné.

« Poison, déclara Pekkala.

– Oui, confirma le gardien.

– Cyanure ?

– Soude », rectifia l'homme.

Doucement, Pekkala posa la main sur le visage de Katamidze et souleva l'une de ses paupières. Le blanc des yeux était devenu tout rouge, les vaisseaux ayant explosé. Examinant le contour des yeux, Pekkala remarqua une rougeur imperceptible qui s'étendait de la pommette jusqu'à la base du front. Il passa alors ses doigts le long du cou de l'homme, palpant la chair. Atteignant le larynx, il suivit du doigt l'os fragile en forme de fer à cheval, qui s'affaissa sous cette pression infime, ce qui signifiait qu'on l'avait brisé. Celui qui avait tué Katamidze s'était agrippé à sa gorge jusqu'au moment où il avait été sûr que sa victime allait succomber, mais ce n'était pas l'étranglement qui avait provoqué la mort.

« Où l'a-t-on retrouvé ? interrogea Pekkala.

– Dans sa cellule », répondit le gardien.

Pekkala désigna la porte d'un brusque mouvement de tête.

« Montrez-la-moi », ordonna-t-il.

Les trois hommes repartirent vers la cellule de Katamidze.

« Où utilise-t-on de la soude, dans cet établissement ? demanda Pekkala.

– Dans les jardins, parfois. »

Les jambes du gardien étaient plus courtes que celles de Pekkala, et il avait de la peine à le suivre.

« Nous l'utilisons pour nettoyer les gouttières, deux fois par an.

– Était-il mort quand vous l'avez trouvé ?

– Presque. Je veux dire, il est mort avant qu'on n'ait eu le temps de lui ôter ses chaînes.

– A-t-il dit quoi que ce soit ?

– Non. Enfin...

– Enfin quoi ? » insista Pekkala.

Le gardien eut un mouvement d'humeur.

« Bon Dieu, ses tripes étaient carbonisées ! Alors, s'il a essayé de dire quelque chose, il était bien trop mal en point pour qu'on puisse le comprendre... Voilà. C'est ici. »

Un aide-soignant lavait la cellule à grande eau. L'air était lourd des vapeurs du détergent, mêlées à une forte odeur de vomi et à l'amertume irritante de la soude. La cellule n'avait aucune fenêtre, rien qu'un simple lit de camp qui se repliait dans le mur. Il n'y avait pas d'autre meuble. Une chaîne rivée au mur pendait au-dessus du lit. Une menotte en acier était fixée au bout.

Pekkala souleva la chaîne et la laissa retomber. Les chaînons métalliques crépitèrent contre le mur.

« Il était attaché à ça ? »

Anton avait le souffle court. Puis, soudain, il quitta la pièce, et l'écho de ses pas pressés s'affaiblit peu à peu le long du couloir.

Le gardien le suivit du regard.

« Certaines personnes n'ont pas l'estomac assez solide pour un endroit comme celui-là », commenta-t-il.

Kirov ne bougea pas d'un pouce, regardant par-dessus l'épaule de Pekkala.

« Tous les internés sont attachés à leur lit après l'extinction des feux, reprit le gardien. Durant la journée, on replie les lits et on leur enlève les menottes.

– Que font les prisonniers, alors ? »

L'aide-soignant continuait d'éponger le sol, comme si de rien n'était.

« Ils ont le droit de sortir quinze minutes par jour. Le reste de la journée, ils sont assis par terre, ou ils marchent dans leur cellule...

– Donc vous pensez qu'il a avalé la soude avant que vous l'enchaîniez pour la nuit ? »

Le gardien acquiesça du chef.

« Oui. C'est la seule possibilité. »

Pekkala colla son visage à celui du gardien.

« Vous savez aussi bien que moi qu'il ne s'agit pas d'un suicide. »

La serpillière de l'employé se figea d'un seul coup. Les fils gris entortillés laissèrent échapper une eau savonneuse qui se répandit sur le plancher.

« Dehors », lui ordonna le gardien.

L'aide-soignant lâcha sa serpillière et se précipita hors de la pièce.

« Quelqu'un s'est accroché au cou de Katamidze, reprit Pekkala.

– Il s'est griffé lui-même. Katamidze avait perdu la tête.

– Il y avait d'autres marques. Des traces d'écrasement. Quelqu'un l'a pris à la gorge. Et son œsophage a été endommagé.

– La soude...

– On y a enfoncé quelque chose, sans doute une sorte d'entonnoir. Puis on lui a versé la soude dans l'estomac. »

Le gardien s'était mis à transpirer. Il posa sa main sur son front et baissa les yeux.

« Écoutez, inspecteur, au bout du compte, est-ce que ça change vraiment quelque chose qu'il se soit tué ou pas ?

– Bien sûr que ça change quelque chose ! s'exclama Pekkala.

– Ce que je veux dire, expliqua le gardien, c'est que cet endroit est un asile de fous. Des bagarres éclatent. Les querelles n'ont ni début ni fin. Ces hommes ont été soustraits au monde afin qu'ils ne puissent plus représenter un danger pour la société, mais ça ne les empêche pas de rester un danger les uns envers les autres. Nous ne pouvons pas tout empêcher.

– Pourquoi avez-vous essayé de me faire croire qu'il s'agissait d'un suicide ?

– Un suicide... », répondit le gardien. Ses mains se déployè-rent lentement devant lui, comme pour extraire les mots de sa bouche. «... n'exige qu'une enquête interne. Mais un meurtre nécessite une enquête poussée. Vous savez bien ce que ça signifie, inspecteur. Des hommes innocents, qui s'efforcent simplement de faire un travail difficile, vont se retrouver condamnés comme des criminels. S'il y avait moyen de rester discret sur cette affaire...

– Des intrus ont-ils été aperçus dans le bâtiment ?

– Notre système de sécurité est prévu pour empêcher les gens de sortir, pas d'entrer...

– Vous êtes en train de me dire que n'importe qui peut entrer ici et avoir accès aux détenus ?

– Il aurait d'abord fallu qu'il passe devant moi, répliqua le gardien, ou devant celui qui était de garde.

– Y a-t-il toujours quelqu'un à la réception ?

– Officiellement, oui.

– Comment ça ?

– Nous sommes parfois obligés de faire nos besoins natu-rels, si vous voyez ce que je veux dire. Ou bien nous sortons fumer une cigarette. Ou nous allons à la cafétéria prendre un bol de soupe. S'il n'y a personne à la réception, les gens n'ont qu'à presser la sonnette et on vient s'occuper d'eux.

– Mais s'il n'y a personne, l'intrus peut voler une clé. »

Le gardien haussa les épaules.

« Officiellement, non.

– En d'autres termes, oui.

– Il y a un placard rempli de clés. Tous ceux qui travaillent à l'asile en ont une. Ils prennent la clé en arrivant, et ils la déposent en partant. Chaque clé est accrochée à un porte-clés, dont le numéro correspond à son propriétaire.

– Et ce placard, il est fermé à clé ?

– Officiellement...

– Ça suffit !

– Il devrait l'être, mais parfois il reste ouvert. Écoutez, je vous l'ai déjà dit, cet endroit est fait pour empêcher les gens de sortir. Un détenu qui essaie de s'échapper devra sortir de sa cellule, qui est verrouillée, et franchir cette porte, qui l'est également. Les gens ne s'introduisent pas par effraction dans un asile...

– Connaissez-vous qui que ce soit qui aurait pu détester Katamidze au point de le tuer ?

– Inspecteur, les hommes qui sont internés ici n'ont pas besoin d'une raison pour tuer. C'est pour cela qu'ils sont à Vodovenko. Et s'il a été étranglé, comme vous le dites, pourquoi aurait-on pris la peine de lui verser de la soude dans l'estomac ?

– Pour faire passer le meurtre pour l'œuvre d'un fou, répliqua Pekkala, afin que personne ne soupçonne quelqu'un d'extérieur à l'asile.

– Ne serait-il pas plus facile de penser que c'est vraiment l'un des détenus qui a fait ça ?

– Ce serait plus simple, en effet, reconnut Pekkala. Mais je ne crois pas que ce soit vrai. Il avait quelque chose à nous dire, et on lui a réglé son compte avant que nous arrivions. »

Pekkala sortit dans le couloir. Le gardien le rattrapa et le saisit par la manche.

« Pourquoi quelqu'un de l'extérieur s'introduirait-il ici pour tuer un homme comme Katamidze ?

– Il connaissait un nom.

– Un simple nom ? Et il est mort pour ça ?

– Il ne serait pas le premier », rétorqua Pekkala.

Puis il se dirigea vers la porte.

Au soixante-douzième jour de détention de Pekkala à la prison de Butyrka, après lui avoir disloqué les épaules pour la troisième fois en le pendant par les poignets jusqu'à ce que ses bras se déboîtent, deux gardiens l'attachèrent sur une planche. Ils le firent basculer de telle manière que ses pieds se retrouvent plus haut que sa tête et jetèrent une serviette mouillée sur son visage. Puis l'un des gardiens versa de l'eau sur la serviette jusqu'à ce que Pekkala ne puisse plus respirer, et il eut la certitude qu'il allait se noyer.

Il ne savait plus depuis combien de temps cela durait.

Il avait chaviré dans un recoin de son esprit dont il n'avait jamais soupçonné l'existence auparavant. À travers toutes les épreuves qu'ils lui avaient fait subir jusque-là, la conscience de Pekkala était parvenue à maintenir l'équilibre entre l'information qu'ils recherchaient et la douleur qu'ils lui causaient. Sa tâche consistait à ne pas laisser la balance verser du mauvais côté. Mais tandis que Pekkala se noyait sous cette serviette, la balance disparut subitement et une force inconsciente prit le pouvoir. Une obscurité effrayante, teintée de rouge sale, se déploya comme un nuage à travers son esprit, et il ne sut plus qui il était, ni ce qui comptait vraiment pour lui ou avait de l'importance, à part rester en vie.

Quand ils ôtèrent la serviette, il prononça le nom qu'ils cherchaient. Il n'avait pas voulu le dire. Le nom semblait s'être prononcé de lui-même.

Immédiatement, Pekkala fut ramené à sa cellule.

Lorsque la porte se referma, il éclata en sanglots. Il posa la main sur sa bouche pour qu'on ne l'entende pas. Le désespoir s'ouvrit devant lui comme un gouffre. Les larmes coulaient sur ses doigts. Quand ses pleurs se calmèrent, il comprit qu'il allait mourir.

Le lendemain, lorsque les gardiens se présentèrent, Pekkala se laissa guider à travers les couloirs bordés de cellules-cheminées, jusqu'à une pièce vide dont le sol était détrempé. Elle ne mesurait guère plus de quelques pas de long et de large, mais elle lui sembla si vaste, après toutes ces semaines passées dans sa cheminée, que sa première réaction fut de se coller au mur, comme si on l'avait conduit au bord d'un précipice.

Le gardien lui tendit un morceau de pain et referma la porte.

Pekkala avala une bouchée de pain et la recracha. Ce pain est de pire en pire, pensa-t-il.

Puis l'eau commença à se déverser, jaillissant d'un trou dans le mur.

Pekkala poussa un cri, tomba par terre et se roula en boule.

L'eau continuait de couler.

Elle était chaude.

Au bout d'un moment, il releva la tête. Il ne voyait plus que l'eau qui l'aspergeait. Le morceau de pain moussait dans sa main, et il se rendit compte que c'était du savon. Il se frictionna le visage.

L'eau se déversait sur lui et s'écoulait, noire de crasse, par un siphon dans un coin de la pièce. Pekkala se remit debout et resta sous le jet, le menton sur la poitrine, les mains sur les hanches. Le fracas de l'eau grondait à ses oreilles.

Au bout d'un moment, un grincement retentit, et l'eau cessa de couler.

Toujours vêtu de son pyjama détrempé, Pekkala ressortit dans le couloir. Malgré la douche, des caillots de sang restaient accrochés autour de ses narines. Le goût métallique du sang s'attardait au fond de sa bouche.

«*Mains derrière le dos, ordonna le gardien.*

– Un pas à gauche, un pas à droite, grommela Pekkala.

– Taisez-vous», *répondit le gardien.*

Pekkala et ses deux gardiens remontèrent un autre couloir, jusqu'à une lourde porte d'acier constellée de rivets, qui était ouverte. Une odeur d'air humide sauta au visage de Pekkala. Puis les gardiens le guidèrent au bas d'un long escalier en spirale, éclairé par des ampoules grillagées.

Le sous-sol, pensa Pekkala. Ils m'emmènent au sous-sol. Et maintenant ils vont m'exécuter. Il était heureux de n'avoir pas à retourner dans la cheminée. Son âme s'était presque évaporée, à présent. Son corps lui donnait l'impression d'être un petit bateau criblé de fuites, sur le point de couler.

« Vous en êtes certain ? interrogea Kirov en franchissant le portail de Vodovenko au volant de l'Emka.

– Ils parlent de suicide, répondit Pekkala, mais ce n'en est pas un.

– Nous ferions mieux de quitter Sverdlovsk, intervint Anton. Nous devrions partir tout de suite. Nous ne devrions même pas y retourner pour prendre nos affaires...

– Certainement pas, objecta Pekkala. Nous allons mener à bien cette enquête. Nous sommes plus près du but que jamais. Le tueur ne doit plus être loin...

– Mais ne devrions-nous pas au moins trouver un endroit plus sûr que la maison Ipatiev ? s'inquiéta Kirov.

– Il faut qu'il nous croie vulnérables, répliqua Pekkala. Si celui qui a tué les Romanov découvre que nous sommes sur ses talons, alors il comprendra qu'il ne peut plus se cacher et, tôt ou tard, c'est lui qui viendra nous trouver... »

C'était le matin. Pekkala était assis sur un seau retourné, au pied de la pompe à eau, le Webley posé par terre près de lui. Un miroir grand comme la main, en acier poli, était calé au creux du levier de la pompe. Pekkala se rasait, le visage maculé d'une mousse de savon crasseuse, et la lame crissait imperceptiblement en taillant les contours de son menton.

N'ayant dormi que deux heures, il était fatigué. Au retour de Vodovenko, les trois hommes s'étaient mis d'accord pour monter la garde toute la nuit, à tour de rôle, jusqu'à la fin de l'enquête.

À cet instant, un visage pointa au coin du mur d'enceinte. Pekkala empoigna le revolver. Le visage se déroba.

«Ce n'est que moi! hurla une voix, de l'autre côté du mur. Votre vieil ami, Maïakovsky.»

Pekkala reposa son arme.

«Que voulez-vous?» demanda-t-il.

Prudemment, Maïakovsky s'aventura de nouveau dans la cour. Il portait un panier de joncs tressés.

«J'apporte des cadeaux! annonça-t-il. Les choses que Kirov m'a commandées.» Son regard s'attarda sur le revolver. «Vous êtes un peu nerveux ce matin, inspecteur Pekkala...

– J'ai de bonnes raisons de l'être.

– Vous vous rasez, je vois... Oui. Bon pour les nerfs. Oui.» Maïakovsky laissa échapper un rire nerveux.

«Ockham apprécierait.

– Quoi? s'exclama Pekkala.

– Le rasoir d'Ockham.»

Il désigna la lame, entre les doigts de Pekkala.

«L'explication la plus simple permettant de rendre compte des faits...

– ... est en général la bonne», acheva Pekkala.

Il se demanda où Maïakovsky avait bien pu marchander ce morceau de savoir.

«Qu'est-ce qui vous amène?

– Oh, eh bien, on pourrait dire que c'est Ockham qui m'amène, inspecteur Pekkala.»

Pekkala passa le rasoir le long de son cou, puis il essuya le savon et colla de nouveau la lame contre sa peau. Maïakovsky posa le panier sur le seuil et s'assit à côté.

«Mon père était l'homme à tout faire de la famille Ipatiev. Je venais l'attendre ici quand j'étais enfant, pendant qu'il terminait ses tâches du jour. Je me suis juré qu'un jour j'achèterais cette maison. Au final, bien sûr, ce n'a pas été possible. Qui en aurait voulu, de toute façon, après ce qui s'est passé là ?

– Votre maison semble bien assez grande..., remarqua Pekkala.

– Oh oui ! s'exclama Maïakovsky. J'ai une chambre différente pour chaque jour de la semaine. Mais ce n'est pas cette maison-là. » Il tapota de la main la pierre sur laquelle il était assis. « Ce n'est pas la maison que je m'étais juré d'acheter.

– Alors c'est l'avidité qui vous guide...

– Croyez-vous que j'aurais été plus heureux si j'avais acheté la maison Ipatiev ?

– Non. L'avidité ne connaît pas de repos tant qu'elle n'a pas été satisfaite, et elle n'est jamais satisfaite... »

Maïakovsky acquiesça du chef.

« Exactement. »

Pekkala détacha les yeux de son miroir.

« Très bien, Maïakovsky. Où voulez-vous en venir ?

– Tant que je ne possède pas cette maison, expliqua Maïakovsky, le rêve de la posséder persiste. J'ai fini par comprendre que ce rêve a désormais plus de valeur que la maison elle-même. J'ai bien tenté de me persuader du contraire... Comment un homme pourrait-il admettre qu'il a passé sa vie à poursuivre une chose qu'il ne veut pas vraiment ? »

Pekkala détacha lentement le rasoir de son visage.

« Il peut l'admettre, s'il regarde la vérité en face...

– C'est vrai, reconnut Maïakovsky. Si, comme le rasoir d'Ockham, il est capable de comprendre ce que lui indiquent les faits.

– J'éprouve de la pitié pour vous, Maïakovsky.

– Gardez votre pitié pour vous, inspecteur. »

Le sourire forcé de Maïakovsky clignotait, par intermittence, comme alimenté par un courant électrique défaillant.

« Vous aussi, vous semblez poursuivre une chose que vous ne voulez pas vraiment...

– Et quelle chose pensez-vous que je cherche? rétorqua Pekkala.

– Le trésor du tsar!» cracha Maïakovsky.

Jusqu'alors, le vieil homme avait pris grand soin de choisir ses mots, mais à présent le ton se faisait accusateur.

«Qu'est-ce que vous en savez?»

Pekkala essuya la mousse du rasoir dans un torchon posé sur son genou.

«Je sais que le tsar l'a si bien caché que personne n'a pu le retrouver. Et ce n'est pas faute d'avoir essayé! L'abri des charrettes, qui se trouvait dans cette cour, était rempli de coffres que les Romanov avaient apportés avec eux. Des coffres magnifiques. Le genre avec des armatures de bois ciselé et des loquets de cuivre. Chaque coffre portait un numéro et un nom. Eh bien, les miliciens les ont fouillés et ont dérobé des objets, mais ils ne savaient pas vraiment ce qu'ils cherchaient – les coffres contenaient seulement des tas de livres et d'habits luxueux. Les gars de la Tcheka ont dû imaginer que même si le trésor ne se trouvait pas dans ces coffres, ils avaient des chances de découvrir des indices qui permettraient de le localiser... Toutes les nuits, les hommes de la Tcheka sortaient en douce fouiller les coffres. Mais ils n'ont jamais rien trouvé.

– Qu'est-ce qui vous fait croire ça, Maïakovsky?

– S'ils avaient trouvé ce qu'ils cherchaient, inspecteur Pekkala, ils n'auraient pas eu besoin de vous. Pour quelle autre raison vous auraient-ils gardé en vie?

– Maïakovsky, répliqua Pekkala, je suis ici pour enquêter sur la possibilité que l'exécution des Romanov n'ait pas été menée jusqu'au bout...»

Maïakovsky hocha la tête, l'air narquois:

«Plus d'une décennie après leur disparition... Les roues de la bureaucratie moscovite tournent-elles si lentement que ça? Les Romanov ne sont plus qu'un détail de l'histoire. Qu'ils soient vivants ou morts n'a plus aucune importance...

– Ça a de l'importance pour moi.

– C'est parce que vous aussi, vous n'êtes qu'un détail de l'histoire – un fantôme en quête d'autres fantômes.

– Je suis peut-être un fantôme, déclara Pekkala, mais je ne cherche pas cet or.

– Alors, votre œil d'émeraude est devenu aveugle, inspecteur, parce que vous êtes manipulé par quelqu'un qui le cherche. Vous l'avez dit vous-même, l'avidité n'est jamais satisfaite. La différence entre vous et moi, c'est que j'ai accepté de voir les choses en face, et pas vous.

– Cela, Maïakovsky, vous me laisserez en décider. »

Comme répondant à un invisible signal, les deux hommes se levèrent.

« Katamidze est mort, déclara Pekkala. J'ai pensé que vous deviez le savoir. »

Maïakovsky hocha la tête.

« Les gens ne font pas de vieux os, à Vodovenko.

– Il savait qui a assassiné le tsar. Il était sans doute le seul qui aurait pu me donner le nom du tueur.

– Je pourrais peut-être vous aider, suggéra Maïakovsky.

– Comment ?

– Il y a cette personne que Katamidze connaissait, et à qui il aurait pu parler avant de s'enfuir de Sverdlovsk...

– Qui ? s'écria Pekkala. Bon Dieu, Maïakovsky, si vous savez quoi que ce soit... »

Maïakovsky leva la main et tapota le vide.

« Je parlerai à cette personne, répondit-il. Je vais devoir faire preuve de diplomatie...

– Quand me donnerez-vous la réponse ? s'inquiéta Pekkala.

– Je vais m'en occuper tout de suite. » Maïakovsky parlait d'une voix calme et rassurante. « J'aurai sans doute une réponse pour vous dès aujourd'hui.

– J'imagine que cela aura un prix. Vous avez certainement compris que nous n'avons pas grand-chose à vous donner... »

Maïakovsky pencha la tête d'un côté puis de l'autre.

« Il y a bien une chose qui m'a tapé dans l'œil, si je puis m'exprimer ainsi...

– Et de quoi s'agit-il ? »

Maïakovsky fit un signe de tête en direction du manteau noir de Pekkala, suspendu à un clou sur le mur. À peine visible, sous le revers, se trouvait l'ovale de l'œil d'émeraude.

Pekkala souffla entre ses dents.

« Vous êtes dur en affaires.

– Si je visais moins haut, répliqua Maïakovsky, tout sourire, je n'aurais plus aucun respect de moi-même...

– Et votre panier, alors ?

– Gardez-le, inspecteur. Considérez-le comme un acompte pour l'achat de votre insigne... »

Quand Pekkala eut terminé de se raser, il essuya les derniers flocons de mousse sur son visage, plia son rasoir avec soin et le remit au fond de sa poche. Il entra dans la cuisine et fut surpris d'y trouver Anton assis, les pieds sur la table, en train de lire un exemplaire de la *Pravda*.

« Regarde ce que j'ai acheté, dit-il.

– Ce journal est vieux d'une semaine, rétorqua Pekkala, en apercevant la date, en haut de la première page.

– Même les nouvelles de la semaine dernière sont des nouvelles fraîches, dans un bled pareil. »

Anton referma son journal et le fit claquer sur la table.

« Maïakovsky est passé », annonça Pekkala en posant le panier devant lui.

Anton fouilla à l'intérieur et en sortit une miche sombre de pain de seigle, dont il grignota un morceau.

« Et qu'est-ce que notre petit troll voulait en échange ? demanda-t-il, la bouche pleine.

– Il dit qu'il connaît peut-être quelqu'un qui a parlé avec Katamidze la nuit où les Romanov ont été assassinés. Il pourra peut-être nous obtenir un nom...

– Espérons qu'il aura de meilleures informations que la dernière fois... »

Sibérie, 1929

Avec le contenu du panier – une petite perdrix, une bouteille de lait, du beurre salé et une demi-douzaine d'œufs –, Kirov concocta un repas. Il éminça la viande de la perdrix, réduisit en miettes le pain de seigle et mélangea les deux dans un saladier fissuré qu'il avait trouvé sous l'évier. Puis il ajouta un peu de beurre, plusieurs jaunes d'œufs, et malaxa le tout. Il ajouta du bois dans le foyer du poêle, jusqu'à ce que la chaleur semble faire onduler la plaque de cuisson. Alors il confectionna avec sa mixture de petits gâteaux ovales, qu'il mit à frire dessus.

Les trois hommes vinrent s'asseoir autour du poêle, laissant le feu s'éteindre pendant qu'ils mangeaient avec les doigts, leurs mouchoirs dépliés en guise d'assiettes, en se brûlant avec les biscuits fumants, dégoulinants de beurre.

Pekkala mangeait aussi lentement que possible, laissant chaque filament de goût se faufiler dans son cerveau, tandis que les gâteaux fondaient au fond de sa bouche.

« Ma famille possédait une taverne, raconta Kirov, dans une ville qui s'appelle Torjok, sur la route Moscou-Petrograd. Dans le temps, avec toutes les diligences qui passaient, l'endroit était toujours bondé. Il y avait de petites chambres à l'étage pour les clients, et les fenêtres du rez-de-chaussée avaient des vitraux au plomb colorés. Ça sentait la nourriture et la fumée. Je me souviens, les voyageurs des diligences entraient à moitié congelés, ils tapaient leurs chaussures pour se débarrasser de la neige et venaient s'asseoir autour des immenses tables. Les piles de manteaux, près de la porte, étaient plus hautes que moi ! Il y avait toujours foule, là-dedans, et le chef, qui s'appelait Pojarski, devait se tenir prêt à cuisiner à n'importe quelle heure du jour ou de la nuit. En hiver, quand les choses se calmaient et que le poêle de la cuisine refroidissait un peu, il dormait dessus. Mais la voie ferrée Nicolaievsky a été inaugurée entre les deux villes, et elle ne passait pas par Torjok. La route a failli disparaître, tant les diligences qui l'empruntaient encore se faisaient rares. Mais la taverne familiale est restée ouverte. En semaine, Pojarski cuisinait pour les clients, quand il y en avait. Mais le dimanche, il préparait un grand repas pour mes parents et moi, quand nous rentrions de l'église. C'est ce plat-là qu'il me mitonnait. Il avait baptisé ça la côte-lette Pojarski, et il faisait une sauce avec de la vodka et de la sauge. J'en rêvais toute la semaine ! Ce que vous êtes en train de manger est la raison pour laquelle je voulais devenir chef.

– Vous alliez à l'église ? »

Anton avait dévoré sa part. Il épongeait dans son mouchoir ses doigts luisants de graisse.

« Ça fait mauvais genre, pour devenir commissaire...

– Tout le monde allait à l'église, à Torjok, répliqua Kirov. Il y avait trente-sept chapelles dans cette ville...

– Tout ça, c'est fini, maintenant, reprit Anton.

– Tais-toi et mange », murmura Pekkala.

Plus tard, ce jour-là, Pekkala était à quatre pattes devant la cheminée du séjour, grattant les cendres. Il avait ouvert les rideaux. Des rayons de soleil s'abattaient en colonnes courbes sur le plancher usé. En se redressant pour éponger la sueur sur son front, il aperçut Maïakovsky qui sortait de chez lui.

Lequel ramassa un carton posé sur le seuil. Il l'ouvrit et sourit, puis se tourna vers la maison Ipatiev. Alors, son carton sur les bras, il traversa la rue. Cette fois, il ne contourna pas la maison mais se dirigea tout droit vers la porte d'entrée. Les claquements secs et tranchants du heurtoir en forme de fer à cheval résonnèrent dans toute la maison.

Avant que Pekkala n'ait eu le temps de se lever, Kirov se précipita hors de la cuisine et alla ouvrir la porte.

« Kirov ! s'écria Maïakovsky. Kirov, mon cher ami !

– Eh bien bonjour, Maïakovsky, répliqua Kirov.

– J'ai tout de suite su qu'il y avait quelque chose de spécial entre nous...

– Je suis content que vous pensiez cela.

– Nous nous comprenons, et je ne l'oublierai pas. Merci !

– Je vous en prie, Maïakovsky. Je suis heureux que nous nous entendions si bien... »

La porte se ferma. Kirov revint sur ses pas et resta planté dans l'entrée de la salle de séjour, les bras croisés, l'air perplexe.

«Encore un qui a perdu la tête. Comme tout le monde, dans cette ville...

– Il est venu vous remercier pour le cadeau que vous avez déposé devant sa porte.

– Je ne lui ai rien déposé, rétorqua Kirov.

– Vraiment ? »

Pekkala jeta un coup d'œil par la fenêtre.

«Vous aviez pourtant parlé de lui offrir un cadeau. Pour le désarçonner.

– J'en ai parlé, en effet, mais je n'ai pas encore eu le temps de m'en occuper. »

Maïakovsky avait atteint le milieu de la rue. Il s'arrêta et fit volte-face, son carton sur les bras.

Pekkala croisa son regard, et une décharge d'adrénaline lui traversa l'estomac.

«Oh, mon Dieu», murmura-t-il.

Le sourire s'estompa sur le visage de Maïakovsky. Puis soudain, l'homme se volatilisa. À l'endroit où il s'était trouvé l'instant d'avant, Pekkala ne distingua plus, l'espace d'une fraction de seconde, qu'un brouillard rosâtre. Les fenêtres ondulèrent comme des vagues, puis un mur de feu s'engouffra dans la maison. L'onde de choc saisit Pekkala au passage et le projeta à l'autre bout de la pièce. Il alla s'écraser contre le mur. Ses yeux se remplirent de poussière. Une fumée empestant le métal se déversa dans ses poumons. Il ne pouvait plus respirer. Une douleur aiguë lui tordit la poitrine. Tout autour de lui, des éclats de verre rebondissaient contre les murs, ricochant sur les lattes du plancher, étincelant dans l'air comme des diamants.

L'instant d'après, Pekkala sentit Kirov l'attraper par les pieds et le traîner hors de la salle. La porte d'entrée avait volé en éclats. Dehors, les pavés de la rue étaient jonchés de débris. Des branches d'arbres tout entières gisaient sur la chaussée, leurs feuilles brûlées enroulées comme des poings noircis.

Anton les attendait dans la cuisine. Les deux hommes hissèrent Pekkala sur la table. Un linge mouillé se déploya sur son visage. Anton lui parlait, mais il n'entendait rien.

Puis Kropotkine apparut, crinière blonde dépassant de sa casquette de policier.

Enfin, comme une radio dont on aurait progressivement augmenté le volume, l'ouïe de Pekkala commença à revenir. Il repoussa le linge mouillé, tout imbibé de sang, descendit tant bien que mal de la table et remonta le couloir en titubant, vers la rue. Son visage le démangeait. Il se gratta les joues et de minuscules éclats de verre se plantèrent dans ses doigts.

Kirov l'avait rejoint.

« Il faut vous allonger », conseilla-t-il.

Pekkala l'ignora. Il sortit dans la rue et se figea sur place. Là où Maïakovsky s'était arrêté, il ne restait plus qu'un cercle noirci sur les pavés. Au-dessus, dans les branches fracassées des arbres, on apercevait les lambeaux de ses vêtements.

Kirov le prit par le bras.

« Nous ferions mieux de rentrer. »

Sa voix était douce, mais insistante.

Pekkala fut pris de vertiges. Il contemplait les feuilles calcinées, le verre brisé et les murs défoncés. Il sentit quelque chose sous son pied. Baissant les yeux, il aperçut ce qui ressemblait à l'anse brisée d'un pot de terre cuite blanc. Il la ramassa. La surface était dure et glissante. Il lui fallut quelques instants pour comprendre que c'était un morceau de la mâchoire de Maïakovsky.

« Venez », répéta Kirov.

Pekkala le regarda comme s'il ne se souvenait plus de lui. Puis il se laissa guider à l'intérieur de la maison.

Kirov passa la demi-heure suivante à enlever les éclats de verre du visage de Pekkala avec une pince à bec effilé.

Les échardes étincelaient dans leur minuscule écrin de sang. Kropotkine se tenait debout dans un coin de la pièce, jetant des regards nerveux en direction de Pekkala.

« Est-il en état de parler, maintenant ? demanda-t-il.

– Je peux parler, répondit Pekkala.

– Parfait, dit Kropotkine. Écoutez-moi. J'ai proposé de vous assurer une protection policière jusqu'à ce que toute cette affaire soit éclaircie, mais votre copain, l'homme de la Tcheka, dit que ce n'est pas nécessaire... » Il désignait Anton.

« Nous ne savons pas qui a posé cette bombe, déclara Anton.

– Eh bien, ce n'est pas moi, si c'est ce que vous insinuez..., répliqua Kropotkine, le visage rougissant.

– Je les avais pourtant prévenus, reprit Anton. Nous n'aurions jamais dû revenir.

– Il a raison, intervint Kirov. Nous n'avons pas besoin de gardes.

– Et pourquoi ça ? s'étonna Kropotkine.

– Parce que nous partirons demain à la première heure. Nous rentrerons à Moscou pour faire notre rapport. Ensuite, s'ils nous le permettent, nous reviendrons ici avec un détachement militaire.

– Ça prendra trop de temps, protesta Pekkala en se levant. Nous n'avons pas encore trouvé ce que nous sommes venus chercher. »

Kirov posa les mains sur ses épaules.

« Non, dit-il, c'est ce que nous sommes venus chercher qui nous a trouvés... Vous nous aviez prévenus que cela risquait d'arriver, et c'est arrivé.

– Nous n'étions pas assez préparés, objecta Pekkala. La prochaine fois, nous prendrons plus de précautions. »

Il se leva et marcha vers la salle de séjour.

Le soleil, miroitant sur les débris de verre, donnait l'impression que le plancher était parsemé de flammèches. Les tas de cendres ordonnés que Pekkala avait rassemblés s'étaient répandus sur le sol comme l'ombre d'une tornade. On aurait dit que les griffes d'un chat géant avaient lacéré le papier peint. Pekkala se dirigea vers un débris encastré dans le mur. Le dégageant du plâtre, il reconnut le foyer de la pipe de Kirov, que la déflagration avait enfoncé comme un clou.

En se retournant, Pekkala se retrouva nez à nez avec Anton.

« Je t'en prie, supplia son frère. Il faut partir, maintenant.

– Je ne peux pas, répondit-il. Il est trop tard pour se sauver. »

Pekkala se réveilla en sursaut au beau milieu de la nuit, émergeant d'un rêve où il étouffait.

Kirov était penché sur lui, la main appuyée sur sa bouche et son nez. Il pressa un doigt en travers de ses lèvres, pour faire comprendre à Pekkala qu'il devait garder le silence.

Pekkala fit oui de la tête, les yeux grands ouverts.

Doucement, Kirov retira sa main. Pekkala se redressa et inspira une grande bouffée d'air.

« Il y a quelqu'un dans la maison », chuchota Kirov.

Anton était debout. Il avait déjà dégainé son revolver. Planté sur le seuil du couloir, il scrutait l'obscurité. Puis il se tourna vers Pekkala et Kirov. « Au sous-sol », annonça-t-il.

Pekkala sentit un frisson le parcourir en imaginant quelque chose de vivant là-dessous, dans la poussière souillée de sang noir. Il sortit le Webley de son étui, et les trois hommes se dirigèrent vers la cave. Pekkala descendait de biais l'escalier qui menait au sous-sol, ses pieds nus adhérant aux marches de bois qui craquaient sous son poids. Derrière lui, Kirov portait une lanterne.

« Ne l'allumez pas avant que je vous le dise », chuchota Pekkala.

Arrivé en bas des marches, il ne distingua d'abord d'autre bruit que le souffle d'Anton et de Kirov. Puis il reconnut, sans aucun doute possible, le halètement d'une personne en train de pleurer. Les sanglots venaient de la pièce où les meurtres avaient été commis.

À présent que ses yeux s'étaient habitués à l'obscurité, Pekkala s'aperçut que la porte était ouverte. Les sanglots continuaient, étouffés, comme s'ils surgissaient du cœur des murs.

Pekkala avala une bouffée d'air rance et se dirigea vers la porte de l'ancienne réserve. Il jeta un coup d'œil à l'intérieur et distingua les rayures du papier peint, mais il faisait trop noir pour voir quoi que ce soit d'autre. La poudre du plâtre tombé des murs ressemblait à une couche de neige sale répandue sur le plancher.

Les sanglots reprirent et Pekkala entrevit une silhouette à l'autre bout de la pièce – un être humain, recroquevillé face au mur.

Anton l'avait rejoint. Ses yeux étincelaient dans le noir.

Pekkala hocha la tête et les deux hommes se ruèrent dans la pièce, piétinant les débris.

La silhouette se retourna. C'était un homme, à genoux, dont la plainte céda la place à un hurlement terrifiant.

« Tire ! cria Anton.

– Non ! Je vous en supplie ! »

L'homme se coucha aux pieds de Pekkala, tremblant de peur.

Anton lui posa son canon sur la tempe.

Pekkala repoussa le revolver et saisit l'étranger par le col de son manteau.

« La lanterne ! ordonna-t-il à Kirov.

– Ne me faites pas de mal, gémit l'homme. Je vous en supplie... »

Une allumette crépita. Quelques secondes plus tard, l'éclat doux de la lampe tempête se diffusa le long des murs. Pekkala força l'homme à se redresser, puis à s'allonger sur le dos. La lanterne se balançait dans le poing de Kirov. Les ombres dansaient sur le mur criblé de balles. L'homme se couvrait le visage de ses mains crispées, comme s'il avait craint que la lumière lui brûle la peau.

« Qui êtes-vous ? interrogea Pekkala.

– Enlevez vos mains ! » hurla Kirov.

Lentement, ses doigts glissèrent sur le côté. L'homme fermait les yeux de toutes ses forces, et son visage était d'une pâleur surnaturelle à la lueur de la lampe. Il avait le front large et un menton solide. Une moustache noire et une barbe rase couvraient le bas de ses joues.

Pekkala repoussa le bras de Kirov, afin que le faisceau de la lampe n'éblouisse plus l'étranger.

Enfin, les yeux de l'homme s'ouvrirent en clignotant.

« Pekkala, murmura-t-il.

– Mon Dieu, chuchota Pekkala. C'est Alexeï. »

« Comment pouvez-vous en être si sûr ? » souffla Kirov.

Il était sorti dans la cour avec Pekkala, laissant l'homme sous la garde d'Anton.

« C'est lui, affirma Pekkala. Je le sais. »

Kirov le prit par le bras et le secoua.

« La dernière fois que vous avez vu Alexeï, c'était il y a plus de dix ans. Je vous le demande de nouveau : comment pouvez-vous être sûr ?

– J'ai passé des années auprès des Romanov. C'est pour cela que le Bureau des opérations spéciales m'a fait venir ici, afin que je puisse les identifier formellement, qu'ils soient morts ou vivants. Et je vous affirme qu'il s'agit bien d'Alexeï. Il a le menton de son père, le front de son père. Même en n'ayant vu que des photos de la famille, on le reconnaîtrait du premier coup d'œil : c'est un Romanov ! »

Kirov relâcha lentement son étreinte.

« Je crois que c'est l'homme que j'ai aperçu à la fenêtre, l'autre soir...

– Et vous m'aviez dit qu'il ressemblait au tsar !

– Très bien, admit Kirov. Mais même s'il s'agit d'Alexeï, bon Dieu, qu'est-ce qu'il fait là ?

– C'est bien ce que je compte découvrir... »

Kirov hocha la tête, satisfait.

«Dans ce cas, partons aussi vite que possible. Aucun de nous ne sera en sécurité tant que nous ne l'aurons pas amené à Moscou...

– Anton montera la garde, déclara Pekkala. Il a failli ouvrir le feu, dans la cave. Je ne veux pas de lui dans la pièce, quand nous interrogerons Alexeï.»

Ils emmenèrent Alexeï dans la cuisine. Il s'assit à un bout de la table, Kirov et Pekkala à l'opposé. Anton était dehors, dans la cour. Il semblait soulagé de ne pas participer à l'interrogatoire. Après ce qui était arrivé à Maïakovsky, la seule chose qui lui importait, c'était de quitter la ville.

Il faisait encore nuit. Une lampe tempête était posée sur la table. Sa flamme orange pâle brûlait sans à-coups, réchauffant la pièce. Le vent gémissait autour du morceau de carton qu'ils avaient fixé sur la vitre brisée.

Alexeï avait l'air chétif et débraillé. Il avait vieilli avant l'âge. Épaules voûtées, il se grattait nerveusement le bras en parlant.

«On m'a dit que vous aviez disparu, Pekkala, mais je ne l'ai jamais cru. Quand j'ai entendu dire que vous étiez à Sverdlovsk, il fallait que j'en aie le cœur net...

– Entendu? s'étonna Kirov. Qui vous l'a dit?

– Qui êtes-vous pour me parler sur ce ton? s'insurgea Alexeï.

– Je suis le commissaire Kirov, et dès que j'aurai l'assurance que vous êtes bien celui que vous prétendez être, nous pourrons entamer une discussion courtoise... En attendant, répondez à mes questions.

– Il y a encore des gens dans cette ville qui considèrent les Romanov comme leurs amis», reprit Alexeï.

Kropotkine, pensa Pekkala. Il savait certainement depuis le début où se cachait Alexeï.

«Excellence..., déclara Pekkala.

– Ne l'appelez pas comme ça!» le coupa sèchement Kirov.

C'était la première fois qu'il élevait le ton devant Pekkala.

«Il a raison, approuva Alexeï. Appelez-moi par mon prénom.»

Du bas des paumes, Alexeï essuya ses larmes.

Posant les coudes sur la table, Pekkala appuya ses deux mains l'une contre l'autre. Son visage était tendu, sérieux.

«Nous avons retrouvé vos parents, Alexeï. Et vos sœurs, également. Comme vous le savez probablement, vous êtes l'unique survivant.»

Alexeï acquiesça du chef.

«C'est ce qu'on m'avait dit.

– Qui? demanda Kirov.

– Laissez-le parler! ordonna Pekkala.

– Les gens qui m'ont recueilli, expliqua Alexeï.

– Commencez par le commencement, suggéra Pekkala d'une voix douce. Que s'est-il passé la nuit où l'on vous a fait sortir de cette maison?

– Nous étions à la cave, raconta Alexeï. Un homme était venu nous photographier. Nous en avions l'habitude. Plusieurs portraits avaient été pris quand nous étions séquestrés à Tsarskoïe Selo, puis à Tobolsk. Il était sur le point de prendre la photographie quand un homme en uniforme de l'armée a surgi dans la pièce et s'est mis à hurler.

– Vous connaissiez cet homme? interrogea Pekkala.

– Non. Les gardiens changeaient sans arrêt, et il y en avait eu tellement depuis notre arrestation à Petrograd... Le photographe avait braqué sur nous deux puissants projecteurs, qui nous éblouissaient. Je distinguais mal cet homme et il s'est écoulé quelques secondes seulement avant qu'il ne commence à tirer. Alors, la pièce s'est remplie de fumée. Mon père a hurlé. J'ai entendu crier mes sœurs. J'ai dû m'évanouir. Quand j'ai repris mes esprits, l'homme me portait dans les escaliers. J'étais malade, à cette époque, je n'avais aucune force. Je me suis débattu, mais il me serrait tellement fort que je pouvais à peine bouger. Il m'a porté jusqu'à la cour et m'a fait monter à l'avant d'un camion. Il m'a dit que si je tentais de m'évader, je finirais comme les autres. J'étais trop terrifié pour lui désobéir. Il est retourné plusieurs fois dans la maison, et il a remonté un par un tous les membres de ma famille. À voir la manière dont leurs têtes tombaient, dont leurs bras se balançaient, j'ai compris qu'ils étaient morts. Ensuite, il les a chargés à l'arrière du camion.

– Que s'est-il passé, après ?

– Il a pris le volant, et nous sommes partis.

– Dans quelle direction ?

– Je ne sais pas où il m'a emmené. C'était la première fois depuis des semaines que je sortais de cette maison. Il y avait une épaisse forêt de part et d'autre de la route, et il faisait très noir. Nous nous sommes arrêtés devant une maison. Les gens, à l'intérieur, nous attendaient. Ils sont venus à ma portière, le conducteur m'a dit de descendre, et mes pieds avaient à peine touché le sol que le camion repartait dans la nuit. Je n'ai jamais revu cet homme. Je ne sais même pas son nom. »

Pekkala se rassit au fond de sa chaise. Les muscles de sa nuque, qui s'étaient recroquevillés comme un poing sous la peau, se détendirent peu à peu. Il était persuadé, désormais, qu'il s'agissait bien d'Alexeï. Les détails qu'il avait fournis sur cette fameuse nuit correspondaient point par point avec ce que Pekkala avait appris des autres. Malgré les années qui s'étaient écoulées depuis sa dernière rencontre avec le tsarévitch, les ressemblances anatomiques étaient indubitables. C'était le visage du tsar lui-même qui scintillait à travers les yeux d'Alexeï, ses joues, son menton.

Mais Kirov n'était toujours pas convaincu.

« Ces gens qui vous ont recueilli, insista-t-il, qui étaient-ils ? »

Les mots d'Alexeï s'enchaînaient rapidement, à présent. Il semblait impatient de raconter tout ce qu'il savait.

« C'était un couple âgé. L'homme s'appelait Semyon et la femme, Trina. Je n'ai jamais entendu leur nom de famille. Tout ce qu'ils m'ont dit, c'est qu'ils étaient des amis, que ma vie avait été épargnée parce que j'étais innocent. Ils m'ont nourri et habillé. Je suis resté chez eux pendant plusieurs mois.»

Pekkala n'était pas surpris. Aux yeux du peuple russe, Alexeï n'avait jamais partagé la culpabilité des crimes dont on accusait tous ses proches. L'attitude hautaine de ses sœurs, et surtout de sa mère, les avait desservies quand l'opinion publique avait dû se prononcer. Même au plus fort de la révolution, lorsque Lénine exigeait que l'on fasse couler des fleuves de sang, Alexeï avait été relativement épargné par sa rage. Pekkala avait toujours su que si l'on avait fait preuve de miséricorde à l'égard d'un Romanov, c'était forcément Alexeï.

«Avez-vous tenté de vous enfuir?» demanda Kirov.

Alexeï eut un petit rire.

«Où vouliez-vous que j'aille? Les campagnes grouillaient de bolcheviks. J'avais pu m'en rendre compte par moi-même quand on nous avait transférés ici. Finalement, on m'a fait monter clandestinement à bord d'un train, sur la ligne du Transsibérien. Je suis allé en Chine, et après au Japon. J'ai fait le tour du monde, pour revenir jusqu'ici.»

Pekkala se souvint de ce qu'avait raconté son frère, sur le fait qu'Alexeï avait été aperçu dans des recoins étranges de la planète. Il se demanda combien de ces témoignages étaient véridiques.

«Pourquoi êtes-vous revenu dans ce pays? demanda-t-il. Vous n'êtes pas en sécurité, ici.

– Je savais que c'était dangereux, répondit Alexeï. Mais il n'y a qu'un pays où je me sente chez moi, et c'est celui-ci. Cela fait plusieurs années que je suis là. Quand les gens pensent que vous êtes mort, ils cessent de vous chercher. Et même s'ils croient vous reconnaître, ils se persuadent que leurs yeux leur ont joué des tours. L'attitude la plus sûre, pour moi, c'est de ne pas essayer de ressembler à quelqu'un d'autre. Il n'y a qu'une poignée de personnes qui savent qui je suis réellement. Quand j'ai appris que vous étiez ici, j'ai su que vous veniez forcément me chercher. Et j'ai su que s'il s'agis-sait vraiment de vous, je ne pouvais pas rester caché et vous laisser chercher quelque chose que vous risquiez de ne jamais trouver. Je n'ai pas oublié tout ce que vous avez fait pour ma famille...

– La situation est plus périlleuse encore que vous ne l'ima-ginez, déclara Pekkala. L'homme qui a tué votre famille sait que nous le cherchons, et nous avons des raisons de croire qu'il est tout près d'ici. Staline a promis de vous amnistier, et je crois que son offre est sincère, mais nous devons vous emmener à Moscou aussi vite que possible. Dès que ce sera fait, Alexeï, je continuerai à traquer l'homme qui a assassiné vos parents et vos sœurs. Mais, pour le moment, ma seule préoccupation est votre sécurité. »

Pekkala le pria de l'excuser, et il quitta la pièce en compa-gnie de Kirov. Ils sortirent retrouver Anton.

« Qu'en pensez-vous ? leur demanda Pekkala. Nous devons tous être d'accord avant de prendre une décision. »

Kirov parla le premier.

« La seule manière pour moi de savoir s'il est celui qu'il prétend être serait de l'avoir vu avant. Comme ce n'est pas le cas, je dois m'en remettre à votre jugement...

– Et vous me faites confiance ? demanda Pekkala.

– Oui, répondit Kirov. Je vous fais confiance. »

Pekkala se tourna alors vers son frère.

« Eh bien ? Qu'en penses-tu ?

– Je me fiche de savoir qui il est, ou qui il prétend être, dit Anton. Je pense que nous devrions dégager d'ici. S'il veut nous accompagner à Moscou, qu'il vienne. S'il ne veut pas, je serais d'avis de le laisser ici.

– Alors tout est réglé, conclut Pekkala. Nous partirons pour Moscou demain à la première heure. »

Anton et Kirov restèrent dans la cour, laissant Pekkala rentrer seul dans la cuisine.

Pekkala prit place à la table.

« J'ai une bonne nouvelle, Alexeï. Nous allons partir pour Moscou... »

Avant qu'il ne puisse finir sa phrase, Alexeï se pencha au-dessus de la table et l'empoigna par la main.

« Cet homme, dehors. Il ne m'inspire pas confiance. Il faut me protéger de lui.

– C'est mon frère, dit Pekkala. Quelqu'un est mort ici, aujourd'hui. Mon frère est encore sous le choc. La tension de ces derniers jours a eu raison de lui. Ne le jugez pas sur son attitude présente. Dès que nous serons en route vers Moscou, je crois que vous le découvrirez sous un autre jour...

– Je vous dois la vie, répondit Alexeï. Je vous dois tout. »

En entendant ces mots, Pekkala se sentit submergé par la culpabilité d'avoir abandonné la famille du tsar. Il se détourna et des larmes roulèrent sur ses joues.

Pendant la nuit, alors qu'il montait la garde, assis dans l'obscurité de la cuisine, le Webley posé sur la table, Alexeï vint le rejoindre.

« Je n'arrivais pas à dormir, dit-il, prenant une chaise de l'autre côté de la table.

– Alors nous sommes deux... », répondit Pekkala.

Il avait tant de questions à lui poser – au sujet des endroits qu'il avait traversés, des gens qui l'avaient aidé et de ses projets pour l'avenir. Mais elles attendraient. Même si Alexeï semblait solide de l'extérieur, Pekkala ignorait à quel point son esprit avait été marqué par les événements dont il avait été témoin, et le degré de souffrance que l'hémophilie lui avait infligé. Faire remonter trop rapidement de tels souvenirs à la surface, c'était comme hisser un plongeur sans lui laisser le temps de se réadapter à la pression du monde, au-dessus des vagues.

« Depuis notre dernière rencontre, reprit Alexeï, ma vie n'a pas été facile.

– Je n'en doute pas, Excellence. Mais, concernant l'avenir, vous avez toutes les raisons d'être optimiste.

– Vous le croyez vraiment, Pekkala ? Puis-je me fier à ces gens que vous m'emmenez voir à Moscou ?

– Je ne me fie qu'à une chose : vous avez plus de valeur pour eux vivant que mort.

– Supposons qu'ils me laissent vivre. Quelle sera la suite ?

– Cela ne dépend que de vous.

– J'en doute fort, Pekkala. Je n'ai jamais pu disposer de ma vie comme je l'entendais...

– Pour l'instant, je ne crois pas que nous ayons d'autre choix que de nous rendre à Moscou et d'accepter leurs conditions...

– Il existe peut-être une autre solution, répliqua Alexeï.

– Quelle qu'elle soit, je ferai mon possible pour vous aider.

– Tout ce que je demande, c'est de pouvoir mener une vie normale...

– Il m'arrive de penser, remarqua Pekkala, que votre père aurait volontiers abandonné tout son pouvoir et ses richesses en échange de cela.

– J'ai besoin d'une certaine indépendance. Sinon, je serai comme un animal dans un zoo, une curiosité, dépendant de la générosité des étrangers.

– Je suis d'accord. Mais de quel genre d'indépendance parlez-vous ?

– Mon père a caché une partie de ses richesses...

– C'est vrai. Mais j'ignore combien, et où...

– Ça ne peut pas être vrai. Mon père vous confiait tout.

– Il y avait un officier du nom de Kolchak...

– Oui, l'interrompit Alexeï, d'un ton subitement agacé. Je sais qui est Kolchak. Je sais qu'il a aidé mon père à cacher son or, mais il n'aurait jamais pris le risque de n'informer personne d'autre de l'endroit où se trouve cette cachette...

– C'est aussi ce qu'ils ont dit quand on m'a emprisonné à Butyrka. Mais même eux ont pourtant fini par me croire.

– C'est parce que vous avez tenu le coup, Pekkala ! Ils ne sont pas parvenus à vous briser.

– Si, Excellence, corrigea Pekkala. Ils y sont parvenus. »

Tandis qu'ils descendaient vers le sous-sol de la prison, le bout de ses doigts frôla des murs de pierre irréguliers, peints en noir. Ils pénétrèrent dans un espace dont le plafond, extrêmement bas, était saturé de condensation. La terre sombre, sous ses pieds, lui semblait aussi douce que de la poudre de cannelle.

Quand les gardiens le lâchèrent, Pekkala tomba à genoux dans la poussière.

À la lumière d'une ampoule grillagée, il distingua une forme recroquevillée dans un coin. Une silhouette à peine humaine, qui ressemblait davantage à une créature pâle et inconnue remontée des entrailles de la terre. L'homme était nu, les jambes tendues devant lui, les mains sur son visage. On lui avait rasé le crâne et il était couvert d'ecchymoses.

En se tournant, Pekkala découvrit qu'il y avait d'autres hommes, debout, cachés dans l'ombre. Tous portaient l'uniforme de la Tcheka – veste brun olive et pantalon bleu enfoncé dans des bottes montant jusqu'aux genoux.

L'un d'eux prit la parole. Pekkala reconnut aussitôt la voix de Staline.

« Maxime Platonovich Kolchak... »

Kolchak ? pensa Pekkala. Alors, posant les yeux sur la créature, il devina le visage de l'officier de cavalerie sous ce masque de bleus.

« Vous avez été reconnu coupable d'activités contre-révolutionnaires, poursuivit Staline, d'atteinte à la propriété *du gouvernement, d'abus de pouvoir et de privilèges. Vous êtes condamné à la peine de mort. Vous n'existez plus. »*

Kolchak releva la tête. Quand son regard croisa celui de Pekkala, la créature essaya de sourire.

« Bonjour, Pekkala, souffla-t-il. Je veux que vous sachiez que je ne leur ai rien révélé. Dites à Son Excellence... »

Le fracas des détonations fut assourdissant dans l'espace confiné de la pièce. Pekkala posa les mains sur ses oreilles. La déflagration se répercuta par vagues à travers tout son corps.

Lorsque la fusillade fut terminée, Staline s'avança et tira une balle à bout portant dans le front de Kolchak. Puis on força Pekkala à se relever, et on lui fit remonter les marches par petits bonds. Le temps qu'il atteigne la salle d'interrogatoire, Staline l'y attendait déjà. Comme les fois précédentes, la mallette était posée sur la table avec, juste à côté, une boîte de cigarettes Markov.

« Kolchak ne vous a pas menti, confirma Staline. Nous savions depuis le début que le tsar lui avait confié la tâche de déposer l'or en lieu sûr, mais Kolchak ne nous a absolument rien dit. Ce qui est assez stupéfiant, si l'on considère ce que nous lui avons fait subir. »

Il ouvrit le coffret de cigarettes rouge mais, cette fois, il n'en proposa pas à Pekkala.

« Depuis quand Kolchak était-il ici ? » demanda celui-ci.

Staline ôta un brin de tabac de sa langue.

« Il était là bien avant que nous ne mettions la main sur vous, inspecteur.

— Mais alors, pourquoi vouliez-vous que je vous donne son nom ?... Ce que vous m'avez fait... » Il avait de la peine à empêcher sa voix de trembler. « ... était totalement gratuit.

— C'est une question de point de vue, rectifia Staline. Voyez-vous, il est utile pour nous de savoir à quel moment des hommes comme vous peuvent être brisés. Et il est tout aussi important de savoir qu'il en existe d'autres, des hommes

tels que Kolchak, qu'il est totalement impossible de briser. Personnellement, ce qui me réjouit le plus, c'est que vous sachiez à présent quel genre d'homme vous êtes...» Il fit tomber la cendre de sa cigarette sur le plancher. «Le genre d'homme qu'on peut briser.»

Stupéfait, Pekkala dévisageait Staline, dont le visage apparaissait puis disparaissait derrière ses serpents de fumée.

«Allez-y, murmura-t-il.

– Je vous demande pardon?

– Allez-y, fusillez-moi.

– Oh, non.» Staline tambourina du bout des doigts sur la mallette qui contenait les reliques de la vie de Pekkala. «Ce serait un vrai gâchis. Un jour viendra peut-être où nous aurons de nouveau besoin de l'Œil d'Émeraude. En attendant, nous allons vous envoyer dans un endroit où nous pourrons vous retrouver, si le besoin s'en fait sentir.»

Six heures plus tard, Pekkala embarquait à bord d'un train pour la Sibérie.

Alexeï le contemplait, incrédule.

« Après tout ce que ma famille a fait pour vous, c'est ainsi que vous nous remerciez ?

— Je suis désolé, Excellence, répondit Pekkala. Je vous dis la vérité. Nous sommes en danger ici. Ce revolver est là pour quelque chose...

— Je ne vois aucun danger, rétorqua Alexeï en se levant. Tout ce que je vois, c'est un homme sur lequel je pensais pouvoir compter, quoi qu'il advienne. »

Juste avant le lever du soleil, Kirov entra dans la cuisine en titubant. Le marteau et la faucille d'un bouton de veste militaire, sur laquelle il avait dormi, s'étaient imprimés sur la chair de sa joue.

« J'étais censé vous relever il y a des heures, dit-il. Pourquoi ne m'avez-vous pas réveillé ? »

Pekkala semblait n'avoir pas remarqué sa présence. Il contemplait le Webley, posé devant lui sur la table.

« Quand partons-nous pour Moscou ? reprit Kirov.

— Nous ne partons pas », rétorqua Pekkala.

Il lui rapporta sa conversation nocturne avec Alexeï.

« S'il ne vient pas de son plein gré, déclara Kirov, j'ai le pouvoir de l'arrêter. Nous l'emmènerons à Moscou avec des menottes, s'il le faut.

— Non. J'avais sous-estimé l'impact que ces dernières années ont eu sur lui. Alexeï vit dans la peur depuis si longtemps qu'il a probablement oublié qu'on pouvait vivre autrement. Il s'est raccroché à l'idée que l'or de son père était la seule chose capable d'assurer sa sécurité. Il ne sert à rien de tenter de le faire changer d'avis. J'ai juste besoin de temps pour le raisonner.

– Il faut partir tout de suite, protesta Kirov. C'est pour son bien.

– Si on passe les menottes à cet homme, il sera dur de le convaincre que nous lui rendons un service. Il doit venir de son plein gré, sinon il risque de faire des bêtises. Il tentera sans doute de s'échapper, auquel cas il pourrait se blesser et, avec son hémophilie, toute blessure pourrait mettre sa vie en péril. Il pourrait même essayer de se blesser volontairement. Et à supposer que nous parvenions à l'emmener jusqu'à Moscou, je crains qu'il ne refuse l'amnistie, et alors ils l'exécuteront pour s'épargner un tel embarras...»

Kirov soupira.

«Quel dommage que nous ne puissions pas déraciner la ville de Moscou tout entière et la déplacer jusqu'ici. Comme ça, nous n'aurions pas à nous soucier de le déplacer, lui.»

Pekkala se dressa d'un bond.

«Ce n'est pas une mauvaise idée», dit-il, avant de se précipiter dans la cour.

Kirov le suivit jusqu'à la porte.

«Qu'est-ce qui n'est pas une mauvaise idée?»

Pekkala prit la bicyclette qui était posée contre le mur. Des vrilles de plantes aquatiques desséchées étaient accrochées aux rayons.

«Qu'est-ce que j'ai dit?» insista Kirov.

Pekkala enfourcha le vélo.

«Si nous ne pouvons pas l'emmener à Moscou, nous amènerons Moscou jusqu'ici. Je reviens dans une heure.

– Souvenez-vous que cet engin n'a plus de freins», ajouta Kirov.

Pekkala s'engagea dans la rue en équilibre instable, et il prit la direction du bureau de Kropotkine. Son plan consistait à téléphoner au Bureau des opérations spéciales, à Moscou, pour leur demander d'envoyer une escorte militaire afin d'assurer la sécurité du tsarévitch. Il savait que, même si les soldats partaient immédiatement, il leur faudrait plusieurs jours pour arriver ici. En attendant, ils garderaient Alexeï à l'abri dans la maison Ipatiev, sous la protection de tous les policiers que Kropotkine pourrait affecter à cette tâche. Pekkala mettrait à profit ces quelques jours pour parler au tsarévitch et regagner sa confiance. Quand l'escorte arriverait de Moscou, Alexeï serait prêt à les accompagner.

Pekkala pédalait aussi vite qu'il pouvait. Privé de freins, il posait le bout de ses pieds sur les pavés à l'approche des virages, pour tenter de ralentir. Lorsqu'il dévala les ruelles étroites dans l'air humide du petit matin, ses sens l'inondèrent de l'odeur de goudron du savon de lessive, ou de cendres que l'on gratte sur les grilles des poêles, et des senteurs fumées du thé mis à infuser dans les samovars. Derrière les palissades des jardins, il apercevait en passant les fûts décharnés des bouleaux, dont les feuilles en forme de pièces clignotaient de l'argenté au vert puis de nouveau à l'argenté, telles des paillettes sur une robe de soirée.

Tout à ses préoccupations, il n'avait pas remarqué que la rue débouchait sur un carrefour en T. Il n'y avait plus moyen de négocier le virage, ni même de ralentir, et, au sortir de la ruelle, il aperçut devant lui l'étendue bleu saphir, familière, de la mare aux canards.

Pekkala serra les poignées de frein de toutes ses forces et, plantant son talon dans le sol, il partit en dérapage avant de s'immobiliser dans un grand nuage de poussière à un mètre de l'eau.

Quand la poussière fut retombée, la première chose qu'il vit fut une femme, debout au milieu des roseaux sur l'autre rive du lac. Elle portait un grand panier rempli de cosses grises en forme de larmes. Elle était vêtue d'un fichu rouge, d'une chemise bleu marine aux manches retroussées et d'une longue robe dont le bord était maculé de boue, à force de patauger au bord de l'étang. Elle le dévisageait. Elle avait le visage ovale, avec des sourcils plus foncés que ses cheveux blonds.

« Ma bicyclette, expliqua Pekkala. Plus de freins. »

Elle hocha la tête, sans aucune sympathie.

Le visage de cette femme lui semblait familier, mais il n'arrivait pas à la remettre. Tu parles d'une mémoire absolue, pensa-t-il.

« Excusez-moi, lui demanda-t-il. Je vous connais ?

– Moi, je ne vous connais pas », répliqua la femme.

Elle se remit à glaner au milieu des joncs. Des papillons monarques aux ailes jaunes voletaient autour d'elle, leurs mouvements pareils à ceux des papiers découpés qu'on suspend à des fils.

« Qu'est-ce que vous ramassez ? reprit Pekkala.

– Des asclépiades, répondit la femme.

– Pour quoi faire ?

– On s'en sert pour le rembourrage des gilets de sauvetage. Ça paie bien. »

Elle souleva l'une des cosses grises et l'écrasa dans son poing. Des graines blanches, plumeuses comme un nuage de fumée, s'échappèrent de sa main et dérivèrent au-dessus du lac.

C'est alors qu'il se rappela.

« Katamidze ! » hurla-t-il.

Elle rougit.

« Pourquoi vous me parlez de lui ?

– Le portrait », expliqua-t-il.

Dans la boîte des photographies mises au rebut, Pekkala avait vu cette femme telle qu'elle était ce jour-là, au bord de cet étang, et ce nuage argenté semblable au spectre d'un visage avait été capté par la pellicule.

« C'était il y a longtemps, et il disait qu'elles étaient purement artistiques.

– Eh bien, elles avaient... » Pekkala repensa aux grosses taches roses sur les joues des nonnes. « ... une certaine qualité.

– Ce n'était pas mon idée, de poser nue. »

Pekkala inspira brusquement.

« Nue ?

– Le vieux Maïakovsky a acheté les photographies, puis il s'est mis à les vendre aux soldats. Aux rouges quand ils étaient ici, et ensuite aux blancs... Maïakovsky s'en fichait, du moment qu'ils payaient. Peut-être que vous en avez acheté une vous-même...

– Non, répondit Pekkala, s'efforçant de la rassurer. J'en ai seulement entendu parler. »

Elle serra le panier contre sa poitrine.

« Je crois que tout le monde en a entendu parler.

– Vous vous trouviez exactement à cet endroit, reprit Pekkala en la pointant du doigt. Là où vous êtes maintenant.

– Oh, cette image-là... » Elle reposa son panier. « Je m'en souviens, à présent. Il n'en était pas très content.

– Katamidze, vous le connaissiez bien ?

– Je le connaissais, répondit-elle. Mais pas de la manière que les gens disent. Il est parti, vous savez. Il ne vit plus ici. Il a perdu la raison, la nuit où il est allé photographier le tsar. Il m'a dit qu'ils avaient été assassinés sous ses yeux. Je l'ai retrouvé caché dans son grenier, en train de délirer dans une sorte de charabia, comme quoi il avait vu le diable en face.

– Avez-vous raconté ça à qui que ce soit d'autre ?

– Quand les blancs ont débarqué, ils sont venus chez moi. Mais c'était parce que Maïakovsky leur avait vendu des photographies. Je ne leur ai pas dit que j'avais vu Katamidze cette nuit-là, et ils ne m'ont jamais interrogée à ce sujet. Tout ce qu'ils voulaient savoir, c'est où ils pouvaient obtenir d'autres photos.

– Qu'est-il arrivé à Katamidze, après que vous l'avez trouvé dans son grenier ?

– Il était dans un tel état que je lui ai dit que j'allais appeler le docteur. Mais avant que j'aie pu faire quoi que ce soit pour l'aider, il s'est enfui et n'est jamais revenu. Deux ou trois ans plus tard, j'ai appris qu'on l'avait envoyé à Vodovenko.

– Cette personne face à laquelle il s'est retrouvé...

– Katamidze disait que c'était une bête sur deux jambes.

– Mais un nom... Katamidze a-t-il entendu son nom ?

– Quand le tsar a vu cet homme, il a crié un mot. Puis ils se sont disputés, mais Katamidze ne savait pas à propos de quoi.

– Quel mot le tsar a-t-il crié ?

– Ça ne voulait rien dire. Rodek. Ou bien Godek, quelque chose comme ça... »

Pekkala sentit un grand froid l'envahir.

« Grodek ?

– Oui, c'est ça, acquiesça la femme. Puis l'homme s'est mis à tirer. »

Un poids suffocant s'était abattu sur la poitrine de Pekkala. Le pouls battant fort sur sa nuque, il rentra à la maison Ipatiev. Anton était en train de porter des plats sales jusqu'à la pompe, pour les laver. Il avait enlevé sa veste. Les manches de sa chemise étaient retroussées, des bretelles maintenaient son pantalon.

Anton actionna la pompe grinçante et l'eau gicla sur les pavés, fluorescente comme du mercure. Il s'assit sur le seau retourné qui était là en permanence et entreprit de faire la vaisselle avec une vieille brosse, dont les poils se déployaient comme des pétales de tournesol. Anton leva les yeux juste à temps pour voir son frère foncer sur lui. Mais il était trop tard. Pekkala surplombait Anton, le visage déformé par la rage.

« Qu'est-ce qui t'arrive ? bredouilla Anton.

– Grodek », cracha Pekkala.

Le visage d'Anton avait soudain pâli.

« Quoi ? »

Pekkala bondit sur lui et l'empoigna par le col.

« Pourquoi ne m'as-tu pas dit que c'était Grodek qui avait tué le tsar ? »

Les mains d'Anton laissèrent tomber le plat, qui se disloqua sur les pavés.

« Je ne sais pas de quoi tu parles.

– Tu m'as envoyé chercher un meurtrier, alors que, depuis le début, tu savais qui c'était. Peu importe à quel point tu me hais, tu me dois quand même une explication... »

Pendant quelques instants, le masque de surprise s'attarda sur le visage d'Anton. Il semblait bien décidé à nier en bloc. Puis, soudain, il chancela. En entendant ce nom, un échafaudage de mensonges s'écroula en lui. Son masque tomba, cédant la place à la peur et à la résignation.

« Je t'avais dit qu'il fallait partir...

– Ça n'est pas une réponse ! » s'emporta Pekkala en secouant son frère.

Anton ne résistait pas.

« Je suis désolé, bafouilla-t-il.

– Désolé ? » Pekkala lâcha son frère et recula d'un pas. « Qu'est-ce que tu as fait, Anton ? »

Accablé, Anton secoua la tête.

« Je ne t'aurais jamais entraîné là-dedans si j'avais su que c'était notre père qui t'avait envoyé rejoindre le régiment finlandais. Pendant tout ce temps, j'ai cru que c'était toi qui avais pris cette décision. J'ai passé des années à te haïr pour une faute qui n'était pas la tienne. Je voudrais revenir en arrière et tout recommencer, seulement c'est impossible...

– Je croyais que Grodek était en prison, marmonna Pekkala. Il était censé y rester toute sa vie... »

Anton baissa les yeux sur les pavés, les avant-bras posés sur ses genoux. Toute énergie paraissait l'avoir quitté.

« Quand la caserne de la police de Petrograd a été attaquée, en 1917, les émeutiers ont brûlé toutes les archives. Personne ne savait plus qui était en prison, ni pourquoi. Alors, quand ils ont pris d'assaut la prison, le même jour, ils ont décidé de libérer tous les détenus. À peine sorti, Grodek s'est engagé dans la garde rouge. La Tcheka a fini par le recruter. Lorsqu'il a appris qu'un détachement allait être assigné à la garde des Romanov, il s'est aussitôt porté volontaire. Ce n'est que quand nous sommes arrivés à Sverdlovsk que j'ai découvert qui il était. Je ne l'avais jamais rencontré.

– Et il ne t'est pas venu à l'idée de me raconter tout ça dès le début ?

– Je ne t'en ai pas parlé parce que je pensais que tu refuserais de nous aider dans cette enquête si tu apprenais que Grodek était en liberté. Et pour que le Bureau me maintienne dans mes nouvelles fonctions, il fallait que je te persuade d'enquêter sur ces meurtres...

– C'est donc vrai ? Grodek a vraiment proposé au tsar de l'aider à s'échapper pendant qu'il gardait la maison Ipatiev ?

– Oui. En échange de ses réserves d'or. Grodek a offert de libérer toute la famille si le tsar l'emmenait ensuite à l'endroit où elles étaient cachées. Le tsar a accepté. Tout était arrangé.

– Et tu étais de mèche avec lui, n'est-ce pas ? »

Anton acquiesça du chef.

« Grodek avait besoin de quelqu'un pour faire diversion, le temps d'évacuer la famille à bord d'un de nos camions.

– Et toi, ça te rapportait quoi ?

– J'étais censé obtenir la moitié du butin.

– Cette diversion, en quoi consistait-elle ?

– Grodek et moi avions fait croire aux autres gardes que nous allions à la taverne. Comme nous y passions toutes nos soirées, personne n'a trouvé ça bizarre. Alors, je me suis introduit dans le bureau du chef de la police et j'ai téléphoné à la maison Ipatiev. J'ai prétendu que je faisais partie de la garnison de Kungur, de l'autre côté de l'Oural. J'ai annoncé que les blancs avaient contourné Kungur et se dirigeaient sur Sverdlovsk. Je leur ai ordonné d'envoyer tous leurs hommes établir un barrage routier. Je devais alors rejoindre les autres gardes au barrage, en prétendant que je sortais juste de la taverne. J'étais censé leur dire que Grodek était trop soûl pour venir avec moi. Ensuite, je ferais en sorte que nous restions le plus longtemps possible sur ce barrage, afin que Grodek ait le temps de délivrer les Romanov.

– Si tel était le plan, pourquoi avoir mêlé Katamidze à tout ça ?

– Nous savions que deux gardes au moins resteraient pour surveiller les Romanov, pendant que les autres montaient le barrage. Le tsar craignait que sa famille ne soit mise en danger par le pouvoir excessif que l'on confiait aux gardes qui restaient. Il a refusé de lancer l'opération, jusqu'à ce que Grodek ait l'idée de faire venir un photographe. C'était pour lui le moyen idéal de rassembler tous les Romanov à la cave, en sécurité, le temps que les gardes soient neutralisés...

– Mais les gardes ne risquaient-ils pas de trouver suspect que Katamidze se présente à la nuit tombée ?

– Non. Nous avions l'habitude de recevoir des ordres à toute heure du jour et de la nuit. Les instructions en provenance de Moscou mettaient parfois six heures à nous parvenir. Quand elles arrivaient, c'était souvent le milieu de la nuit, mais si les ordres stipulaient une exécution immédiate, nous n'avions pas le choix.

– Grodek avait donc prévu de tuer deux de vos hommes pour mener à bien cette opération ? »

Anton redressa lentement la tête.

« Aurais-tu oublié ce pour quoi vous l'avez formé ? Grodek a mis en place une cellule révolutionnaire dont l'unique but était d'assassiner le tsar et, après avoir obtenu la confiance absolue de tous ces gens, Grodek les a trahis jusqu'au dernier... Ils sont tous morts par sa faute, même la femme qu'il aimait. Que pouvaient bien représenter pour lui deux vies de plus ou de moins ?

– Plus que deux vies, répliqua Pekkala. Car il n'a jamais eu l'intention de libérer le tsar, pas vrai ?

– Le tsar avait dit à Grodek que le trésor était caché dans les environs. Il l'a assuré qu'il pourrait l'y emmener le soir même. Le plan de Grodek consistait à accompagner le tsar jusqu'à la cachette, vérifier que l'or s'y trouvait, puis supprimer le tsar et la tsarine. Nous avons évoqué la possibilité de laisser les enfants s'enfuir. Grodek a promis de ne pas les tuer, sauf s'il y était obligé. Ensuite, il déclarerait que le tsar et la tsarine avaient été abattus en tentant de s'échapper. Mais ça ne s'est pas passé comme ça. Les choses ont mal tourné...

– Que s'est-il passé, alors ?

– Ils se sont disputés. Grodek m'a raconté que, quand il est descendu à la cave, le tsar a commencé à se moquer de lui en affirmant que le trésor se trouvait là, sous ses yeux, que ce trésor, c'étaient les Romanov eux-mêmes. Grodek a d'abord pensé qu'il avait perdu la raison. Mais lorsqu'il a compris que le tsar n'avait jamais eu l'intention de le conduire jusqu'à l'or, il a perdu son sang-froid. Il a ouvert le feu...

– Pourquoi a-t-il épargné Alexeï ?

– Il savait qu'il faudrait se débarrasser des corps, pour donner l'impression que les Romanov s'étaient évadés. Grodek avait besoin d'un otage, au cas où il aurait rencontré des soldats blancs et se serait retrouvé coincé. Écoute, frère... Je te dirai tout ce que je sais, mais à l'heure où je te parle, nous sommes toujours en danger.

– J'en sais quelque chose », rétorqua Pekkala.

Soudain, les yeux d'Anton s'écarquillèrent.

Pekkala se retourna juste à temps pour voir la botte d'Alexeï s'écraser contre la tempe de son frère. Ce dernier cligna des yeux, bouche bée, les dents découvertes, le temps que la douleur se répercute dans son crâne. Des gouttes de sang jaillirent, s'infiltrant dans les fissures entre les pavés. Puis il s'écroula en arrière, inconscient. Alexeï voulut frapper encore, mais Pekkala l'en empêcha.

Kirov accourait.

« Bon Dieu, que se passe-t-il ?

– C'est l'homme qui a aidé à assassiner ma famille ! hurla Alexeï en pointant son doigt sur Anton. Il vient de l'avouer. C'est lui que vous cherchiez.

– C'est vrai ? » demanda Kirov.

Pekkala acquiesça.

« Grodek a tué le tsar. Mon frère était son complice.

– Vous aviez pourtant dit que Grodek était en prison pour le restant de ses jours...

– Il a été libéré pendant la révolution. Je ne le savais pas, jusqu'à ce qu'Anton me l'apprenne. » Pekkala se tourna vers Alexeï : « Je suis désormais persuadé que Grodek est celui qui a tué Katamidze, le photographe, et Maïakovsky également. Il vous a peut-être laissé la vie sauve la nuit où il a abattu les membres de votre famille, mais s'il pense que nous sommes sur le point de le capturer, il ne se sentira en sécurité qu'après nous avoir tous tués, Alexeï, y compris vous.

– Si vous voulez me protéger, répliqua Alexeï sans quitter Anton du regard, alors commencez par le supprimer, lui.

– Non, répondit Pekkala. L'heure n'est pas à la vengeance.

– Cette vengeance serait aussi la vôtre. Il conspire contre vous depuis le début. Si vous ne voulez pas le tuer vous-même, laissez-moi m'en charger. Ensuite, conduisez-moi jusqu'à l'or de mon père. Alors, je vous accompagnerai volontiers à Moscou. Sinon, je préfère encore tenter ma chance ici... »

Pekkala repensa au garçon qu'il avait connu, dont la nature si douce avait été brisée, et remplacée par la rage.

« Que vous est-il arrivé, Alexeï ?

– Ce qui est arrivé, c'est que vous m'avez trahi, Pekkala. Vous ne valez pas mieux que votre frère. Sans vous, ma famille serait peut-être encore en vie. »

Pekkala avait du mal à respirer. Il avait l'impression qu'une main se refermait sur sa gorge.

« Vous êtes libre de croire ce que vous voulez à mon sujet, déclara-t-il. Mais je suis venu ici pour vous retrouver, et vous aider si je le pouvais. Nous sommes tous victimes de la révolution. Certains en ont souffert, d'autres ont souffert pour elle, mais dans un cas comme dans l'autre, la souffrance est la même pour tous. Tout l'or du monde n'y pourra rien changer. »

Une expression étrange s'empara du visage d'Alexeï. Il fallut un moment à Pekkala pour comprendre de quoi il s'agissait. Il avait eu pitié du tsarévitch bien avant que le destin de sa famille ne bascule. Mais, à présent, comprit-il soudain, c'était Alexeï qui avait pitié de lui.

Le regard d'Alexeï se posa sur Anton, qui gisait, bras et jambes écartés, dans une mare de sang. Puis il rentra dans la maison, bousculant Kirov au passage.

Pekkala s'assit lourdement sur le sol de la cour, comme si ses jambes avaient cédé sous son poids.

Kirov s'agenouilla devant Anton.

« Il faut l'emmener chez un docteur. »

Laissant Kirov veiller seul sur Alexeï, Pekkala hissa Anton sur la banquette arrière de l'Emka et se rendit au commissariat de police. Kropotkine monta à bord et le guida jusqu'au cabinet d'un dénommé Bulygine, qui était l'unique médecin de la ville.

En chemin, Pekkala annonça à Kropotkine qu'Alexeï se trouvait en ce moment même à la maison Ipatiev.

« Grâce à Dieu », soupira Kropotkine.

Pekkala lui rapporta également le rôle joué par Grodek, et il demanda à Kropotkine d'appeler le Bureau des opérations spéciales et d'exiger l'envoi d'hommes armés pour escorter le tsarévitch jusqu'à Moscou.

« En attendant, ajouta-t-il, j'aurai besoin de tous vos hommes disponibles pour monter la garde devant la maison.

– Je m'en occuperai dès que nous aurons déposé votre frère chez Bulygine.

– Personne ne doit savoir que le tsarévitch se trouve à l'intérieur, reprit Pekkala. Pas même les policiers chargés de garder la maison. »

Pekkala savait que, si la nouvelle de la présence d'Alexeï se répandait, la maison Ipatiev serait envahie par la foule, et que même ceux qui voulaient du bien au tsarévitch mettraient sa vie en péril. Il se souvenait parfaitement du désastre qui s'était déroulé le jour du sacre du tsar sur le champ de Khodynka, à

Moscou. La foule qui s'était rassemblée pour assister à l'événement s'était ruée vers les buffets de nourriture offerts à cette occasion. Des centaines de personnes avaient perdu la vie dans la bousculade. Dans un pareil contexte, et avec un poseur de bombes tel que Grodek en liberté dans les parages, le risque était encore plus grand.

Bulygine était un homme chauve au visage impassible, avec des lèvres étroites qui ne bougeaient presque pas quand il parlait. Anton était encore inconscient quand Bulygine l'allongea sur une table d'opération et examina ses yeux sous le faisceau d'une lampe.

«Il souffre d'une commotion cérébrale, mais je ne pense pas que sa vie soit en danger. Laissez-le-moi en observation. Il devrait reprendre conscience d'ici quelques heures, mais si son état venait à empirer, je vous préviendrais immédiatement.»

En rentrant vers la maison Ipatiev, Pekkala déposa Kropotkine au commissariat.

«J'ai souvent vu votre frère se faire casser la figure, déclara celui-ci. Un coup de plus ne va pas le tuer. Je vais essayer de localiser ce Grodek. D'ici là, prévenez-moi si vous avez besoin de mon aide.»

Kirov était assis dans la cuisine de la maison Ipatiev. Il était plongé dans la lecture du *Kalevala*.

«Comment va votre frère?

– Il devrait s'en sortir, répondit Pekkala. Où est Alexeï?»

Kirov fit un signe de tête en direction des escaliers.

«À l'étage. Il reste assis là-haut. Il n'est pas très causant.

– Depuis quand lisez-vous le finnois?

– Je regarde juste les illustrations.

– Des renforts arrivent de Moscou. Je vais expliquer la situation à Alexeï.»

Au moment où il quittait la salle, Kirov lui lança:

«Vous devriez acheter un nouvel exemplaire de ce livre...

– Qu'est-ce qui ne va pas avec celui-là ? s'étonna Pekkala.

– Il est plein de trous. »

Pekkala grommela et poursuivit son chemin.

Il était arrivé à mi-hauteur de l'escalier quand, soudain, il se figea. Puis il fit demi-tour et se précipita dans la cuisine.

«Comment ça, il est plein de trous ?» demanda-t-il à Kirov.

Ce dernier tourna une page. La lumière du jour filtrait à travers de minuscules trous d'aiguille disséminés sur toute la feuille.

«Vous voyez ?»

Tremblant, Pekkala tendit la main.

«Donnez-moi ce livre.»

Kirov referma l'ouvrage dans un claquement et le lui tendit.

«Votre langue a trop de voyelles», ajouta-t-il.

Pekkala prit une lanterne sur l'étagère et se précipita au sous-sol. Arrivé au pied des marches, dans l'obscurité, il l'alluma et la posa devant lui.

Il se souvenait de ce que la nonne lui avait confié sur la méthode inventée par le tsar pour faire passer des messages clandestinement, sans que les gardes les remarquent, en utilisant une aiguille pour isoler des lettres. Pekkala repensa soudain à ce jour où le tsar était venu le voir dans sa maisonnette pour lui rendre le livre. À l'époque, Pekkala avait cru qu'il divaguait, mais à présent, en tournant les pages une à une pour les placer dans la lumière, il distinguait de minuscules trous indiquant différentes lettres.

Pekkala sortit son bloc-notes et entreprit de reconstituer les mots. Il ne lui fallut que quelques minutes pour déchiffrer le message. Quand il eut terminé, il remonta les marches quatre à quatre, emportant la lampe et le bloc-notes. Il franchit le couloir en courant et poursuivit sa course jusqu'au premier étage. Là, Pekkala traversa le corridor jusqu'à ce qu'il aperçoive Alexeï.

Ce dernier était assis près de la fenêtre, sur une chaise qui formaît l'unique mobilier de la pièce.

«Alexeï», dit Pekkala, peinant à reprendre son souffle.

Alexeï se tourna vers lui, un revolver de l'armée russe blotti au creux de ses mains.

Pekkala fut estomaqué en découvrant l'arme.

« Où l'avez-vous trouvé ?

– Vous pensiez peut-être que j'allais me promener désarmé ?

– Posez-le, je vous en prie, implora Pekkala.

– Il semble que je n'aie guère d'autre option... »

En voyant Alexeï si seul, Pekkala se demanda s'il n'envisageait pas le suicide.

« Je sais où il se trouve, déclara-t-il.

– De quoi parlez-vous ?

– Du trésor. Vous aviez raison. Votre père m'avait confié ce secret... »

Les yeux d'Alexeï se plissèrent.

« Vous voulez dire que vous m'avez menti ?

– Non ! s'écria Pekkala. Il a laissé un message dans ce livre. Un message caché. Je viens seulement de m'en rendre compte. »

Lentement, Alexeï se leva. Il remit le revolver dans sa poche.

« Eh bien, où se trouve-t-il ?

– Tout près d'ici. Je vais vous y emmener tout de suite.

– Dites-moi où il est, répliqua Alexeï. Je n'en demande pas plus.

– Il faut que je vous accompagne. Je vous expliquerai en chemin.

– Parfait. Mais ne perdons plus de temps.

– Nous partons sur-le-champ. »

Ils trouvèrent Kirov au pied de l'escalier. Pekkala lui expliqua tout.

« C'était dans ce livre depuis le début ? s'étonna Kirov.

– Je ne l'aurais jamais retrouvé si vous n'aviez pas remarqué les trous... »

Kirov semblait abasourdi.

« Et vous dites qu'il est près d'ici ? »

Pekkala fit oui de la tête.

« Je sors la voiture, s'exclama Kirov.

– Non, intervint Alexeï. C'est entre Pekkala et moi. Il est le seul en qui j'aie confiance. Je vous promets que, dès que nous reviendrons, j'irai avec vous à Moscou.

– C'est d'accord, approuva Pekkala, soucieux de ne pas le contrarier. Nous irons tous les deux.

– Vous êtes sûr ? s'inquiéta Kirov.

– Oui, répondit Pekkala. Quelqu'un doit rester ici au cas où le docteur appellerait pour donner des nouvelles d'Anton. Nous serons de retour d'ici une heure ou deux. » Il tendit le livre à Kirov. « Gardez-le précieusement. »

« Pourquoi ne voulez-vous pas me dire où nous allons ? » demanda Alexeï, tandis que l'Emka traversait en trombe les faubourgs de Sverdlovsk.

« Je vous expliquerai quand nous serons arrivés. »

Alexeï sourit.

« D'accord, Pekkala. Je vous laisse faire. Cela fait long-temps que j'attends ce moment. Je peux bien patienter quelques minutes encore... Bien sûr, vous ne partirez pas les mains vides. Vous aurez votre part.

– Je n'en veux pas, Excellence, rétorqua Pekkala. Le trésor de votre père représente à mes yeux tout ce qui a conduit à sa mort... »

Alexeï leva les mains et rit de nouveau.

« Comme vous voudrez, Pekkala ! »

L'Emka quitta l'autoroute de Moscou et s'engagea sur une piste défoncée, soulevant des gerbes d'eau boueuse. Une minute plus tard, Pekkala sortit du chemin et s'enfonça dans un champ recouvert d'herbes hautes. La clairière était cernée par une épaisse forêt. À l'autre bout, une cheminée tordue s'élevait d'un bâtiment délabré. L'Emka traversa le champ, l'herbe bruissant contre le pare-chocs. Enfin, ils s'immobilisèrent, et Pekkala coupa le moteur.

«Nous y sommes, annonça-t-il. Nous ferons à pied les derniers...

– Mais c'est l'ancienne mine, là-bas, le coupa Alexeï. C'est là que les corps ont été abandonnés...»

Pekkala descendit de voiture.

«Suivez-moi.»

Alexeï sortit et claqua la portière.

«Ce n'est pas le moment de plaisanter, Pekkala. Vous m'aviez promis cet or.»

Pekkala marcha jusqu'au bord du puits et scruta l'obscurité.

«Le trésor n'est pas de l'or.

– Quoi?»

Alexeï s'était figé à distance du trou, refusant de s'approcher.

«Ce sont des diamants, poursuivit Pekkala, des rubis et des perles. Le tsar les a fait coudre dans des habits spéciaux. Je suis incapable de dire, à partir du message, combien il y en a, et qui les portait. Probablement vos parents et vos sœurs aînées. Avec votre maladie, il est évident qu'il ne vous aurait pas fait porter un tel poids supplémentaire, et moins vous en saviez à ce sujet, plus vous étiez en sécurité. Je vous dis tout cela maintenant, Alexeï, parce que je ne voulais pas vous faire de la peine. Les corps sont toujours là, en bas. C'est là que nous trouverons les joyaux.

– Les joyaux?»

Alexeï semblait en état de choc.

«Oui, répondit Pekkala. Et plus nombreux que la plupart des gens ne pourraient l'imaginer...»

Alexeï hocha la tête.

«Très bien, Pekkala. Je vous crois. Mais j'ai trop peur pour descendre dans ce puits.

– Je comprends. J'irai seul.»

Il sortit la corde du coffre et la fixa au pare-chocs de l'Emka. Puis il lança le lourd rouleau dans l'obscurité. La corde siffla en se déroulant. Loin, tout en bas, elle gifla le sol. Alors, Pekkala sortit la torche d'Anton de la boîte à gants, ainsi que la sacoche de cuir qu'il avait emportée en quittant la forêt de Krasnagolyana.

«Je mettrai les diamants à l'intérieur, expliqua-t-il. Je serai peut-être obligé de vous les envoyer séparément. Je ne suis pas sûr de pouvoir escalader cette corde tout en les portant.»

Il alluma la torche pour s'assurer qu'elle fonctionnait encore. Lorsque le faisceau de lumière inonda les parois du puits, Pekkala laissa échapper un soupir de soulagement. Kirov avait pensé à changer les piles.

Planté au bord du trou, Pekkala hésita. La peur se déployait comme des ailes au creux de sa poitrine. Il ferma les yeux et respira profondément.

«Que se passe-t-il? s'inquiéta Alexeï.

– Vous allez devoir soulever la corde. Sinon, elle va frotter contre la paroi et je ne parviendrai pas à l'agripper quand j'enjamberai le bord. Une fois la descente engagée, je me débrouillerai tout seul.»

Alexeï tira sur la corde.

«Comme ceci? demanda-t-il.

– Elle est encore trop basse.»

Alexeï se rapprocha, les mains serrées sur le chanvre brun et rugueux, tirant sur la corde au fur et mesure.

«Il faut que vous veniez plus près, expliqua Pekkala, jusqu'à ce que j'aie posé mes pieds sur la paroi du puits. Après, je n'aurai plus besoin de votre aide.»

Ils n'étaient plus qu'à un bras l'un de l'autre. Leurs mains se touchaient presque.

Pekkala le regarda dans les yeux.

«Vous y êtes presque.»

Alexeï sourit. Son visage était rouge. Soulever cette lourde corde exigeait de lui un effort surhumain.

«Je m'en souviendrai», déclara-t-il.

Sibérie, 1929

Au moment où Pekkala s'apprêtait à enjamber le bord, il remarqua la ligne blanche irrégulière d'une vieille cicatrice sur le front d'Alexeï. Il la fixa, en proie à une grande confusion, sachant qu'un hémophile aurait certainement succombé à une telle blessure. Alors, comme si une image spectrale avait soudain recouvert les traits d'Alexeï, Pekkala aperçut un autre homme. Il fut ramené des années en arrière, par une journée glaciale, à Petrograd. Il était sur un pont surplombant la Neva. Devant lui se trouvait Grodek, le visage terrifié à l'idée de sauter du pont. Comme Grodek tentait de forcer le passage, Pekkala lui avait écrasé sur la tête le canon de son Webley. Grodek s'était écroulé dans la neige fondue, le front entaillé par le viseur du revolver. C'était la même blessure, ce mille-pattes violacé rampant du front vers les cheveux, qu'il avait refusé de recouvrir d'un pansement tout au long de son procès. En s'estompant, la cicatrice était devenue presque invisible. C'était seulement maintenant, par contraste avec la peau alentour rougissant sous l'effort, que la vieille blessure était réapparue.

« Grodek », murmura Pekkala.

Grodek sourit.

« Il est trop tard, Pekkala. Vous auriez dû écouter vos amis, mais vous aviez trop envie de croire...

– Qu'avez-vous fait de lui ? hurla Pekkala. Qu'avez-vous fait d'Alexeï ?

– La même chose qu'aux autres », répondit-il.

Puis il lâcha la corde.

Toujours nouée au pare-chocs, la corde de chanvre gicla contre le bord du puits. Le choc faillit l'arracher des mains de Pekkala. Il chancela en arrière, tentant de retrouver l'équilibre. Mais il était déjà trop avancé au-dessus du vide, et il bascula en arrière. Toujours agrippé à la corde, il glissa, les paumes en feu, frappant avec ses pieds les parois de la mine, le souffle de la chute lui giflant le visage. Puis son pied se bloqua sur une aspérité rocheuse. Il empoigna la corde de toutes ses forces. La chair de ses paumes était déchiquetée, cautérisée par le frottement, mais il ne lâcha pas. Puis, dans une ultime secousse qui lui brisa les reins, il s'immobilisa. Pekkala se balança vers le centre du puits, avant de revenir s'écraser, dans un bruit sourd, contre la roche. Il avait de la peine à reprendre son souffle. Il souleva le genou avec précaution, s'efforçant d'assurer sa prise. Il pensait y être parvenu quand sa chaussure dérapa. Il chuta de nouveau, et le poids de son corps lui disloqua les omoplates. Il hurla de douleur. Ses mains lui donnaient l'impression d'être plongées dans un brasier. Cette fois, il lâcha prise et bascula dans les ténèbres, battant des jambes. Puis les ténèbres prirent forme, se précipitant vers lui. Il heurta lourdement le sol, et le choc lui vida les poumons. Incapable de respirer, il roula sur le côté, agrippant la poussière, la bouche grande ouverte, happant un air qui ne venait pas. Sentant sa conscience s'éteindre, il s'arc-bouta, le front enfoncé dans le sol, et ce dernier effort libéra ses poumons. Il aspira une bouchée d'air chargée d'odeurs de décomposition.

Le visage de Grodek se pencha au-dessus du vide.

«Vous êtes toujours là, Pekkala?»

Pekkala poussa un grognement. Il inspira de nouveau.

«Pekkala!

– Où est Alexeï? cria Pekkala.

– Il est mort depuis longtemps, répondit Grodek. Ne vous inquiétez pas, Pekkala. Vous n'auriez rien pu faire pour lui. Il est mort la même nuit que le reste de sa famille. Je l'ai gardé en vie au cas où j'aurais besoin d'un otage. J'étais en train de me débarrasser des corps quand il est sorti du camion et a tenté de s'enfuir. Je l'ai prévenu que j'allais tirer s'il ne s'arrêtait pas, mais il a continué à courir. Il a bien fallu que je tire. Il est enterré au bord de ce champ. Je n'avais pas le choix.

– Pas le choix? hurla Pekkala. Aucun d'entre eux ne méritait de mourir!

– Maria Balka non plus, rétorqua Grodek. Mais je ne vous en veux pas, Pekkala. Je ne vous ai jamais considéré comme un ennemi. Depuis ce jour-là, sur le pont, et jusqu'à aujourd'hui, vous et moi avons emprunté des chemins qui ne dépendaient pas de nous. Mais bien que nous ne les ayons pas choisis, ils ont fini par se croiser. Vous pouvez remercier votre frère. C'est lui qui m'a contacté quand ce taré de photographe a décidé de parler. Je ne l'aurais jamais laissé s'échapper si le tsar n'avait pas insisté. Et quand Staline a décidé de vous mettre sur cette affaire, j'ai pensé que nous aurions finalement une chance de retrouver cet or. Si seulement j'avais su que ce n'était pas après de l'or que nous courions, je l'aurais sans doute trouvé plus tôt.

– Vous n'aurez pas ce que vous êtes venu chercher, répliqua Pekkala. Je sais que vous avez trop peur pour descendre jusqu'ici.

– Vous avez raison, concéda Grodek. Vous allez donc ramasser les diamants, les mettre dans cette sacoche et l'attacher au bout de cette corde. Je n'aurai plus, ensuite, qu'à les remonter...

– Pourquoi ferais-je cela pour vous ?

– Parce que, si vous le faites, je remonterai dans cette voiture et vous ne me reverrez jamais. Si vous refusez, en revanche, je retournerai en ville et je terminerai mon boulot, avec votre frère. Je m'occuperai aussi du commissaire. Je n'en ai aucune envie, Pekkala. Je sais ce que vous pensez : vos mains sont entachées du sang des Romanov... Mais la vérité, c'est qu'ils sont les seuls responsables. Et c'est pareil pour votre frère. Il l'a bien cherché. Pourtant, il ne mérite pas de mourir. Il vous a cru quand vous lui avez dit que vous ne saviez pas où se trouvait le trésor du tsar. Mais je savais que vous finiriez par mettre la main dessus, et je ne m'étais pas trompé. En attendant, il a fallu que je le menace sans arrêt. Le soir où il est rentré couvert de bleus de la taverne, c'est parce que je lui avais écrasé la tête contre un mur. Quand j'ai eu l'idée de me faire passer pour Alexeï, il m'a répondu qu'il refusait de continuer. Je lui ai dit que je vous tuerais s'il mentionnait mon nom. Il savait que je le ferais, alors il n'a rien dit. Quand vous avez découvert que je me trouvais dans les parages, il était sur le point de tout vous raconter. C'est pour ça que j'ai dû le faire taire. Il vous a sauvé la vie, Pekkala. La moindre des choses, maintenant, c'est de sauver la sienne...

– Si je vous donne les joyaux, cria Pekkala, qu'adviendra-t-il de moi ? Vous me laisserez pourrir au fond de ce trou ?

– Ils vous retrouveront, Pekkala. Dans une heure, si nous ne sommes pas rentrés, votre commissaire ira déchiffrer le message, dans ce livre. Il vous sortira de là avant la tombée de la nuit. Enfin, si vous vous dépêchez... Je vous donne cinq minutes. Pas une de plus. Si je n'ai pas ces diamants dans cinq minutes, je vous laisse crever ici, au milieu des cadavres de vos maîtres. Une fois que votre frère et Kirov seront morts, il n'y aura plus personne à Sverdlovsk pour vous retrouver. Le temps qu'ils comprennent, vous ne serez qu'un cadavre de plus dans le noir.

– Qu'est-ce qui me garantit que vous tiendrez parole ?

– Rien, répliqua Grodek. Mais si vous me donnez ces joyaux, j'aurai ce que je suis venu chercher, et je n'aurai plus aucune raison de m'attarder dans le coin. Alors, dépêchez-vous ! Le temps passe... »

Pekkala comprit qu'il n'avait d'autre choix que de lui obéir. Explorant le sol à tâtons, il finit par retrouver la sacoche de cuir. Il souleva le rabat, sortit la torche et l'alluma.

Les visages momifiés et disloqués des Romanov surgirent de la pénombre. Ils gisaient dans la position où il les avait laissés. Sur leurs vêtements décomposés, des boutons d'os et de métal réfléchissaient le faisceau de la lumière.

Agenouillé devant le corps du tsar, Pekkala empoigna la veste du mort et en déchira le tissu. Il céda facilement, et les fibres en se brisant projetèrent un petit nuage de poussière. Sous la veste, Pekkala trouva un gilet taillé dans un lourd coton blanc, semblable à celui dont sont faites les voiles. On aurait dit ces tenues de protection que portent les escrimeurs.

Le gilet était sillonné par plusieurs coutures, entre lesquelles Pekkala devina des bosses, aux endroits où l'on avait cousu des diamants entre deux épaisseurs de tissu, et fermé par des cordons, au lieu de boutons. Les nœuds étaient très serrés, et Pekkala tira dessus jusqu'à ce qu'ils cèdent. Puis, avec précaution, il retourna le tsar face contre terre et lui enleva le gilet en le faisant glisser le long des bras du squelette. Le gilet était lourd. Il le jeta par terre.

« Trois minutes, Pekkala ! » hurla Grodek.

Pekkala récupéra les autres gilets aussi vite qu'il pouvait. Ils étaient tous conçus à l'identique, et taillés sur mesure. Après avoir retiré le dernier, Pekkala tourna le dos aux corps à demi nus, dont la peau de papier, emprisonnée sous des lambeaux de vêtements, s'était rétractée sur les os.

« Une minute, Pekkala ! »

Il fourra les gilets dans la sacoche, mais seule la moitié y logeait.

« Il faudra me renvoyer la sacoche. Je ne peux pas tout mettre en une fois.

– Accrochez-la au bout de la corde ! »

Bientôt, la sacoche de cuir s'éleva par saccades, raclant les parois au passage.

Il entendit le rire de Grodek.

Quelques instants plus tard, la sacoche vide vint gifler la poussière, traînant dans son sillage le long serpent de chanvre.

Pekkala y entassa le reste des gilets qui, à leur tour, regagnèrent la surface.

Pekkala entendit au loin une détonation, comme le craquement d'une brindille sèche. Ça venait d'en haut. Puis quelqu'un cria. Anton l'appelait.

Pekkala se releva tant bien que mal.

Il distinguait à présent la voix de Grodek, celle de Kirov aussi, leurs cris entrecoupés de détonations. Il plissa les yeux pour scruter la lumière qui délimitait la bouche du puits. Il y eut un hurlement et, d'un seul coup, la lumière vacilla. Pekkala aperçut ce qui ressemblait à un immense oiseau noir. C'était un homme, en chute libre. Il eut à peine le temps de reculer avant que le corps ne vienne s'écraser au sol.

Pekkala se précipita vers l'homme, qui gisait à plat ventre. En retournant le corps, il reconnut Anton, atrocement disloqué par l'impact. Ses yeux s'ouvrirent en tremblotant. Il cracha du sang et haleta. Puis il tendit une main et agrippa le bras de Pekkala, qui se cramponna à lui tandis que la poigne d'Anton se faisait de plus en plus faible. Dans ces ultimes moments, pendant que la vie de son frère se dévidait lentement dans la nuit, les pensées de Pekkala dérivèrent jusqu'à leur enfance, quand Anton et lui dévalaient en luge la colline des bûcherons. Il lui semblait même entendre leurs rires, et le bruissement des patins sur le sol gelé. Enfin, le souffle d'Anton s'épuisa dans un dernier soupir. Ses doigts lâchèrent prise. Et l'image qui, l'instant d'avant, avait été si claire dans l'esprit de Pekkala ne tarda pas à se dissoudre en particules grises, qui s'éparpillèrent dans l'obscurité. Finalement, l'image disparut et Pekkala comprit que son frère était mort.

Il ne sentait plus son corps. Les douleurs de ses mains brûlées par la corde, de ses genoux, de ses épaules et de son dos fusionnèrent, cédant la place à un vide étrange qui carillonnait à l'intérieur de lui. Son cœur paraissait battre de moins en moins fort, comme un pendule sur le point de s'immobiliser. Il sentit sa vie tout entière remonter vers sa source, vers cette intersection au niveau de laquelle un homme meurt ou renaît. Il ferma les yeux et, dans cette nuit d'aveugle, Pekkala sentit les bras de la mort se refermer sur lui.

Alors, un bruissement d'air lui parvint aux oreilles. La corde gifla le sol juste à côté de lui. «Attrapez-la, cria Kirov. Je vais vous sortir de là.»

Une fois de plus, Pekkala referma les mains sur le chanvre brut. La douleur réapparut, mais il se força à l'ignorer. Là-haut, il entendit un moteur démarrer, puis se sentit soulevé. Quand ses pieds quittèrent la poussière, il jeta un dernier regard à son frère, gisant près des Romanov, comme s'il avait été allongé là depuis le début. Puis les murs sombres du puits de mine se refermèrent sur eux.

Quelques instants plus tard, Kirov l'empoigna pour le hisser à la surface.

La première chose que Pekkala aperçut en sortant fut Grodek. Il était allongé sur le ventre, mains menottées dans le dos, les doigts crispés comme les serres d'un oiseau mort. Il avait une blessure à l'épaule, et le tissu de sa chemise était imprégné de sang.

« Ne le laissez pas faire, haleta Grodek. Il dit qu'il va me tuer. »

De l'autre côté de la clairière, à moitié ensevelie sous les hautes herbes, se trouvait une autre voiture dont le pare-brise était criblé de balles. Des volutes de vapeur s'échappaient du radiateur crevé, et les flancs noirs étincelants de l'engin portaient des balafres argentées aux endroits où les balles avaient perforé le métal.

Kirov posa son pied sur le dos de Grodek et enfonça son talon dans la blessure. L'homme hurla de douleur. Le visage de Kirov ne trahissait aucune émotion.

« Comment m'avez-vous retrouvé ? interrogea Pekkala.

– Dès que votre frère s'est réveillé, expliqua Kirov, il a emprunté la voiture du docteur et est venu me chercher. Il m'a tout raconté au sujet de Grodek. Mais ni lui ni moi ne savions où vous étiez parti. Puis je me suis souvenu du livre. J'ai déchiffré le message. Nous sommes venus aussi vite que nous avons pu. Quand nous avons atteint la clairière, j'ai tenté de neutraliser Grodek en lui tirant dessus pendant qu'Anton le prenait à revers, mais Grodek l'a repéré et a ouvert le feu. Anton a été touché. Grodek l'a traîné jusqu'au puits et l'a jeté au fond de la mine. » Empoignant les menottes de Grodek, Kirov le força à se lever. « Et maintenant, c'est l'heure de régler nos comptes. » Il lui tordit les bras, et Grodek poussa un

gémissement. « J'ai entendu dire que vous aviez le vertige »,
reprit Kirov en traînant Grodek vers le puits.

Il le maintint au-dessus du vide. Grodek se débattait, implorant sa clémence. Kirov n'avait plus qu'à le lâcher.

Il était sur le point de franchir le point de non-retour. Ce n'était déjà plus le jeune commissaire que Pekkala avait rencontré dans la forêt, des siècles auparavant. Pekkala se sentait impuissant à empêcher ce qui allait arriver. Une partie de lui y était favorable, sachant que si Kirov ne franchissait pas cette ligne aujourd'hui, le temps viendrait certainement où il n'aurait plus le choix. Mais Pekkala comprit qu'il ne pouvait pas laisser faire ça. Il interpella Kirov et lui ordonna d'arrêter, conscient qu'il était peut-être déjà trop tard.

L'espace d'un instant, Kirov sembla désorienté, tel un homme réveillé en sursaut d'une transe hypnotique. Puis il se redressa, le poing serré sur la chaîne des menottes, éloignant Grodek du précipice.

Grodek tomba à genoux.

Pekkala s'approcha des gilets, posés en tas, leur coton blanc devenu soudain fragile et maculé de taches à la lumière du jour. Il en attrapa un et le souleva, sentant son poids lui arracher les bras. Le tissu pourri se déchira et un torrent de diamants se déversa sur le sol, étincelant comme de l'eau au soleil.

Une semaine plus tard, Pekkala se trouvait à Moscou.

Il était assis dans une salle aux murs lambrissés, dont les immenses fenêtres, encadrées par des rideaux de velours pourpre, donnaient sur la place Rouge. Une pendule de grand-père du xviiie siècle, signée Thomas Lister, qui venait du palais de Catherine, égrenait patiemment le temps dans un coin de la pièce. Le bureau devant lui était nu, hormis un support de pipe vide. Il ne savait plus depuis combien de temps il attendait. Il jetait parfois un coup d'œil vers la grande porte à double battant. Dehors, il entendait le pas cadencé des soldats sur la place.

Le rêve qu'il avait fait la nuit dernière résonnait encore sous son crâne. Il était à Sverdlovsk, sur sa fameuse bicyclette privée de freins, et il dévalait la colline, fonçant droit sur l'étang. Comme la première fois, il avait achevé sa course au fond de la mare, trempé, couvert de plantes aquatiques. En se relevant, il avait aperçu un homme, debout au milieu des joncs, sur l'autre rive. C'était Anton. Son cœur bondit en le voyant. Pekkala essaya de bouger, mais il en était incapable. Il appela son frère, qui ne l'entendait pas. Puis Anton se retourna et disparut, les joncs se refermant sur lui. Pekkala resta planté là pendant un long moment, du moins en eut-il l'impression dans son rêve, pensant à ce jour où il traverserait le lac. Comme Anton, il se tiendrait sur l'autre rive, regarderait une dernière fois les lieux qu'il venait de quitter, sans peine ni colère, sans tristesse, puis lui aussi disparaîtrait dans l'autre monde, par-delà les roseaux.

Soudain, une porte s'ouvrit dans le mur situé derrière le bureau. Elle s'intégrait si parfaitement aux panneaux de bois qui l'entouraient que Pekkala n'en avait même pas remarqué la présence.

L'homme qui entra dans la pièce portait un costume de laine brun-vert, dont la veste était conçue dans un style militaire, avec un col droit, très court, qui se fermait au sommet du cou. Ses cheveux noirs, virant au gris sur les tempes, étaient rabattus en arrière, et une épaisse moustache lui soulignait le nez. Lorsqu'il sourit, ses yeux se fermèrent comme ceux d'un chat repu.

«Pekkala», dit-il.

Pekkala se leva.

«Camarade Staline.»

Staline prit place en face de lui.

«Asseyez-vous.»

Pekkala se rassit sur sa chaise.

Pendant quelques instants, les deux hommes se dévisagèrent en silence.

Le tic-tac de la pendule parut soudain assourdissant.

«Je vous avais bien dit que nous nous reverrions, Pekkala.

– Le cadre est plus plaisant que la dernière fois.»

Staline se redressa sur sa chaise et jeta un regard circulaire autour de la salle, comme s'il ne l'avait jamais remarquée jusque-là.

«Tout est plus plaisant, désormais.

– Vous avez demandé à me voir...»

Staline acquiesça du chef.

«Comme vous l'avez souhaité, tout le crédit du retour des joyaux du tsar entre les mains du peuple soviétique est revenu au lieutenant Kirov. Ou plutôt devrais-je dire...» Staline se gratta le menton. «... au *major* Kirov.

– Je suis heureux de l'apprendre, déclara Pekkala.

– Vous êtes libre de partir, à présent. À moins, bien sûr, que vous n'envisagiez de rester...

– Rester? Non, je pars pour Paris. J'ai un rendez-vous trop longtemps repoussé...

– Ah, soupira Staline. Ilya, n'est-ce pas?

– Oui.»

L'entendre prononcer son nom rendit Pekkala nerveux.

«J'ai des informations sur elle», poursuivit Staline. Il fixait Pekkala avec attention, comme si les deux hommes avaient joué aux cartes. «Permettez-moi de les partager avec vous...

– Des informations? balbutia Pekkala. Quelles informations?»

Il pensa tout bas : Je vous en prie, faites qu'elle ne soit ni blessée ni malade, ou pire encore. Tout sauf ça.

Staline ouvrit un tiroir, dans un grincement de bois sec. Il en sortit une photographie, qu'il étudia quelques secondes, laissant Pekkala contempler le verso du tirage en se demandant de quoi il pouvait bien s'agir.

«Que se passe-t-il? s'enquit Pekkala. Elle va bien?

– Oh, oui.»

Staline posa la photographie et la poussa du doigt vers Pekkala.

Lequel s'en empara. C'était Ilya, il la reconnut aussitôt. Elle était assise à une table de café. Dans son dos, imprimés sur l'auvent du café, il lut les mots : *Les Deux Magots*. Elle souriait. Il devina ses dents saines et blanches. Alors, à contrecœur, le regard de Pekkala se posa sur l'homme assis à côté d'elle. Il était svelte, ses cheveux noirs plaqués en arrière. Il portait une veste et une cravate, une cigarette calée entre le pouce et l'index, qu'il tenait à la manière russe, l'extrémité incandescente en équilibre au-dessus de sa paume, comme pour en recueillir la cendre. Comme Ilya, il souriait. Tous deux regardaient quelque chose situé à gauche de l'objectif. De l'autre côté de la table se trouvait un objet qu'il faillit d'abord ne pas reconnaître. Cela faisait si longtemps qu'il n'en avait pas vu... C'était un landau, la capote relevée pour protéger l'enfant du soleil.

Pekkala se rendit compte qu'il ne respirait plus. Il dut se forcer à remplir ses poumons.

Staline posa son poing contre ses lèvres. Doucement, il se racla la gorge, comme pour rappeler à Pekkala qu'il n'était pas seul dans cette pièce.

« Comment l'avez-vous obtenue ? interrogea Pekkala d'une voix soudain rauque.

— Nous savons où habitent tous les émigrés russes de Paris.

— Est-elle menacée ?

— Non, le rassura Staline. Et elle ne le sera jamais. Je vous en donne ma parole. »

Pekkala contempla de nouveau la poussette. Il se demanda si l'enfant avait les yeux d'Ilya.

« Vous ne pouvez pas lui en vouloir, déclara Staline. Elle vous a attendu, Pekkala. Elle a attendu très longtemps. Plus de dix ans. Mais on ne peut pas attendre toute une vie, n'est-ce pas ?

— Non, reconnut Pekkala.

– Comme vous pouvez le constater, poursuivit Staline en désignant le portrait, Ilya est heureuse aujourd'hui. Elle a fondé une famille. Elle est professeur, de russe évidemment, à la prestigieuse École Stanislas. Personne n'aurait l'audace d'affirmer qu'elle ne vous aime plus, Pekkala, mais elle s'est efforcée de laisser le passé derrière elle. C'est une chose que nous devons tous faire, à un moment ou un autre de notre vie... »

Pekkala essaya d'avaler sa salive, mais sa pomme d'Adam resta coincée au fond de sa gorge.

Lentement, il redressa la tête, jusqu'à fixer Staline droit dans les yeux.

« Pourquoi m'avez-vous montré ça ? »

Les lèvres de Staline se tordirent.

« Vous auriez préféré débarquer à Paris, prêt à commencer une nouvelle vie, et découvrir que le rêve était de nouveau hors d'atteinte ?

– Hors d'atteinte ? »

Pekkala sentit la tête lui tourner. Son esprit semblait se cogner aux parois de son crâne comme un poisson pris au piège dans un filet.

« Vous pourriez toujours aller la retrouver, évidemment... » Staline haussa les épaules. « J'ai son adresse, si vous la voulez. Dès que son regard se posera sur vous, toute la sérénité qu'elle aura mis des années à bâtir volera en éclats. Imaginons que vous réussissiez à la convaincre d'abandonner l'homme qu'elle a épousé. Imaginons qu'elle décide même d'abandonner son enfant...

– Assez, intervint Pekkala.

– Vous n'êtes pas ce genre d'homme, Pekkala. Vous n'êtes pas le monstre que vos ennemis voyaient jadis en vous. Si c'était le cas, vous n'auriez pas été un opposant aussi farouche pour les gens de mon camp. Les monstres sont faciles à vaincre. Avec eux, c'est seulement une question de sang et de temps, car leur seule arme, c'est la peur. Mais vous, Pekkala, vous avez gagné l'amour du peuple et le respect de vos ennemis. Je crois que vous ne comprenez pas à quel point cette chose est rare, et ceux dont vous avez gagné le cœur sont toujours là, dehors. »

Staline balaya l'air de sa main, désignant la fenêtre et le ciel bleu pâle de l'automne.

« Ils savent combien votre tâche peut être ardue, et combien il est difficile pour ceux qui suivent un chemin comme le vôtre de faire ce qui doit être fait sans perdre leur humanité. Ils ne vous ont pas oublié, Pekkala, et je crois que vous non plus, vous ne les avez pas oubliés.

– Non, murmura Pekkala. Je n'ai pas oublié.

– Ce que j'essaie de vous dire, Pekkala, c'est que vous avez toujours votre place ici, si vous le désirez... »

Jusqu'alors, l'idée de rester ne l'avait jamais effleuré. Mais les projets qu'il avait faits n'avaient plus aucun sens, désormais. Pekkala comprit que son dernier geste d'affection envers celle dont il avait cru qu'elle deviendrait sa femme devait être de lui laisser croire qu'il était mort.

« Davantage qu'une place, d'ailleurs, reprit Staline. Ici, vous aurez un but. Je sais bien à quel point votre travail peut être dangereux. Je connais les risques que vous prenez, et je ne peux pas vous promettre que vos chances de survie augmenteront. Mais nous avons besoin de quelqu'un comme vous... »

La voix de Staline vacilla soudain, comme s'il avait été incapable de comprendre comment Pekkala pouvait encore supporter le poids d'un tel fardeau.

À cet instant, Pekkala pensa à son père, à la dignité et à la patience que lui avait inculquées le vieil homme.

« Cette tâche... » Staline cherchait ses mots.

« ... compte, acheva Pekkala.

– Oui. » Staline soupira longuement. « Elle compte. Pour eux. » Une nouvelle fois, il désigna la fenêtre, comme pour saisir l'immensité de ce pays d'un simple geste. Puis il ramena sa main vers lui, et sa paume s'écrasa lourdement contre sa poitrine. « Pour *moi*. »

Staline avait retrouvé son assurance, et son trouble le quitta, comme si l'ombre qui assombrissait son visage s'était soudain dissipée.

«Cela vous intéressera peut-être de savoir que j'ai parlé au major Kirov. Il m'a présenté deux requêtes.

– Quelles sont-elles?»

Staline poussa un grommellement.

«La première chose qu'il voulait, c'était ma pipe.»

Le regard de Pekkala se posa sur le support vide, au milieu du bureau.

«C'était une exigence si extravagante que je la lui ai donnée...» Staline hocha la tête, encore sous le coup de la stupéfaction. «C'était une bonne pipe. Une pipe de bruyère anglaise...

– Quelle était son autre requête?

– Il a demandé à retravailler avec vous, si l'occasion se présentait. Je me suis laissé dire que c'était un bon cuisinier.

– Un chef», rectifia Pekkala.

Staline donna un grand coup sur le bureau.

«Encore mieux! C'est un pays immense, rempli de nourriture infecte, et il est bon d'avoir quelqu'un comme lui à ses côtés...»

Le visage de Pekkala restait impénétrable.

«Bon.»

Staline se rassit au fond de sa chaise et joignit le bout de ses doigts.

«L'Œil d'Émeraude accepterait-il d'avoir un assistant?»

Pendant un long moment, Pekkala garda le silence, le regard perdu dans le vague.

«Il me faut une réponse, Pekkala.»

Pekkala se leva lentement.

«Très bien, dit-il. Je retourne au travail immédiatement.»

Staline se leva à son tour. Il tendit le bras au-dessus du bureau et serra la main de Pekkala.

«Et que dois-je dire au major Kirov?

– Dites-lui, répondit Pekkala, que deux yeux valent mieux qu'un.»

REPÈRES HISTORIQUES

Qu'est-il réellement arrivé
aux Romanov ?

Remarque sur les dates

Le 1ᵉʳ février 1917, la Russie remplace le calendrier julien par le calendrier grégorien en vigueur dans le reste du monde. Le système julien avait douze jours de retard sur le grégorien jusqu'en mars 1900, et treize jours ensuite. Par souci de précision, les dates indiquées ici sont celles que les Russes eux-mêmes auraient utilisées : celles du calendrier julien jusqu'au moment du changement, puis celles du calendrier grégorien.

Février-mars 1917

Les soldats russes partis combattre les armées allemande et austro-hongroise sont au bord de la rupture. Les manifestations et les grèves ouvrières se multiplient dans toutes les grandes villes russes, notamment Moscou et Petrograd.

Mars 1917

Nicolas II abdique, désignant son frère Mikhaïl comme l'héritier du trône russe, au détriment de son propre fils, Alexeï, qu'il considère comme trop jeune et trop fragile pour diriger le pays.

Mikhaïl, estimant que la situation est déjà trop compromise, refuse d'accéder au trône.

Nicolas II et sa famille sont placés en résidence surveillée au domaine de Tsarskoïe Selo, en périphérie de Petrograd. Un plan est élaboré pour envoyer la famille en exil en Grande-Bretagne. À la suite d'une vague de protestations, le gouvernement britannique retire son offre.

Mai-juin 1917

Manifestations et grèves se poursuivent. La pénurie de vivres et de carburant donne lieu à un pillage généralisé.

16 juin 1917

L'armée russe lance une grande offensive sur le front austro-hongrois. Cette attaque se solde pour les Russes par une terrible défaite.

Août 1917

La situation à Petrograd dégénérant, le gouvernement provisoire décide de transférer la famille Romanov, ainsi que ses médecins personnels, infirmières et les précepteurs des enfants vers la ville de Tobolsk, en Sibérie. Dès le 6 août, la famille s'installe dans une villa appartenant à l'ancien gouverneur de Tobolsk.

20 novembre 1917

Des négociations de paix sont engagées entre la Russie communiste et l'Allemagne.

16 décembre 1917

Le gouvernement révolutionnaire procède à une réorganisation de l'armée. Tous les officiers doivent être élus démocratiquement, et la hiérarchie militaire en vigueur est abolie.

23 février 1918

La *Pravda*, journal du parti communiste, exige le durcissement des conditions de détention des Romanov. La famille impériale n'a désormais droit qu'aux rations de l'armée et apprend qu'elle sera bientôt emmenée dans des lieux encore plus isolés – la ville d'Ekaterinbourg, à l'est de l'Oural.

30 avril 1918

Escortés par la garde rouge sous le commandement du commissaire Yakovlev, les Romanov et quelques membres de leur entourage arrivent en train à Ekaterinbourg. Ils sont accueillis à la gare par une foule immense et hostile, qui exige leur exécution. Les Romanov sont incarcérés dans la maison d'un marchand, Ipatiev. Une grande palissade est dressée autour de la maison, et les fenêtres du premier étage sont peintes au blanc de chaux pour isoler les lieux du monde extérieur. Les gardiens de la maison Ipatiev sont recrutés parmi les ouvriers d'usines locales.

22 mai 1918

La Légion tchèque, qui sera plus tard connue sous le nom d'Armée blanche, refuse l'ordre donné par le gouvernement révolutionnaire de déposer les armes. La plupart de ses hommes sont des déserteurs de l'armée austro-hongroise, qui ont choisi de combattre aux côtés des Russes pendant la Première Guerre mondiale. Ne pouvant rentrer dans leur propre pays, ils traversent presque toute la Russie, jusqu'à Vladivostok. De là, ils feront quasiment le tour de la Terre pour gagner la France, rejoindre le front occidental et combattre avec leurs alliés français, britanniques et américains. L'Armée blanche constitue, avec ses trente mille hommes, une force inarrêtable, qui se fraie un chemin vers l'est, le long de la ligne du Transsibérien.

12 juin 1918

Mikhaïl, le frère du tsar, est retenu prisonnier dans la ville de Perm. Résidant à l'hôtel Korolev, rebaptisé « Hôtel numéro un » par les bolcheviks, lui et son valet, Nicolas Johnson, ont le droit de se promener dans la rue, à condition de ne pas sortir de la ville. La nuit du 12 juin, le grand-duc Mikhaïl et Nicolas Johnson sont chassés de leurs chambres par un escadron de la mort issu de la Tcheka, sous le commandement d'Ivan Kolpaschikov, emmenés dans les bois de Malaya Yazovaya et exécutés. Les bolcheviks n'annoncent pas la mort du grand-duc, mais déclarent au contraire qu'il a été libéré par des officiers russes de l'Armée blanche. Au cours des mois suivants, des « témoins » du monde entier prétendront avoir aperçu Mikhaïl. Son corps et celui de Johnson n'ont jamais été retrouvés.

4 juillet 1918

Accusés d'avoir volé les Romanov, les gardes locaux sont renvoyés. Ils sont remplacés par un officier de la Tcheka, Iourovski, et un contingent de « Lettons », qui est en fait majoritairement composé de Hongrois, d'Allemands et d'Autrichiens. Dès lors, les seuls hommes autorisés à entrer dans la maison Ipatiev sont ceux de la Tcheka. Des gardes sont postés dans toute la maison, et même devant les salles de bains. Les Romanov vivent au deuxième étage. Ils sont autorisés à préparer leurs propres repas, à base de rations de l'armée et de vivres fournis par les nonnes du couvent de Novotikvinsky, à Ekaterinbourg.

16 juillet 1918

Alors que l'Armée blanche approche d'Ekaterinbourg, le commissaire Iourovski reçoit un télégramme ordonnant que les Romanov soient exécutés, afin de ne pas courir le risque qu'ils soient délivrés par l'Armée blanche. Ce télégramme fut vraisemblablement envoyé par Lénine, même si son origine reste sujette à débat.

Iourovski ordonne aussitôt à ses gardes de lui remettre leurs revolvers Nagant réglementaires. Il charge les armes, les rend à leurs propriétaires et leur annonce que les Romanov seront abattus le soir même. Deux des «Lettons» refusent de tuer de sang-froid des femmes et des enfants.

Iourovski répartit entre ses gardes tous les membres de la famille et de leur entourage, afin que chaque homme ne soit responsable que d'une seule exécution. Le nombre total des gardes est de onze, ce qui correspond à celui des personnes à exécuter: les Romanov, leur dame d'honneur Anna Demidova, leur cuisinier Kharitonov, leur médecin, le Dr Botkine, ainsi qu'un valet de pied dénommé Trupp.

17 juillet 1918

À minuit, Iourovski réveille les Romanov et leur ordonne de s'habiller. Il leur annonce que des troubles ont éclaté dans la ville. Environ une heure plus tard, les prisonniers sont conduits à la cave, que Iourovski a choisie comme lieu d'exécution.

Quand les Romanov y pénètrent, la tsarine Alexandra demande des chaises, et on leur en apporte trois: la tsarine, le tsar et leur fils Alexeï s'y asseyent.

Le camion qui a été réquisitionné pour transporter les corps après l'exécution n'arrive que peu avant 2 heures.

Une fois le camion sur place, Iourovski et ses gardes descendent à la cave et entrent dans la salle où se trouvent les Romanov. L'endroit est si bondé que plusieurs hommes doivent rester dans le couloir. Iourovski informe le tsar qu'il va être exécuté.

Selon le témoignage de Iourovski, le tsar lui répond: «Quoi?» Il se tourne alors vers son fils Alexeï. À ce moment précis, Iourovski lui tire une balle dans la tête.

Alors, les gardes ouvrent le feu. Bien que Iourovski ait soigneusement planifié le déroulement de l'opération, celle-ci dégénère rapidement. Les femmes se mettent à hurler. Des balles ricochent contre les murs et, apparemment, contre les femmes elles-mêmes. L'un des gardes est touché à la main.

Ayant échoué à tuer les femmes, les gardes essaient de les achever à coups de baïonnette, sans succès. Finalement, elles reçoivent chacune une balle en pleine tête.

Le dernier à mourir est Alexeï, qui est toujours assis sur sa chaise. Iourovski lui tire plusieurs fois dessus, à bout portant.

Les corps sont remontés dans la cour de la maison Ipatiev, sur des civières improvisées, constituées de couvertures fixées sur des brancards de charrettes. Les morts sont hissés sur un camion et recouverts de couvertures.

Iourovski constate alors que ses hommes ont volé les objets de valeur que les Romanov gardaient dans leurs poches. Il leur ordonne de les rendre, sous peine de mort. Les gardes s'exécutent.

Le camion se dirige vers une mine abandonnée qui a été choisie pour y enterrer les Romanov et leur personnel. Mais, en chemin, le camion rencontre un groupe d'une vingtaine de civils qui ont été chargés par un autre membre de la Tcheka d'enfouir les corps. Les civils sont en colère, car ils pensaient exécuter eux-mêmes les Romanov. Ils déchargent les corps du camion et entreprennent aussitôt de les dépouiller de leurs biens. Iourovski leur ordonne d'arrêter en les menaçant de son arme.

Iourovski prend conscience qu'aucun membre du groupe, y compris lui-même, ne connaît l'emplacement exact de la mine, et que personne n'a songé à leur fournir les outils nécessaires à l'enfouissement des corps. Iourovski recharge les corps à bord du camion et se met en quête d'un autre site.

À l'aube, Iourovski repère une mine abandonnée près du village de Koptiaki, à environ trois heures de marche d'Ekaterinbourg.

Les cadavres des Romanov sont de nouveau déchargés du camion. On les déshabille et un feu est allumé pour brûler les habits avant d'abandonner les corps au fond de la mine. Tandis que l'on débarrasse les cadavres de leurs vêtements, Iourovski découvre que les Romanov portent des gilets dans lesquels des centaines de diamants ont été cousus, ce qui explique pourquoi les balles n'ont pas réussi à tuer les femmes. Ces joyaux sont cachés en lieu sûr et seront ensuite acheminés jusqu'à Moscou.

Une fois les vêtements brûlés, Iourovski donne l'ordre de jeter les corps au fond du puits de mine, puis tente de faire effondrer ce dernier avec des grenades. L'opération n'est qu'en partie réussie, et Iourovski comprend qu'il va devoir transférer les cadavres dans un autre site.

Il contacte ses supérieurs ; un membre du Soviet de l'Oural lui suggère d'enfouir les corps dans l'une des nombreuses mines situées à proximité de l'autoroute de Moscou, non loin de l'endroit où on les avait d'abord abandonnés. Ces mines étant inondées, Iourovski décide de lester les corps avec des pierres avant de les jeter au fond du puits. Il improvise en outre un plan de repli consistant à brûler les corps, à les asperger d'acide sulfurique puis à enterrer les restes dans un puits.

Le 17 juillet au soir, les corps sont exhumés, chargés sur des civières et transportés jusqu'aux mines de l'autoroute de Moscou.

18 juillet 1918

Les civières transportant les corps se brisent avant d'arriver aux mines. Iourovski donne l'ordre de creuser une fosse, mais alors que cette dernière est à moitié achevée, on l'informe qu'elle est trop visible depuis la route.

Iourovski abandonne l'idée de la fosse et donne l'ordre de réquisitionner des camions pour gagner les mines profondes proches de l'autoroute de Moscou.

Ce jour-là, le journal la *Pravda* annonce que le tsar a été exécuté, mais que la tsarine Alexandra et son fils Alexeï ont été épargnés et emmenés en lieu sûr. Nulle mention n'est faite des quatre filles du tsar ni des membres de leur personnel.

L'article laisse entendre que les exécutions ont été menées à l'initiative des miliciens d'Ekaterinbourg, et non sur ordre de Moscou.

19 juillet 1918

Aux premières heures du jour, les camions réquisitionnés pour remplacer les civières brisées tombent à leur tour en panne sur les pistes défoncées. Iourovski donne l'ordre de creuser une nouvelle fosse. Entre-temps, il brûle les cadavres. Les restes des corps sont jetés dans la fosse et aspergés d'acide. On rebouche la fosse, et des traverses de chemin de fer sont disposées au-dessus du lieu de sépulture. On fait rouler les camions sur les traverses de bois pour faire disparaître toute trace d'enfouissement.

Au petit jour, l'opération est terminée.

Avant de quitter le site, Iourovski fait jurer aux participants de garder le silence.

Les os ne sont pas retrouvés, malgré l'immense battue lancée par l'Armée blanche quand elle prend Ekaterinbourg, quelques jours plus tard. Les blancs sont ensuite repoussés, et l'Armée rouge reprend le contrôle d'Ekaterinbourg.

Au cours des mois suivants, les témoignages se multiplient, suggérant que la tsarine et ses filles auraient survécu. Des témoins affirment les avoir aperçues à bord d'un train se dirigeant vers la ville de Perm. Une autre histoire évoque l'apparition d'une jeune femme, l'une des filles, qui aurait vécu quelque temps dans une famille, en pleine forêt, avant d'être remise à la Tcheka, qui l'aurait alors exécutée.

Un tailleur du nom d'Heinrich Kleibenzetl prétend avoir vu la princesse Anastasia, gravement blessée, en train d'être soignée par sa dame d'honneur dans une maison située juste en face de la maison Ipatiev, après la fusillade.

Un prisonnier de guerre autrichien, Franz Svoboda, affirme avoir lui-même aidé Anastasia à s'échapper de la maison Ipatiev.

1920

Une femme tente de se suicider en sautant d'un pont dans le canal Landwehr, à Berlin. Elle est internée dans un hôpital psychiatrique à Dalldorf, où l'on découvre qu'elle porte plusieurs blessures qui semblent avoir été causées par des balles, et une autre qui pourrait correspondre à la lame cruciforme d'une baïonnette de Mosin-Nagant, un fusil russe.

La femme paraît atteinte d'amnésie, et le personnel de l'hôpital la surnomme *Fräulein Unbekannt* – « Mademoiselle X ».

1921

Fräulein Unbekannt confie à l'une des infirmières de Dalldorf, Thea Malinkovsky, qu'elle est en réalité la princesse Anastasia. Elle prétend avoir échappé à l'exécution grâce à un soldat russe du nom d'Alexander Tschaïkovsky. Ensemble, ils se seraient enfuis à Bucarest, où Tschaïkovsky aurait été tué lors d'une bagarre.

1922

La femme se présentant comme Anastasia sort de l'hôpital psychiatrique, et elle est recueillie par le baron von Kleist, convaincu de la véracité de son histoire.

Au cours des années suivantes, nombre d'amis et de proches des Romanov rendent visite à la jeune femme, dont la grande-duchesse Olga Alexandrovna, sœur de Nicolas II, et Pierre Gilliard, le précepteur des enfants Romanov – tous deux crient à l'imposture. Sur la base d'un moulage de sa dentition, le dentiste de la famille Romanov, le Dr Kostrizky, affirme également que la femme n'est pas Anastasia.

Mais tous ceux qui rencontrent la femme ne la considèrent pas comme une menteuse. En Allemagne, le neveu et la nièce du médecin personnel des Romanov, le Dr Botkine, soutiennent vigoureusement les revendications de la jeune femme – on les accusera d'être uniquement intéressés par la fortune cachée des Romanov, qui équivaudrait aujourd'hui à quelque 190 millions de dollars, soit plus de 150 millions d'euros.

La bataille légale qui s'ensuit deviendra le procès le plus long de l'histoire de l'Allemagne.

Un détective privé, Martin Knopf, affirme que, d'après son enquête, la femme est en réalité une ouvrière d'usine polonaise qui s'appelle Franziska Schanzkowska, et que ses cicatrices proviennent d'une explosion à la fabrique de munitions où elle travaillait.

Le frère de Schanzkowska, Felix, est convoqué pour identifier la femme. Il la reconnaît aussitôt comme sa sœur, tout en refusant, pour une raison inconnue, de signer une déclaration sous serment.

1929

La femme déménage à New York, où elle habite temporairement avec Annie Jennings, riche personnalité de Manhattan. Bientôt, après plusieurs crises d'hystérie, elle est de nouveau internée dans un asile psychiatrique, le Four Winds Sanatorium.

1932

La femme, qui porte désormais le nom d'Anna Anderson, retourne en Allemagne.

1934

Iourovski décrit en détail les exécutions et les événements qui les ont précédées lors d'un congrès du Parti à Ekaterinbourg.

1956

Sortie du film *Anastasia*, avec Ingrid Bergman et Yul Brynner.

1968

À l'âge de soixante-dix ans, Anna Anderson retourne aux États-Unis et épouse John Manahan, qui croit qu'elle est la princesse Anastasia. Le couple s'installe en Virginie.

1976

Les restes des Romanov sont retrouvés à l'endroit exact indiqué par Iourovski, mais l'information est gardée secrète et les corps ne sont pas exhumés.

1977

Le futur président russe Boris Eltsine, alors chef du parti communiste d'Ekaterinbourg, ordonne la destruction de la maison Ipatiev, au prétexte qu'elle était devenue un lieu de pèlerinage.

1983

Anna Anderson est de nouveau internée. Quelques heures plus tard, Manahan vient l'enlever en plein hôpital psychiatrique, et ils disparaissent tous deux dans la campagne de Virginie.

12 février 1984

Anna Anderson décède d'une pneumonie.

1991

Les squelettes des Romanov sont exhumés. Grâce à des échantillons d'ADN prélevés notamment sur le duc d'Édimbourg (dont la grand-mère était la sœur de la tsarine Alexandra), les restes sont formellement identifiés comme étant ceux de Nicolas II, d'Alexandra, de leurs filles Olga, Tatiana et Anastasia, ainsi que des trois domestiques de la famille et du Dr Botkine. Deux corps, ceux d'Alexeï et de Maria, restent introuvables.

1992

Un échantillon d'ADN prélevé sur le corps d'Anna Anderson confirme qu'elle n'est pas la princesse Anastasia. Son ADN correspond en revanche à celui de Karl Maucher, petit-neveu de Franziska Schanzkowska.

27 août 2007

Des restes de corps humains, dont on présume qu'il s'agit de ceux de Maria et d'Alexeï, sont retrouvés dans des tombes peu profondes, à proximité de l'autre lieu de sépulture.

30 avril 2009

Le gouvernement russe annonce que les tests ADN sont venus confirmer les identités d'Alexeï et de Maria. Le même jour, qui marque le quatre-vingt-dixième anniversaire des exécutions, plus de trente mille Russes se rendent à la mine où les Romanov ont été inhumés.

Pour en savoir plus : www.inspectorpekkala.com

REMERCIEMENTS

L'auteur tient à remercier, par ordre alphabétique, les personnes suivantes pour leur aide et leur soutien dans l'écriture de ce roman : Katherine Armstrong, Will Atkinson, Lisa Baker, Lee Brackstone, Angus Cargill, Pauline Collinghurst, Jason Cooper, Matthew De Ville, Walter Donohue, Jo Ellis, Dominique Enright, John Grinrod, Alex Holroyd, Samantha Matthews, Stephen Page, Deborah Rogers, Mohsen Shah, Dave Watkins.

Mis en pages par DV Arts Graphiques à La Rochelle,
cet ouvrage a été achevé d'imprimer
sur Roto-Page
par l'Imprimerie Floch à Mayenne
pour le compte de S.N. Éditions Anne Carrière
104, bd Saint-Germain 75006 Paris
en décembre 2010

Imprimé en France
Dépôt légal : janvier 2011
N° d'édition : 646 – N° d'impression : 78239

QMRRD	DATE DUE		
31/05/13			